영어의 바다에 헤엄쳐라

하광호 지음
미국 뉴욕주립대
영어교육과 교수

에디터
서울
1996

영어의 바다에 헤엄쳐라

초판 1쇄 1996년 8월 10일 발행
2쇄 1996년 8월 15일 발행
3쇄 1996년 8월 16일 발행
4쇄 1996년 8월 17일 발행
5쇄 1996년 8월 18일 발행
6쇄 1996년 8월 28일 발행
7쇄 1996년 8월 29일 발행
8쇄 1996년 9월 1일 발행
9쇄 1996년 9월 2일 발행
10쇄 1996년 9월 10일 발행
11쇄 1996년 9월 11일 발행
12쇄 1996년 10월 25일 발행

지은이 · 하광호
펴낸이 · 김석성
펴낸곳 · 에디터
1991년 6월18일 등록 제1-1220호
펴낸곳의 주소 · 서울시 종로구 내수동 1번지(대성빌딩 507호)
편집 02-722-1725
판매 02-723-9218 FAX 02-737-9656
찍은곳 · 삼성인쇄주식회사

값 6,500원

이 책의 한국어판 저작권은 에디터에 있습니다.
저작권법에 의해 한국 내에서 지적 재산권의 보호를 받는
저작물이므로 무단전제 및 복제를 금합니다.

ISBN 89-85145-07-X

영어의 바다에 헤엄쳐라

목차

책머리에

    지난 해 말 〈영어의 바다에 빠뜨려라〉를 펴내고 나서 나는 조국인 한국과의 관계를 다시 생각해보게 되었다. 나의 몸이 한국의 흙과 바람과 물로 빚어졌다는 것, 그것은 나의 운명이라는 것을 새삼 절실히 깨닫는 계기가 되었다. 내가 쓴 책을 본 수많은 독자들이 서울의 출판사와 이곳 대학, 그리고 나의 E-mail 주소로 연락을 해왔다. 나는 고지식한 데가 있어서 그 많은 문의에 대해 일일이 답장을 보내느라고 올 봄 방학 동안 꼼짝도 못하고 지냈다. 내게 그만한 시간 여유가 없는데도 불구하고 나는 애써 답장을 했다. 그 문의 내용들이 너무 절실해서 내가 답장을 하지 않는다면 마치 목마르다고 외치는 사람들에게 가지고 있는 물을 주지 않는 것이 될 것같았다. 사실 나는 어떤 때는 근 3년 동안 한국말이라곤 단 한 마디도 하지 않고 지낸 적이 있을 정도로 대학에서 영어연구에 골몰하고 지냈었는데 지금은 거의 날마다 한국어를 쓰고 말하고 한다. 오늘도 나는 한국에서 온 세 통의 편지를 읽었다.

    나의 판단은 해방 이후 지난 50년 동안 실시해온 한국의 영어교육에 잘못된 부분이 많다는 것이다. 지금은 다소 개선이 되었다고는 하지만 내가 실제 한국에 가서 본 바로는 크게 개선된 것같지가 않았다. 나는 고등학교의 교실수업도 참관해보았고, 대형서점에 며칠 동안 나가서 쭈그리고 앉아 영어학습서들을 살펴보았고, 중고등학교의 교과서들도 구해 보았다. 교과서엔 오류가 많았고, 영어학습 도서들은 시험에서 좋은 점수를 얻기 위한 목적으로만 쓰여진 것이 주류였다. 시중에 범람하는 회화책 역시 단편적인 표현들을 모아놓은 것들이 대부분이었다. 그리고 나를 더욱 놀라게 한 것은 정체불명의 영어학습도서와 테이프들이 엄청난 광고공세에 힘입어 가격이 무척 비싼데도 불구하고 잘 팔려나가고 있는 점이었다. 헤아릴 수 없을 정도로 많은 오류가 있는 영어책들, 잘못된 영어학습 방법이 별다른 검증이나 비판 없이 버젓이 행해지고 있다는 현실은 한국의 선진화를 생각할 때 하루 빨리 개혁되어야만 할 것이라는 생각이 들었다.

　나는 남은 여생을 한국의 영어학도들을 위한 강연과 저술 활동으로 보낼 궁리를 하고 있다. 그래서 틈을 내어 이번 여름방학 중에도 한국에 가서 두달 동안 초등학교 영어교사 연수를 할 계획이고, 따로 영어학습서를 저술하고 있는 중이다. 내가 쓰고 있는 영어학습서는 영어를 배우는 목적을 단기적인 시험에 두지 않고 장기적인 영어체득에 두려는 사람들을 위한 것이다. 물론 그 영어학습서를 익히면 시험 따위는 저절로 해결된다. 이 책은 많은 독자들의 요청에 따라서 쓰게 된 것이다. 앞서의 〈영어의 바다에 빠뜨려라〉가 나의 영어학습 행로를 자전적인 스토리로 엮은 것이었다고 한다면, 이 책은 한국인들이 영어학습에서 직면하는 여러가지 고통스러운 문제들을 미국에서는 어떻게 가르치고 있는가, 보다 세세히 체험론적으로 공부하는 방법을 밝혀놓은 것이다. 그러니까 영어학습의 요령에 나의 체험이 드러나게끔 쓴 것이라고 할 수 있다. 물론 미국의 초중고 학생들, 대학생들을 가르치는 중에

겪은 여러가지 경험, 미국내 한국교포들을 가르친 체험이 들어가 있다. 일반적인 영어학습에서 흔히 겪는 어려움을 항목별로 다루었다. 예컨대 관사 a와 the의 쉬운 용법, 한국인이 잘못하는 영어발음, to 부정사와 동명사의 용법 차이, will과 shall의 용법, 전치사별 기본 개념과 다양한 쓰임새, 많이 쓰는 동사 이야기를 포함한 여러가지 글들이 그것이다. 이밖의 풍부한 자료를 동원하여 재미있게 쓰려고 했다. 앞서 나온 나의 책 〈영어의 바다에 빠뜨려라〉를 읽은 독자들의 요청에 따라 영어공부할 때 가장 힘든 대목들을 중심으로 진지하게 그러나 독자의 흥미를 끌 수 있게 써보려 한 것이다. 한국의 영어학도들이 품고 있을 의문에 대답이 되기를 희망한다.

영어학습이 진리탐구 자체는 아니지만 다른 학문의 진리탐구를 위한 썩 유용한 수단이 될 수 있다는 데 부정할 사람은 없을 것이다. 내 경험에 의하면 영어학습은 무척 재미있으며 행복한 체험이 될 수 있다. 우선 영어에 재미를 못 느낀다면 효율성이 떨어지고 의욕도 시들해져 만족할만한 성과를 거두기가 어려워진다. 왜 내가 영어를 공부하려고 하는가. 그 절실한 필요성을 자각할 때 영어학습은 놀라운 진전을 보게 될 것이다. 영어를 잘 하려면 재미있게 공부하는 것이 필요하다. 영어는 단어 하나마다 역사가 있고 여러가지 의미가 있다. 풍부한 어휘와 다양한 표현은 큰 강점이다. 영어를 습득하면 영어로 된 문화환경을 즐길 수 있다. 마치 상어가 바다에서 자유롭게 헤엄쳐다니듯이 말이다. 독자여, 영어의 바다에 헤엄쳐라.

나는 앞으로 이런 분들, 즉 영어를 간절히 배우고 싶어하는 사람들, 영어를 배웠으나 다시 시작하고 싶어하는 사람들, 참고서만 이것저것 사다놓고 처음 몇 부분만 본척만척하고 넘겨 무엇 하나 확실히 해두지 못한 사람들, 영어를 제대로 공부하고 가르치고 싶어하는 사람들을 위해 부지런히 책을 써서 작으나마 도움이 되려고 한다.

호울 랭구이지 영어학습이 진행되고 있는 뉴욕주립대 영어교육과 강의실. 영어교육과 4학년 학생들이 소그룹으로 나뉘어 강의 내용을 실천하고 있다.

영어가 왜 필요한가에 대해서 의문을 가진 사람은 이 책을 읽을 필요가 없을 것이다. 영어를 애국심과 결부시켜서 영어교육이 한국어를 훼손한다고 주장하는 사람도 역시 이 책을 가까이 할 필요가 없을 것이다. 한국에서 처음엔 술장사로 시작했다가 젊어서 소장 재벌이 된 어떤 성공한 대기업 총수가 여러 사람들을 모아놓고 자신의 성공담을 말하는 중에 한 말이 있다. 그는 말했다. "여러분, 이제 우리가 성공하려면 영어를 공부해야 합니다." 세계지도를 벽에 붙여놓고 이제 세계가 좁다 하고 사업을 뻗혀나가려는 그 젊은 총수가 한 말은 그냥 지나가는 말로 한 것은 아니었을 것이다.

많은 사람들이 내게 영어 학습의 비법을 물어왔다. 한국에 그 수많은 영어책들, 비디오 테이프들, 학원들이 엄청나게 있는데도 무엇이 모자라 이역만리에 있는 나한테 묻는가. 왜 토플시험에서 세계 181개국 중 140등('93~'95년) 밖에 안되는가. 영어학습의 환경을 바꾸어야 한다. 영어 12년을 공부해도 말 한마디 제대로 못한다고 타박을 하기 전에 대학(특히 사범대학)의 영어교육이 크게 바뀌어야 한다는 것이 내 생각이다. 교과서를 아무리 개편해도 별 도움이 되지 못한다. 초중고교에서 영어를 가르치는 교사가 달라져야 한다. 가르치는 교사가 달라지려면 교사를 생산하는 대학의 영어교육과가 절대로(!) 바뀌지 않으면 안된다. 엠한 교사들에게 돌팔매를 던지지 말라. 한국의 영어교육이 잘못되고 있는 것은 전적으로 대학이 책임져야 한다.

미국에서는 한해에도 여러 차례 영어교육을 위한 세계 대학교수들의 심포지움이 열린다. 이 가운데는 내가 말석에서 주도를 하는 것도 있는데 이 모임들에는 아시아에서는 일본, 대만, 이스라엘은 물론 태국, 말레이시아에서도 빠지지 않고 참여한다. 영어교육의 문제점이 무엇인가, 어떻게 하면 더 효과적으로 가르칠 수 있는가, 연구발표와 함께 진지한 토론을 통해 결과를 공유한다. 이런 모임에 한국에서도 많이 와주었으면 한다. 한국영어, 이래 가지고는 안된다. 대원군식 쇄국 영어교육을 해가지고는 발전을 기대할 수 없다.

이 책을 펴내는 데 도움을 준 BBC영어교실의 이덕주 회장과 오순환 사장, 에디터의 김석성 사장께 이 자리를 빌어 감사를 드린다. 이 분들의 지원에 힘입어 이 책이 나오게 되었다. 내게 한국영어교육의 어려움을 간절히 호소한 과천의 김정희 초등교사 같은 분들도 이 책을 쓰는 데 자극이 되었다. 그리고 앞서 나온 나의 책을 읽고 내게 독후감과 함께 영어학습의 고통을 호소해온 독자들에게도 감사하는 것이 마땅하다고 생각한다. 이 책은 그 사람들의 것이다.

1996년 5월
뉴욕주립대 연구실에서
하광호

한국 영어교과서의 오류들

강의실에서 펑크머리의 제자와 대화를 나누고 있는 필자. 교사가 될 영어교육과 학생들은 몸가짐이 단정해야 하는데도 교수들은 학생들에게 이래라, 저래라 하지 않는다. 진짜 교사가 되고 나면 정장차림을 하는 것이 미국학교의 엄한 규칙이니까.(1996. 4. 20)

한국 영어교과서, 틀린 내용 많다

    한국의 각급 학교에서 영어를 가르칠 때 거의 대부분 교과서를 텍스트로 해서 가르치고 있다. 영어교과서는 엄정한 심사과정을 거쳐 인정을 받은 "검인정 교과서"만이 교실에 들어가서 교과서로 대접받는다. 교과서는 교사나 학생들에게 "신주" 모시듯이 취급된다. 그것을 텍스트로 해서 학교성적이 나오고, 수능시험이 그 수준에서 나오기 때문에 교과서는 학생들에게 법전(法典)과 같은 자리를 차지하고 있다. 수업의 중심에 교과서가 놓여 있는 것이다.

    교과서의 내용은 검인정을 맡고 있는 행정당국이 보증한 셈이므로 교과서의 위엄은 교사나 학생들에게 대단하다. 교과서가 틀린다든지 하는 것은 쉽게 상상할 수 없는 일이다. 누구도 감히 교과서에 이의를 달거나 시비를 걸 수 없는 것으로 알고 있다. 하지만 교과서도 사람이 만드는 것. 더구나 영어교과서는 아무리 박사, 교수들이 지었다고 해도 다른 나라 말이므로 자칫 틀릴 수가 있다. 그러므로 원어민(原語民)의 감수가 필수적이다. 영어 본바닥의 실력있는 학자나 교수에게 감수를 받아서라도 완벽을 기해야 한다. 어떤 이유로도 틀린 교과서는 말이 안된다.

    나는 몇해 전부터 한국의 영어에 관심을 갖게 되면서 영어교육에 여러가지 문제가 있음을 알게 되었다. 그 중의 하나로 영어 교과서에 상상 이상으로 오류가 많은 사실에 기겁을 했다. 나는 미국의 대학에서 장차 영어교사가 될 사범대학 학생들을 가르치고 있으므로 미국 영어교과서가 일관되게 갖추어야 할 교육철학적인 면, 아동발달과 관련한 심리적인 면, 언어교육적인 면 등이 중요하다는 점을 잘 알고 있다. 그런 개념들은 한국교과서라고 해서 예외는 아닐 것이다. 영어로서의 어법이 틀린 것, 내용에서 표현된 상황자체가 논리적으로 맞지 않는 것 등 눈 밖에 난 것들은 그러한 교과서의 총론적인 개념으로 보면 아주 기본적인 것들이다. 기본개념은 차치하고, 표면에 드러난 눈에 걸리는 오류가 수도 없이 많았다. 심하게 말해서 오류 전시장같다고 할까. 이렇게 오류가 수두룩한 교과서를 가지고 정작 일선 교사들은 어떻게 가르치는지 그것이 궁금하다.

    교과서 개편때까지 기다릴 것이 아니라 바로 고쳐서 교과서도 "세계화" 정신 속으로 나와야 한다고 나는 생각한다. 오류를 저지른 교과서들은 특별히 어느 한두 종류에 한한 것이 아니라 내가 살펴본 대부분의 교과서들이 엇비슷했다. 참고로 한국의 영어교과서에 나타난 오류에 고언을 하면서 두 종류의 교과서를 예로 들어 여기에서 함께 들여다 본다. 나의 뜻은 특정한 필자들이나 출판사를 공박하는 데 있는 것이 아니므로 교과서의 이름, 저자, 출판사 이름 들은 밝히지 않겠다. 여기에 대상이 된 교과서는 무작위로 선정된 것이다.

16

중학교 영어교과서에서

A교과서의 경우

　　Is her name Susan?

　　Right. (부적당)

교과서에는 이렇게 나와 있으나 이럴 땐 Yes. 라고 대답해야 한다. 옳고 그른 점을 묻는 질문엔 옳으면 Right, 그르면 Wrong이다.

　　Do you know Winston Churchill?

　　Yes, I know him. (잘못)

위의 문장을 그대로 해석하면 "당신은 (개인적으로) 처칠을 아느냐?"라는 뜻이다. 중학생이 죽은 처칠 수상과 아는 사이일 리도 없는데 대답은 개인적으로 아는 것처럼 나와 있다. 이 경우엔 Yes, I know who he is. (예, 그가 누구인지를 압니다.) 라고 해야 옳다.

누가 길을 묻는 질문이 교과서에 나와 있다. 그 대답을 아래와 같이 쓰고 있다.

　　Just over there. (여기서 Just는 지금에 와서는 거의 쓰지 않는 낡은 표현.)

"바로 저기예요." 할 때는 Right over there. 라고 하든가 그냥 Over there. 라고 한다.

　　School opens at eight o'clock.(어색한 표현)

백화점이나 상점, 사무실이 문을 열 때는 open을 쓴다. 학교는 begin 이나 start를 쓴다. 이 문장에선 3인칭 단수에 맞추어 begins 혹은 starts를 쓰는 것이 옳다.

　　How do you like cheese?

문법적으로는 옳으나 쓰임으로는 적당치 않다.

　　Do you like cheese?가 좋은 용법이다.

How old is she?

She is 13 years old. (문장이 자연스럽지 않다.)

문법적으로는 옳지만 She is 13(thirteen).으로 쓰는 것이 더욱 구어체의 맛이 난다.

The Fords will come over to Sumi's house. (The Fords와 같은 쪽에서 말할 때는 go로 써야 한다.)

제3자(The Fords)가 수미의 집을 가는 것은 The Fords와 같은 쪽에서 말할 때는 go를 써야 옳다.

Yes, I'm looking for sports shoes. (미국 영어에서 sports shoes라는 표현은 하지 않는다.)

아마 "운동화"라는 한국말을 영어로 직역한 것같은데, 영어에는 이 경우 운동별로 분류가 되어 tennis shoes, baseball shoes…… 라고 한다. sports shoes라는 말이 다른 문장에서도 계속 등장한다. 잘못된 단어가 학생들에게 아무런 의문없이 통할 수밖에 없게 돼있다.

Woman : Boys' shoes? On the second floor, I guess.

Nick : Oh, so many boys' shoes here. (so many가 어색하다.)

이럴 땐 Oh, they have a lot of boys' shoes here. 라고 써야 자연스럽다.

"Skating is fun," Su-mi said.

"It sure is," Pat said.

Now they came to the bus stop. (Now가 맞지 않다.)

위의 세 문장의 진행 상황을 보면, "스케이트 타기는 재미있다.", "정말 그래.", 이렇게 대화가 진행되다가 느닷없이 교과서 필자의 narration이 등장하여 그들은 버스정류장에 왔다, 라는 문장이 튀어 나온다. 상황전개도 이상하지만 Now라는 단어는 어색하기 짝이 없다. Soon으로 바꾸는 것이 자연스럽다.

That's a big hit! (어색한 표현)

That's a great hit! 라고 하는 것이 더 많은 사람들이 하는 표현이다.

study room (이런 영어 표현은 없다.)

언어는 문화의 산물이다. 한국말을 직역한다고 영어표현이 되는 것이 아니다. 한국사람들끼리만 통용하는 영어라면 모르지만. 미국에는 한국어의 "공부방" 개념이 없다. study hall은 있다. room 대신 hall을 쓰는 순간 옳은 말이 된다. 주로 미국 고등학교 학생들이 자습을 하는 강당을 가리킨다. 낱말 하나가 이토록 다른 의미를 부여한다.

"study room"이라고 할 때 무슨 종류의 "방"인지 짐작하기도 힘들 정도라는 것을 생각하면 "언어"란 어쩔 수 없는, 문화적인 영향 때문에 직역만으로는 의미를 정확하게 전달할 수 없음을 알 수가 있다. 이와 같은 "용법"의 분야를 가리켜 pragmatics라고 한다. 이밖에도 이 교과서엔 더 많은 오류가 되풀이 되고 있다.

원어민 감수 받아야

B교과서의 경우

필자들 여러 명이 공동집필자로 나와 있는데 거의 4페이지 당 하나 꼴로 오류가 발견된다. 교정상의 잘못이거나 인쇄상의 잘못이 아니고 영어의 관습이나 어법에 맞지 않는 잘못들이 수두룩하다.

교과서를 펼치면 어떤 사진 설명에 The road signs on the 5th Ave. 라고 나와 있다. the 5th Ave에서 정관사 the가 빠져야 옳다. 나중에 보면 알지만 정관사 용법이 제대로 지켜지지 않는 경우가 많다. 교과서마저 이렇다 보니 학생들이 관사 용법을 제대로 터득할 리가 없다.

A pop concert. (틀린 표현)

Pops concert처럼 복수의 형태인 Pops라야 한다.

Is Min-Su at home? 문법적으로는 틀리지는 않다. 그러나 이런 경우 home을 부사로 써서

Is Min-Su home?이라고 하는 것이 자연스럽다.

Yes, I am.

No, I am not. (구두언어에서는 대부분 I'm not이라고 한다. 문법적으로 틀리다는 얘기는 아니다.)

A : What's that?

B : It's my family picture. (표현이 어색하다.)

이럴 때는 B : It's a picture of my family. 대부분의 원어민들은 이렇게 쓴다. that 대신 he가 더욱 적합하다. Min-su가 "남자"임이 확실하므로 이왕이면 속히 "he"의 용법에 친숙해지는 것이 좋다.

Who is that?

It's Min-su.

What is he? (적당치 않음)

그의 직업이 무엇이냐, 고 물으려면 What does he do?라고 쓰는 것이 더욱 적당하다.

다음 문장은 의사가 환자에게 하는 말이다.

What's the matter with you? (적절치 않음)

아픈 사람한테 이렇게 묻는 의사는 거의 없다. 위의 문장은 사건이나 무슨 일이 잘못되었을 경우 일반 사람들 사이에서 묻는 질문이다. 의사와 환자 사이에서의 의사의 물음은 Tell me how you're feeling. 과 같은 말로 바꾸어 놓아야 한다.

A : How are you today?.

B : Not so good.

A : What's the matter with you? (적절치 않음.)

Tell me how you're feeling. 으로 해야 한다.

다음에도 계속 이런 잘못이 반복된다.

같은 잘못이 여러 문장에서 계속되므로 다 예거할 필요는 없겠다.

    A : Is there a park near your house?

    B : Yes, there is one near my house. (어색하다.)

A가 묻는 질문에 들어 있는 구절을 B가 반복해서 대답하는 것은 피하는 것이 자연스럽다. 따라서 B의 말은 Yes, there is. 에서 끝나야 자연스러운 대화문장이다.

    There are a desk and a TV in his room. (이 문장은 단수, 복수 개념이 매우 잘못되어 있다.)

a desk와 a TV 가 방안에 있으니 복수로 본 모양이지만 이 문장대로 하면 There are a desk in his room. 과 There are a TV in his room. 이 되어 단수를 복수로 취급한 꼴. are를 is로 바꾸어야 맞다.

    A cup is between pens.

    There is a cup between pens.

위의 두 문장 다 pens 앞에 the가 들어가야 한다. 기본적인 정관사 용법에 해당한다.

    Is there a park around your house?

around를 near로 쓰는 것이 더 적당하다. around를 쓰려면 around here로 하던지. 이 문장대로 하면 집 뒤안이나 마당쯤이 바로 공원인 셈.

    What color do you like?(do의 사용은 대화체에서 너무 직선적 이다.)

would를 써서 What color would you like?로 써야 자연스럽다. 상대방에게 어떤 색깔을 좋아하느냐고 상대방의 뜻을 묻는 것인데 이런 식의 직설적인 질문은 않는 것이 보통이다. 이런 직설적인 질문이

이 교과서 다른 곳에서도 마구 튀어나온다.

정관사를 잘못 쓴 또 한가지 예.

How much are the shoes?(the를 잘못 씀.)

How much are these shoes?로 쓰든가, 아니면 this pair of shoes?
로 쓰는 것이 보통이다.

논리적인 일치 결여

다음은 문장이 틀렸다든가 하는 것이 아니라 상황의 논리적인 일치
가 안되는 대목. 상황의 일치성은 정확한 문장 못지 않게 중요하다.

A : Who is going to sing?

B : Michael Jackson.

A : Tell me what?(느닷없는 문장. 문맥의 흐름에 일치성이 없
음.)

B : I'll tell you tomorrow.

"누가 노래를 부르는데?", "마이클 잭슨이야." 여기서 난데없이 "내
게 말해줘"가 나왔는지 모르겠다. 교과서 필자가 무엇을 노렸는지 전
혀 알 수 없는 문장이다.

이런 문장이 몇 군데 더 있다. 하나를 더 보면,

Man : Did you go shopping?

Mrs. Choi : Not at all. (전후관계가 논리상 안맞다.)

By the way, how do I get to the bus stop?

억지로 꿰맞추어 보면, 쇼핑을 갔었느냐?, 천만에, 그런데 버스정류
장은 어떻게 가지? 이쯤 되겠는데 이 문맥에서 보여주는 상황은 문법
이전에 논리상 맞지 않다. 쇼핑을 갔었느냐?에 대한 답이 전혀 엉뚱하
다. 이 세 개의 문장은 서로 의미상 아무런 관련이 없다고 볼 수밖에

없다.

　　Her uncle has no idea for a present for her. What will she like? 여기서도 직설적인 질문을 퍼붓고 있다. will은 would로 바꾸는 것이 좋다.

　　Ann buys her friends cake.

　이때 cake 앞에 부정관사 a가 들어가야 한다.

　　A：That's a good idea. Where can we go?(can을 쓰는 것은 어색하다.)

　　B：How about the market on Central Street?

　이 교과서는 would, should를 써야할 곳에 엉뚱하고 어색한 조동사를 쓰고 있다. 중학교 교과서에 would, should가 적당치 않다고 판단했다면 질문 자체가 다른 것이었어야 했다. 여기서는 Where should we go?로 써야 자연스럽다.

　　Will you come to my house?(여기서도 Will을 Would로 쓰는 것이 좋다. "문법"에는 상관없으나 "Use"의 문제이다.) 이런 잘못들이 곳곳에서 발견된다.

　　How did you go?(어색하다.)

　　I went by car.

　위의 문장은 How did you get there?로 써야 자연스럽다.

　이같은 어색한 표현들이 여러 곳에 나온다.

　　Run to the car outside the house. Look under the car. (어색하다.)

　Run을 Go로 바꾸는 것이 좋다.

　　She opened the box and found a rose in it. "Here is the treasure." She made it, didn't she?(의미가 분명치 않다.)

　자기(She)가 만든 상자를 열고 나서 처음 보는 상자를 열었을 때처럼 말하다니.

What are you going to do today?

Not much. Why?(지독하게 어색한 표현이다.)

Nothing particular. 쯤으로 쓰면 멋있다.

I'm going to play a game. (위의 문장들로부터의 문맥으로 보아, I'm은 We're로 바꾸는 것이 좋다. 〉

Will you come to my house?(Would를 쓰는 것이 적당하다.)

이 교과서에는 앞에 열거한 대목들 말고도 더 많은 곳에서 어법에 맞지 않는 것, 틀린 것들이 많았다. 한 종류의 교과서에서 발견된 오류 치고는 무척 많다고 할 수밖에 없다.

교과서의 잘못들을 최소로 줄이려면 앞서 말한 대로 원어민의 철저한 감수가 필요하다고 생각한다.

다시 말하지만 한국영어를 생각하는 마음으로 잘못들의 실태를 짚어본 것이지 다른 의도가 없음을 다시 한번 밝혀둔다. 여기에 언급한 교과서들은 특별한 경우가 아니다. 다른 영어 교과서들도 오류가 적지 않았다.

이밖에 교과서가 아닌 영어학습자료들(참고서 등)의 경우에도 공적인 기관의 검정과정이 없어서인지 틀리거나 질적으로 의심스러운 것들이 많았다.

24

영문법을 쉽게 정복하는 법

대학 강의실 복도의 일정 장소에는 학생들끼리 팔고, 사고, 빌려주는 고지판이 있다. 등산용 자전거를 10달러에 팔기도 한다.

a와 the의 확실한 용법

정관사 the와 부정관사 a의 용법은 무척 쉬운 것 같지만 영어를 외국어로 배우는 학습자의 대부분은 평생 정복을 못하고 지내는 일이 다반사다. 그만큼 어렵다면 어렵고, 까다롭다면 까다롭다. 영어를 전공하는 외국인(영어가 모국어가 아닌) 영어교수나 교사들에게 영어로 글을 쓰게 하면 정관사, 부정관사를 1백 퍼센트 맞게 쓰는 사람이 드물다. 그만큼 올바른 정관사 부정관사의 사용어 쉽지 않다는 이야기가 된다. 한국에서 온 유학생들 가운데는 영어를 아주 잘하는 사람도 많이 있다. 그러나 대학에 들어가서 paper를 써내면 백이면 백 사람 모두 이 정관사, 부정관사를 잘못 쓴다. 담당교수는 논문의 내용보다는 paper에 나타난 잘못쓴 a와 the가 눈에 거슬려서 이것들을 고치느라 신경이 날카로워지게 마련이다. 정관사, 부정관사의 역할은 절대적이다.

영작문을 할 때 가장 중요한 것 중의 하나가 올바른 정관사, 부정관사를 쓰는 것이다. 만일 이것이 제대로 되어 있지 않으면 읽는 사람을 매우 고통스럽게 만든다. a와 the의 기능은 단순한 장식품이 아니다.

별로 중요한 뜻이 있을 것같지 않은 이 정관사, 부정관사가 제대로 쓰여져 있지 않으면 글을 읽는 사람이 몹시 불편한 느낌이 들어서 내용이 눈에 들어오지 않는다.

문장 속에서 a와 the를 빼먹거나 틀리게 썼을 때 그 글을 읽는 사람은 마치 글 속에서 수많은 오자나 탈자를 헤쳐가며 읽는 답답함, 숨막힘을 느끼게 된다. 글을 읽고 싶은 마음이 천리만리 달아난다. 한국 사람이 생각할 때는 뜻을 전하는 데 a와 the가 없어도 별로 큰 문제가 될 것같지 않겠지만 문장에 수많은 오자와 탈자가 있다고 한다면 아무리 인내심이 좋은 사람도 불편함을 참기가 어려울 것이다. 더구나 그 정관사와 부정관사가 그냥 장식품으로 있는 것이 아니라 영어에서 반드시 빼놓을 수 없는 역할을 하고 있다면 더 말할 나위가 없다.

한국의 영어학습서들을 보면 정관사, 부정관사가 너무나 소홀히 취급되고 있다. 고작 서너 페이지에 불과하다. 이 간단한 단어 두개가 얼마나 중요한 것인지를 잘 몰라서 그러는 것이 아닐까 하는 생각이 들 정도다. 다시 말하지만 영어에서 관사는 매우 중요하다.

영작을 해본 사람이라면 관사보다 더 성가시게 하는 단어가 없다는 것을 실감할 것이다. 사실 영어회화에서는 정관사, 부정관사를 간혹 빠뜨리고 넘어가도 "상황"의 덕택으로 서로 통하고 그것이 그렇게 큰 문제가 안될 때가 있다. 내 말을 오해하지 말라. 나는 지금 a와 the가 언어생활에서 별로 중요하지 않다고 말하고 있는 것이 아니라 회화에서는 외국인에게 문자언어에서보다는 관대하다는 현지 사정을 말하고 있는 것이다.

나는 앞에서 외국어 학습자는 정관사, 부정관사를 평생 정복 못하고 지내는 사람이 대부분이라고 매우 비관적으로 말했는데, 만일 모든 한국사람이 그럴 것이라면 이 글을 쓸 필요가 없을 것이다. 그러면 정관사, 부정관사의 사용법을 정복할 무슨 방법은 없는 것인가. 있다. 그 확실한 방법을 이 글에서 소개한다. 적어도 이 책을 본 사람이라면 '다른 용법들은 모르겠지만(모든 것을 쉽게 써놓았으므로 조금만 신경을 쓰면 다 알 수 있다고 나는 생각하지만) 정관사, 부정관사만큼은 확실히 알게 되었다, 알 수 있는 방법을 깨달았다, 그렇게 되었으면 한다.

지금부터 내가 가르쳐주는 대로만 하면 앞으로 2년이면 완전정복이 가능하다고 나는 생각한다. 2년이라는 말에 벌써 혀를 내두를 사람이 있을지도 모르겠다. 그렇지만 영어가 모국어인 미국사람들도 하루아침에 되지 않는 것을 외국어 학습자가 어쩌겠는가.

특이한 관사의 존재

영어의 관사는 특이한 것이다. 프랑스어, 독일어, 스페인어에도 관사가 있긴 하지만 영어의 그것과는 아주 다르다. 한국, 러시아, 일본사람들에게는 그들의 언어에 아예 관사 개념이 없다. 한국사람들이 해석할 때 정관사 the를 "저", "그"로, a를 "하나의" "어떤"식으로 옮기니까 무심코 그런 말들과 엇비슷한 것으로 생각할는지 모르지만 영어의 관사는 전혀 새로운 개념이라는 것을 먼저 알아두기 바란다. 가만히 보면 한국학생들은 영어에서 정관사, 부정관사를 아주 우습게 여기는 것 같다. 관사를 배추, 무 하는 식으로 구별해놓고 끝난다. 그렇게 가르치고 그렇게 배운다. 사정이 이렇다 보니 관사 사용이 엉망진창이다. 지금부터 내가 설명하는 것을 들어보면 관사의 중요성과 그 묘미를 짐작하게 될 것이다.

미국 학생들은 관사를 이렇게 배운다

미국의 초등학교 5학년 과정에서 관사의 설명은 이렇게 나온다.

1. 형용사 a, an과 the를 관사라고 한다.
2. a, an은 셀 수 있는 것을 가리킬 때 쓴다.
3. the는 특정한 인간, 장소, 사물, 아이디어를 가리킬 때 쓴다.

이렇게 기술이 되어 있는데, 간단한 설명만을 훑어보면 세상에서 가장 쉬운 것이 관사일 것 같지만 외국인은 사용할 때 수없이 고통을 겪게 마련이다.

I tripped on a rock. I landed on the rock next to it. (나는 바위에서 발을 헛디뎠다. 나는 그 (헛디딘) 바위 옆에 있는 바위에 올라섰다.)

이 두 문장에서 a, the를 비교해볼 수 있다. 첫문장에서 a rock의 a는 어떤 특정한 바위가 아닌 이 세상에 깔려져 있는 바위들 속의 "한 바위"를 말하고 있다. 이 문장을 읽는 사람은 읽는 순간 그냥 어느 (any) 바위라고만 생각한다. 여러 바위 중의 하나일 수도 있고, 하여튼 어떤 바위다. 두번째 문장은 rock 앞에 the가 붙어 있다. 이것은 어떤 바위인가. 첫문장에 나온 발을 헛디딘 바위(두번째 문장의 it) 옆에 있는 바위를 말한다. 특정한 바위를 가리킨다. 바로 the가 그 사실을 암시한다.

미국의 초등학교 6학년 과정에서 관사의 설명은 이렇게 나온다.
1. a, an 그리고 the는 관사라고 부르는 특수형용사다.
2. the는 하나 또는 하나 이상의 특정한 사항을 말한다.
3. a, an은 (이 세상에 있는 것들 중의) 어떤 한 사물을 말한다.
5학년 과정에서의 설명보다는 조금 더 개념적이다.

The artist drew a handsome prince standing in the great hall, asking the evil king if he could marry the lovely princess. (그 예술가는 나쁜 왕에게 그가 사랑스러운 공주와 결혼할 수 있는지를 물으면서 큰 홀에 서있는 잘생긴 왕자를 그렸다.)

이 문장에서 예술가는 handsome prince를 그린 특정한 사람이므로 the가 붙었다. 그러나 a handsome prince는 특정 인물이 아니므로 a가 쓰여졌다. great hall은 prince가 서있는 특정한 홀이므로 the가 붙었다. lovely princess 앞에 붙어 있는 the는 예술가가 사랑하는 특정한 공주를 말한다. 아무라도 좋은 공주인 것은 아니다.

모두가 특정한 인물이므로 the가 쓰여졌다는 것은 이해가 가는데, 왜 handsome prince 앞에는 a가 붙었는가. 이 문장을 쓴 필자는 누군가 특정한 한 사람을 지칭해서 쓴 것이 아니고 일반적인 왕자를 말했음을 알 수 있다.

The artist illustrated an old story. (예술가는 옛이야기를 그렸다.)

예술가는 옛이야기를 그린 특정한 사람이어서 the가 붙었다. 이 문장을 쓴 필자는 어떤 한 이야기를 그렸을 뿐이며, 독자 역시 한 "특정"의 이야기를 알기를 기대하지 않기 때문에 모음 앞에서의 an이 쓰여졌다.

The artist will draw a picture of an elf. (예술가는 요정의 그림을 그릴 것이다.)

어떤 요정인지는 모르지만 어느 요정의 그림을 그린다는 이야기. 그러므로 이 문장만 가지고는 어떤 요정인지 구체적으로 드러나 있지 않다. 특별한 요정을 말하고 있지 않기 때문에 the가 붙지 않은 것이다.

The stories, rich and colorful, had been told for years. (다채롭고 풍부한 그 이야기는 여러 해 동안 전해져 왔다.)

Most adults enjoy reading **the** entertaining tales, too. (대부분의 어른들도 바로 그 흥겨운 이야기들을 읽는 것을 즐겼다.)

위의 두 문장의 the는 설명이 필요없을 것이다.

The story is about **a** beautiful princess. (그 이야기는 아름다운 공주에 대한 것이었다.) 만일 a를 the로 쓰려면 문장의 앞뒤에서 공주에 대해서 따로 언급하는 이야기가 필요하다. 필자가 글을 쓸 때 그 무엇인가를 생각하고 있느냐 없느냐가 중요하다. a를 the로 쓰면 특정한 공주가 되어버린다.

일본사람들은 머리에 쓰는 모자처럼 먼저 온다고 해서 관사라고 했다. 잘 붙인 이름은 아니다. 차라리 전명사(前名詞)라고 하는 것이 더 좋았을지 모른다. 미국 초등학교에서는 관사(articles)라고는 잘 하지 않고 "명사"가 따르는 "신호"라는 의미에서 name marker 라고 한다. 일본사람들이 이름붙인 것 가운데 웃기는 것 한가지. 어느 일본 기자가 할리우드(Hollywood)를 한자로 옮겼는데 이름하여 聖林(성림)이라고 했다. Hollywood의 holly를 holy(성스러운)의 단어로 잘못 본 것. 여기에 wood는 숲(林)이라는 뜻이니까 그럴싸하게 성림(聖林)이라고 갖다붙여서 일본 신문에 보도한 것이다. 그것이 한국에 그대로 전해져 오랫동안 한국에서도 창피하게 성림이라고 쓰기도 했다.

이런 예를 들자면 너무나 많지만 꼭 하나 지적해두고 싶은 것 한가지. 미국에서는 길을 가리킬 때 avenue, street가 있다. 그런데 많은 한국학생들이 잘못된 일본서적을 참고해서 남북으로 난 큰 길은 avenue, 동서로 난 작은 길은 street라고 알고 있다. 영한사전을 보니까 어떤 사전은 avenue는 가로수길, street는 가로(街路)라고 풀이되어 있다. avenue는 동서고 뭐고 그런 것 상관않고 "큰 길", street는 avenue에 비해 비교적 "작은 길"을 말한다. 이름(번역)이나 단어의 뜻 풀이는 잘 해야 한다는 이야기다. 일본의 어떤 사전엔 "뉴욕 같은 데서는 남북으

로 난 길을 avenue… 동서로 난…" 제법 친절하게 그러나 엉터리로 설명되어 있다. "뉴욕"의 큰 길이 어쩌다가 그런 이름을 얻었을 뿐인 것이다. 미국의 다른 "고장"들을 가보면 방향에 상관없이 avenue, street가 지칭된다. 한국의 영한사전들의 상당수가 일본것을 참고한 것이 많아 오역이 된 부분이 있다.

미국 중학교에서의 관사의 정의는 이렇다.

1. a, an을 부정관사라 하고 일반적인 그룹 속의 하나를 가리킬 때 쓴다.

A woman won the prize. (어떤 여자가 그 상을 탔다.)

이렇게 짧은 문장에서는 다분히 이 문장을 쓴 필자의 마음 상태에 따라서 a, the가 정해진다. 그러나 긴 문장 속에서는 전후 문맥에 의한 문장의 흐름에 따라 관사 사용을 맞춰야 한다.

비특정한 어느 여자라는 것을 이 문장은 말해준다. 이 문장에서 the woman이라고 쓴대도 틀리다고 할 수가 없다. 글쓴이가 특정한 여자라고 생각하고 쓸 수 있기 때문이다. 이런 문장은 전후에 충분한 정보가 제공되는 많은 문장들 속에서 "인용"한 것이라고 생각하면 된다.

2. The는 정관사다. 정관사는 명사가 특정한 어떤 것(생각, 사물) 또는 특정한 어떤 사람에 관련된 것을 가리킨다.

The woman won the prize. (그 여자가 그 상을 탔다.)

앞문장에서는 woman 앞에 a가 붙었는데, 뒷문장에서는 the가 붙었다. 왜 그러느냐고 묻지 말라. 이 문장을 쓴 필자는 상탄 여자가 누구인지를 알고 있으니까 the를 썼고, 앞에서는 누구인지는 모르지만 하여간 어떤 여자여서 a를 쓴 것이다. 다시 말하지만 이런 단문 하나로 끝나는 경우에는 관사가 별로 문제될 것이 없다.

미국 대학에서는 관사의 개념을 이렇게 정리해 놓고 있다.

1. 관사는 명사가 가산명사, 불가산명사인지, 또는 일반적인 것인지, 특정한 것인지를 밝혀주는 가장 중요한 단어들이다.

2. 관사는 a, an, the 세 가지가 있다.

3. 영어를 제2언어(ESL, EFL)로 하는 사람들에겐 관사는 큰 도전이 된다.

4. 영어 이외의 많은 언어들은 영어의 관사에 버금갈 언어가 없다. 있다고 해도 영어관사와는 그 구체적인 사용에서 다르다.

5. 다른 언어는 관사없이도 잘 쓰여지는데 영어는 왜 그렇게 관사 역할이 큰가?

6. 부분적인 대답은 다른 많은 언어는 영어보다 단어들이 문장에서 종횡무진 자유로이 돌아다니는데, 영어에서는 관사로 인해 전후 의미가 통제된다.

7. 명사만이 관사 a, an, the에 의해서 소개된다.

8. 부정관사 a 또는 an은 일반적인 명사를 소개한다.

9. 부정관사 a는 명사의 발음이 자음으로 시작하는 명사 앞에 쓰고, an은 모음으로 시작하는 명사 앞에 쓴다.

10. 정관사 the는 특정한 명사를 표시한다.

다음 예문을 본다.

If you have ever read a book or seen a movie about Helen Keller, you will remember the electrifying moment when she first learns to "read," when she first realizes that the symbols traced in her palm contain meanings. (만일 당신이 헬렌 켈러에 대한 책과 영화를 본 적이 있다면 그녀가 처음으로 읽기를 배우고, 자기의 손바닥에 느껴지는 많은 상징들이 의미를 담고 있다는 것을 느끼

는 강렬한 흥분의 순간을 당신은 기억할 것이다.)

위 문장의 부정관사 사용을 유의깊게 보라. (a book or seen a
movie about Helen Keller)

이 글의 필자는 뒷부분의 문장에서 부정관사 a대신에 정관사 the를
썼다. 그녀가 뜻하는 책과 영화를 독자들이 이미 알고 있을 것이란 것
을 기대하고 그렇게 한 것이다.

이 짤막한 글 이전에 만일 책과 영화에 관해 언급되었거나 모든 사
람이 헬렌 켈러에 관한 책이 오직 한권만 있고, 영화가 다만 한편만 있
는 것으로 알고 있다면 the를 붙일 수 있다. 그렇지만 헬렌 켈러에 관
한 책, 영화가 많으니까 그것들 중의 하나이므로 a를 붙인 것이다.

우리는 이 짧은 글을 통해서 이 글이 필자가 사전에 독자들이 헬렌
켈러에 관한 책을 읽은 적도 영화를 본 적도 있으리라는 것을 뚜렷하
게 기대하며 쓴 것이 아님을 알 수 있다.

짜릿한 순간(the electrifying moment)에 the를 붙인 것은 감
동적인 순간이 특정한 순간임을 시사한다. 만일 독자들 가운데 헬렌
켈러의 책, 영화를 본 적이 없다면 아쉬운 대로 이 글은 the를 붙여
짜릿한 순간을 독자들에게 인식시켜 준다. 그러므로 the electrifying
moment는 다른 종류의 한 순간이 아닌 특정한 순간임을 알 수 있
다.

관사의 용법

1. 숫자로 셀 수 있는 것, 셀 수 없는 것과 상관없이 특정한 의미를
지닐 때는 항상 the를 써라.

I need the tool and the rivets. (나는 연장과 못이 필요하다.)—

필요한 것이 특정한 연장과 못이므로 the를 썼다.

I need **the** tool on the top shelf. (나는 맨 위 선반 위에 있는 연장이 필요하다.)—어디에나 있는 tool이 아니고 "on the top shelf(맨 위 선반 위에)" 있는 바로 그 특정한 것이므로 the를 썼다.

미국에서 가끔 CNN TV를 보면 〈Road To The White House〉라는 프로그램이 나온다. "백악관으로 가는 길"이라고 해서 대통령이 되고 싶어 애쓰는 사람들(입후보자들)에 관한 여러가지 소식을 전해 주는 프로그램이다. 이 프로그램 이름에 나오는 Road에 the가 안 붙어 있다. 이것은 TV화면에 큰 글자로 나가는 데 공간제약이 있어 그렇게 한 것일 뿐 다른 의미가 없다. 이 프로가 끝나고 나면 자막으로 "더 자세한 것이 알고 싶으신 분은 방송국 〈The Road to the White House〉 담당자에게 문의 바랍니다"하고 친절한 자막이 나오는데 여기엔 제대로 the가 붙어 있다.

2. 독자에게 이미 알려져 있거나 금새 독자들이 알 수 있는 어떤 명사를 가리키는 것이 제시될 때에는 the를 써라.

3. 명사구가 이미 똑똑히 그곳에 나올 때 the를 써라.

the canals of Amsterdam

the new restaurant on 5th Ave. (5번가에 있는 새 식당)

93년도 발행 한국 중학교 어떤 영어교과서엔 on the 5th Street라고 나와 있다. 아마 the는 순서를 가리키는 데 쓴다, 고 생각해서 쓴 모양인데 잘못이다.

다음 문장을 본다.

Last Sunday **a** fire that started in a restaurant spread to a neighboring department store. **The** store was saved, although **the** merchandise suffered water damage. It was reported that there were suspicious similarities to a fire that had broken out nearby two days earlier. (지난 일요일 한 식당에서 일어난 불이 이웃 백화점으로 번졌다. 그 백화점은 화재를 면했으나 그 상점의 상품들은 물에 젖어 피해를 입었다. 이상하게도 비슷한 화재가 이틀 전 주위에서 일어났다고 보도되었다.)

1. 두번째 문장의 store에 the가 붙은 것은 앞 문장에서 한번 store가 나왔으므로,

2. merchandise 앞에 the가 붙은 것은 다른 곳의 상품이라고 생각할 수 없게 해준다. 만일 a가 붙었다면 지구상의 어느 나라 어느 가게의 상품이라는 의미가 되어버린다. 한 마디로 문장의 옳은 의미가 전해지지 못한다. 정관사 부정관사에 이처럼 중요한 뜻이 있다. 마지막 문장의 a fire의 a는 문장의 맨첫머리에 Last Sunday a fire에 a가 나왔으니 the를 써야 되는 것이 아니냐고 질문을 할 수도 있을 것이다. 그러나 앞에 나온 화재는 뒤에 나온 화재와는 전혀 다른 화재다. 그래서 a가 나온 것.

정관사 부정관사의 구별

교수가 그의 연구실에서 학생에게 말했다.

"Please shut the door when you leave."(나갈 때 문 좀 닫아주게.)

위 문장을 보면 교수는 자기가 말하는 문이 학생도 알고 있음을 기대하고 있다. 문이 둘이 있는지 세 개가 있는지는 모르지만, 학생이 그 가운데 아무 문이나 들락거릴 수 있다면 the door라고 쓰지는 않았을 것이다.

The pope is expected to visit Korea in June. (교황은 6월에 한국을 방문하기로 되어 있다.)

2. The pope 라고 한 것은 세상 사람이 교황 하면 단 한사람의 천주교의 수장임을 알고 있는 지식에 근거를 두고 the를 붙인 것임. 만일 교황이 한사람 이상 있다면 a를 상황의미에 따라 붙일 수도 있을 것이다. 상식인은 a를 못받아들인다. 교황은 한 사람밖에 없다는 것을 상식으로 알고 있으니까.

특별한 경우

1. same 앞에 the를 붙인다. (the same person)
2. 순서를 말하는 숫자 앞에 the를 붙인다. (the fifth day)
3. 최상급 앞에 the를 붙인다. (the best choice)

이런 사항들은 외국어학습자는 무조건 욀 수밖에 별 도리가 없다.

구태여 그 이유를 꼭 따지고 싶으면 "특정"의 의미가 각각 있다는 것이다. 즉, "그 같은 사람"하면 특정이다. "다섯번째의 날"도 특정이다. "가장 좋은" 것도 역시 "특정한 하나"이다.

정관사만 쓰이는 예외

1. 많이 있는 것 가운데서 하나를 지칭할 때 the를 쓴다.

the sun, the moon, the first, the second, the last……

여기서 태양이나 달은 많이 있지 않고 오직 하나뿐인 고유한 것인데 the를 쓰느냐 하고 의문시하면 설명을 할 수가 없다. 아니, 설명이 가능하지 않다.

2. 국가 이름의 정식 칭호엔 the를 붙인다.

the United States, the Republic of Korea······

그러나 정식 이름에도 안붙이는 국가가 있다. Japan, Jordan······

Katie Ha plays the piano, the flute, and the guitar. (케이티 하는 피아노, 플루트, 기타를 연주한다. 참고로 케이티는 내 손녀의 미국 이름.)

단, 스포츠는 the를 안붙인다. Toby plays baseball, basketball, hockey, and volleyball. (토비는 야구, 농구, 하키, 배구를 한다. 참고로 토비는 내 둘째 아들의 미국이름.)

3. 대양, 강, 사막의 이름 앞에는 the를 붙인다.

the Pacific, the Amazon, the Himalayas, the deserts······

관사가 필요없는 것들

1. 호수나 산 이름 앞에는 관사가 붙지 않는다. Lake Michigan, Mt. Everest······

2. 언어 자체의 고유명사 앞에는 관사를 붙이지 않는다.

Japanese(일본어), Russian(러시아어)······

그러나 여기에 "어(language)"를 그 고유명사 뒤에 붙일 때는 the를 붙인다. the Japanese language, the Russian language······

3. of가 들어 있지 않은 대학 이름 앞에는 관사를 붙이지 않는다. Delaware State University(델라웨어 대학)······

그러나 of가 들어 있는 대학 이름 앞에는 the를 붙인다. the University of Delaware······

부정관사

1. a, an의 문법적 기능은 똑 같다. 많은 것 중에서 하나라고만 생각하면 된다. 단수에만 사용 가능.

2. a, an의 표기는 명사 첫자의 문자 발음이 자음이냐, 모음이냐에 따라 a를 쓰느냐, an을 쓰느냐가 결정된다. a bottle, a hotel, a youth, a user, a desk…… an uncle, an hour……

3. 필자가 만약 자기 마음 속에 특별한 것을 생각할 수도, 안할 수도 있지만 독자가 특정한 정보를 가지고 있지 않다고 판단되면 a, an을 사용한다.

I need a new jacket for the summer.

I need a jacket that I liked at Ames.

첫번째 문장의 jacket은 사실보다는 가정의 뜻을 갖고 있다. 즉, 여름에 그냥 자켓이 하나 필요하다.

둘째 문장의 jacket은 필자가 특정한 자켓을 말한 것이 아니고, 독자도 특정한 자켓으로 생각하지 않은 상태. 즉, 에임즈(가게 이름)에서 내가 좋아하는 자켓을 보았는데, 그냥 그 정도이지 특정한 것은 아니다. 둘째 문장은 심리적으로 필자는 좋아하는 하지만 독자는 모를 것이다 해서 a를 쓸 수 있다. 이렇게 한 문장만 나올 때는 a를 쓸 것인가, the를 쓸 것인가는 그것을 특정한 것으로 생각했는지 안했는지 전권(全權)이 필자에게 달려 있다. 그러나 전후 문장이 계속되어 있으면 사정이 달라진다.

4. 말하는 사람이나 글쓰는 사람의 마음 속에서 "적고 작은" 쪽으로 기울어지는 양을 말할 때는 a를 안붙인다. few, little……

한국, 일본의 영문법 책을 보면, 이런 경우 a가 붙으면 긍정, 없으면 부정의 뜻이 있다고 되어 있는데, 글(말)을 쓰는 그 사람의 마음 속에 기대하는 수량보다 적을 때는 a, an을 안붙인다.

a little, a few(적은 양)

little, few(기대한 양보다 적은 양)

a few coins, few onions

a little oil, little oil

5. a, an이 드물게 고유명사에 쓰일 때가 있다.

I will build a new Korea. (나는 하나의 새로운 한국을 건설할 것이다.)

이 경우 부패, 부정, 지역차별, 독재가 없는 전혀 새로운 한국(여러 가지 종류의 한국이 있는데)을 만들고 싶다고 했을 때 a를 쓰면 안성맞춤이다. 전통문법의 "지칭 딱지"를 붙이면서 하는 설명에 급급하지 말라!

Dr. Martin Luther King, Jr. dreamed of an America where children of all colors would grow up in harmony. (We may dream of more than one possible "America".) (마틴 루터 킹은 모든 인종의 아이들이 조화롭게 자라나는 그러한 미국을 꿈꾸었다.) 위 문장에서와 같은 경우에 부정관사를 사용한 예다.

관사가 필요없는 명사들의 이야기

1. 수로 셀 수 없거나 복수인 경우 관사를 붙이지 않는다.

cheese, hot tea, crackers(cracker가 아님), ripe apples(ripe apple이 아님)

2. 일반적으로 언급할 때

I need tools for that work. (나는 그 일을 위한 도구들이 필요하다.) 도구로서 무슨 도끼라든가, 해머라든가 하는 식으로 특정한 생각

각없이 그냥 일반적인 연장들을 의미한다. 만약 여기서 the tools로 쓰면 어떤 연장인지 확정된 것이 된다.

In this world nothing is certain but death and taxes. (이 세상에는 죽음과 세금 외에 확실한 것이 없다. -Benjamin Franklin) 일반적인 세금과 죽음을 의미해서 관사를 붙이지 않음.

3. 대륙, 주, 거리, 도시 또는 종교적인 의미의 장소 이름엔 관사를 붙이지 않는다.

Alaska, New York, Asia, Europe, Main Street, Heaven, Hell…

4. 개인적인 이름과 동시에 쓰여지는 공적인 직함엔 관사가 안붙는다.

President Clinton, Queen Elizabeth……

5. 학문 이름 앞에는 관사를 붙이지 않는다.

literature, engineering……

6. 질병의 이름에는 관사를 붙이지 않는다.

AIDS

7. 잡지 이름에는 관사를 붙이지 않는다.

Life, Time, Popular Science, Sports Illustrated……

the가 있는 경우가 있다. The New Yorker. 그런데 이 경우는 잡지 이름 자체가 당초부터 고유명사의 일부분으로서 The를 쓴 것이므로 시비를 다툴 것이 없다.

예외로 쓰이는 관사

어떤 때는 the 또는 a, an을 붙여 일반적인 언급을 하는 것이 가능하다. 단수 가산명사에는 안붙인다.

First-year college students are confronted with a wealth of

new experiences.

A first-year college student is confronted with a wealth of new experiences.

The first-year college student is confronted with a wealth of new experiences.

이 문장들은 모두 보편적인 진술문으로 같은 뜻을 가지고 있다. 그러나 둘째, 셋째 문장은 첫째 문장보다 더 생생한 느낌을 준다. 첫째 문장은 통칭으로 신입생을 애매모호하게 이야기하고 있고, 둘째 문장은 가상적인 한 학생을 설정하고 한 이야기, 셋째 문장은 특별히 신입생으로 들어간 전체 집단을 대표하는 한 학생의 이미지를 표현하기 위해 the를 붙인 것이다.

other 앞의 the

관사가 생략되는 경우, 안 받아들이는 경우, 받아들이는 경우가 있다.

other는 항상 앞에 the가 따라다닌다.

The first meeting was held on other campus. (옳지 않음)

The first meeting was held on **the** other campus. (옳음)

A friend and helper stood nearby.

위의 문장은 틀렸다고는 할 수 없으나 좋은 문장이라고 할 수 없다. 앞에 전후관계를 밝히는 문장이 있을 경우라면 몰라도 현재 이 문장만으로는 friend and helper가 동일인인지 각기 다른 사람인지 애매모호하다. 단독 문장을 쓸 때 이런 문장은 안 쓰는 것이 좋다.

A friend and **a** helper stood nearby. (a로 인해서 두 사람임을

확실히 알 수 있음.)

관사 용법을 정복하는 방법

지금까지 나는 정관사, 부정관사에 대해서 미국교사들과 학생들이 가르치고 공부하는 방법을 원용하여 설명했다. 그런데 외국인 학습자의 경우는 아무리 자상하게 설명을 해도 설명을 하는 그때는 알 것 같지만 막상 실제상황에 들어가면 다시 캄캄해지게 마련이다. 그러면 어떻게 하면 영어의 관사를 완전정복할 수 있는가.

미국사람들이 어릴 적부터 자신들의 모국어를 익혀오는 과정을 원용하여 내가 그 훈련 방법을 여기에 제시한다. 이것은 미국아이들이 관사를 터득하는 구두언어 습득과정을 모방한 것으로 탁월한 효험이 있다. 미국아이들은 일상의 언어생활을 통해서 터득해가지만 한국사람들은 펜과 종이로 훈련하는 수밖에 없다. 한국사람은 인위적으로 영어의 바다에서 헤엄치게 할 수밖에 없다. 내가 시키는 대로 열심히 해서 관사를 정복하고 나면 미국사람들이 그렇듯이 관사를 안붙인 경우나 틀리게 붙인 문장을 보면 "가슴이 답답해지는" 느낌을 갖게 될 것이다.

a, an, the가 많이 쓰여져 있는 완전한 문장, 소설이나 신문사설같은 논픽션류의 자료들을 텍스트로 해서 교사가 미리 관사를 모두 빼고 그 자리를 괄호로 비워놓은 채로 학습자에게 주면서, 정관사 부정관사를 써넣게 한다. 이때 반드시 관사가 있던 자리를 비워놓아야지 엉뚱한 곳을 괄호로 만들어서는 혼란이 오므로 안된다. 그런데 여기서 먼저 그 자료를 느닷없이 줄 것이 아니라 훈련을 실시하기 이틀 전쯤에 그 텍스트의 내용(주제·의미)을 완전히 이해한 후에 연습을 해야 한다.

"오늘은 이 글을 읽고 독해를 하자." 시침 뚝 떼고 독해를 통해 글의 내용을 소화시킨다. 미리 학습자들로 하여금 텍스트에 대한 내용파악을 완전히 시켜놓는 것이다.

"며칠 전에 여러분은 이 글을 독해한 일이 있지요?"

학생들이 대답할 것이다. "예, 그렇습니다."

"지금 나누어준 텍스트는 그 글의 관사들을 모두 빼놓은 것이다. 이 글의 의미를 생각해보고 그 의미를 기초로 해서 각 괄호 안에 관사(a, an, the) 하나씩을 집어 넣어라."

다음은 하나의 예로 미국의 초등학교 3학년 학생들이 보는 읽기자 료에서 옮겨온 예문이다. 독자들이 한번 풀어보며 훈련해보기 바란다.

Meet Richard Carver
Totem Pole Carver

I wanted to be like my father. He was ( ) totem pole carver. My grandfather and great-grandfather were totem pole carvers too!

First, I find ( )tree to cut. Then, I round out ( )tree to make ( ) pole. Next, I draw ( ) symbols on ( )pole. I use sharp tools to carve ( )symbols. I start at ( ) top and work my way down. Then, I paint ( ) pole. Finally, I put oil all over ( ) pole. ( ) oil keeps ( ) pole from cracking.

I can carve about 10 feet of ( ) pole in one month. Sometimes I might take longer to carve ( ) pole if it has ( ) lot of symbols on it. Most poles are 30 to 40 feet tall.

My family's pole is 85 feet tall. It was carved over 100 years ago. We have ( ) bird and ( ) two-headed snake on top of our pole. Those animals are signs or symbols of my family's history.

They stand for traditional dances that my ancestors used to do.

I make the poles for people who collect them and for museums. I've also made poles to honor people in my family.

(두세 개 틀렸다고 실망말라.)

해답:a, a, the, a, the, the, the, the, the, the, the, the, a, the, a, a, a

이런 식으로 **날마다** 정식 영어공부에 들어가기 전에 일삼아서 잠깐씩 **관사넣기 훈련**을 시킨다. 이 과정에서 학습자들은 내가 앞에서 기술한 관사의 여러가지 용법을 자연스럽게 터득하게 된다. 물론 정리된 관사 용법을 가르쳐주는 것도 잊지말 일이다. 이런 훈련을 하루도 빼먹지 말고 꾸준히 한다면 학습자들은 관사용법을 원어민 수준으로 정복하게 될 것이다.

will과 shall 구별 말고 맘대로 써라

한국 학생들이 영어를 배우기 시작하면서 가장 먼저 부딪치는 괴로운 부분이 미래시제에서 배우는 will과 shall이 아닌가 싶다. "1인칭에서 will은 말하는 사람의 '의지'를 나타낸다." "단순미래에서 1인칭에는 shall을 사용한다." 귀에 못이 박히게 1인칭, 2인칭, 3인칭별로 용법을 교사가 열심히 가르쳐준다. 아직 정확히 "미래"라는 말이 어떤 개념인지조차 잘 모르는 그 초롱초롱한 눈매의 어린 아이들에게 대뜸 "미래시제는……"하면서 의지미래니 단순미래니 듣도 보도 못한 개념을 아구아구 집어넣어주니 아이들은 정신이 어지러워 그만 영어가 싫어지게 된다.

내가 이 책을 쓰면서 자주 "미국학생들은……"하고 체험담을 얘기하는 것에 대해서 거부감을 갖지 말아주기 바란다. 한국 사람들은 영어가 모국어가 아닌데 어떻게 똑같이 놓고 이야기하느냐. 그것도 너무 신경 쓸 일이 아니다. 나는 영어학자이고 또 영어를 외국어로 하는 사람들을 지도한 경험이 있기 때문에 어느 정도까지 비교가 가능한지도 잘 알고 있다. 더구나 나는 30여 년 전에는 한국에서 고3영어를 가르쳤던 사람이다.

내가 갑자기 이런 말을 하는 이유는 무엇을 쉽게 설명해주면 말하는 사람의 정체를 의심하거나 가르쳐주는 내용을 잘 믿지 못해 하는 사람들이 많기 때문이다. 하긴 잘 믿지 못해 하는 것이 어찌 한국 사람들뿐이겠는가마는. 프랑스 작가 쌩떽쥐뻬리의 〈어린왕자〉를 보면 어수룩한 옷을 입고 별을 하나 새로 발견했다고 모임에 나가 발표를 했는데 아무도 믿어주지 않아서 정장차림을 하고 잔뜩 폼을 재고 나가서 발표를 했더니 믿어주더라는 대목이 나온다.

나는 내가 쓰는 글의 내용을 믿어달라고 어려운 영문법 이론이라는 갑옷을 입고 독자들 앞에 나서지는 않겠다. 영어를 공부하고 싶어하는 진지한 사람이라면 내가 편안한 느낌 속에서 쉽게 설명해주기를 바란다고 나는 생각한다. 내가 이런 말을 하는 것은 지금부터 shall과 will의 용법을 설명하는데 한국 사람들이 들으면 깜짝 놀랄 이야기가 나오기 때문이다. 잘 읽고 이번 기회에 shall과 will에 대한 고민을 완전히 씻어버리기 바란다.

미국 학교에서는 이렇게 가르친다

미국 초등학교 5학년 교과서에서는 미래시제의 정의를 이렇게 간단히 언급하고 있다.

"미래동사는 장차 일어날 행위를 표시해준다."

미래시제에 대한 첫 언급치고는 싱거울 정도로 간단하다. 무슨 의지미래니 단순미래니 하는 말들은 털끝만큼도 안 나온다. 정식 영문법은 4학년 과정에서 조금씩 비치기는 하지만 미래시제는 5학년 과정에서 처음 나오는 경우가 보통이다.

재미있는 것은 예문으로 will만 나온다는 것. shall은 안 나온다. 다음은 교과서에 나와 있는 예문이다.

The children will bury it behind the school.

He will read his letter aloud.

영어를 모국어로 하는 아이들한테도 의지미래니 단순미래니 하고 머리 속을 복잡하게 하는 내용이 안나오는데 한국에서는 이제 막 호기심을 가지고 영어를 배워볼까 하는 학생들을 골머리 아프게 만드는 일부터 시작한다. 정말 안된 일이다. shall과 will을 가지고 어린 학생들을 골치아프게 가르치는 데는 일본의 경우도 마찬가지다.

6학년 교과서에서도 정의는 역시 간단하다.

"미래시제라는 것은 후에(later) 일어날 것을 말해준다."

5학년 과정의 정의에 나오는 "장차"라는 말 대신 "후에"라는 말로 살짝 바꾸어 놓았음을 알 수 있다.

미국의 초등학교 교사들은 미래시제를 가르칠 때 이 정의에 따라서 "장차 일어날 행위를 표시하고 싶을 때는 언제든지 미래동사를 써라." 라고 말한다. 그 이상 말하지 않고 여기서 그친다. 미래동사는 will 하나만을 다루는 것이 보통이다. 미래동사를 만들기 위해서는 주동사와 함께 보조동사 역할을 하는 will을 쓰라고 가르친다.

Joanna will be famous someday.

I will visit the park one of these days.

미래시제에 대한 고등학교 과정에서의 정의는 이렇다.

"미래시제는 미래의 어떤 시점에서의 행위를 표시하거나 어떤 것에 관한 설명을 하는 데 도와주는 역할을 한다. 미래시제는 will과 shall로 만든다."

여기에서 처음으로 shall이라는 낱말이 나온다. 그러나 예문으로,

I will study harder from now on. (나는 지금부터 더 열심히 공부할 것이다.)

I will be studying harder from now on.

을 들고 있다. 정의에는 shall이라는 낱말이 들어 있으나 흥미로운 것은 이 과정에서도 shall이 들어있는 예문은 나오지 않는다는 것.

정식으로 shall을 취급 안하는 까닭은 무엇일까. 학교에서는 shall에 관해 입도 뻥긋 안하면서도 걱정을 하지 않는다. 그 이유는 뒤에 나오므로 내가 하는 이야기를 잘 들으면 알게 된다. 다 그럴만한 까닭이 있다.

그러면 shall이 아주 안 나오고 마느냐? 그렇지 않다. 미래완료형을 언급하는 자리에 가서야 처음으로 우리가 언제 나올까 궁금해 한 shall 이 들어 있는 예문이 나온다.

"미래완료형은 shall have 또는 will have로 만든다."고 언급한다. 그러면서도 어느 때 shall have를 쓰는지 will have를 쓰는지는 밝혀놓지 않고 있다. 여기서 "또는"이라는 말에 주목하기 바란다. 한 마디로 둘 중 어떤 것을 써도 좋다는 뜻이다. 고등학교 과정에서도 의지미래니 단순미래니 골치아픈 말이 안 나온다.

By the time I finish, I shall have used up all my paper.

By the time I finish, I shall have been working steadily for five hours.

미래시제에 대한 대학과정에서의 정의는 이렇다.

"미래시제는 동사의 기본형이 조동사(auxiliary verb)인 will과 함께 모든 명사들과 대명사들을 위해서 쓰여진다. 이때 미래동사는 미래에 시작될 한 행위 또는 존재를 표시해준다."

이 정의는 미래동사가 오직 명사들이나 대명사들하고만 논다는 것을 확실히 밝히고 있다.

I will~(will과 함께 있는 I는 대명사)

He will~(will과 함께 있는 He는 대명사)

Alaska "will" celebrate fifty years of statehood in the year 2000. I think I "will" attend the celebration. Shall I go? I "shall" attend. —Rosen & Behrens, 1994

격식을 차리고 싶을 때 shall을 쓴다

아주 철저한 격식을 차린 문자언어에서는 1인칭에는 I와 we에 전통적으로 조동사 shall을 사용하는 것이 보통이다.

I shall

We shall

의지미래니 단순미래니 하는 말이 여기서도 안 나온다.

"내가 꼭 그래야 될까요?"라는 뜻을 암시해주는 1인칭의 질문에는 단연 shall이 보전되고 있다. Shall I?(Will I?가 아니다. Will I?를 써도 틀린 것은 아니다.)

한 마디로 Shall I? 의 사용이 늘고 있다는 말이다.

Will I?가 틀린 것은 아니지만 만일 Will I?를 쓴다면 자기가 할 것을 남에게 묻는 바보 멍청이가 되는 셈이다.

미국대학이 결론을 내린 정의는:

"미래시제란 곧 시작되지 않으면 안될 행위들을 나타내준다."

여기에 와서도 의지미래니 단순미래니 하는 말은 안 나온다.

The exhibition will come to Seoul in June.

I shall graduate the year after next.

We will ask questions if we do not understand.
She will go. She will be laughing.

그럼 shall은 언제 나오나?
미국 대학에서는 will과 shall을 설명할 때 아래 표를 제시한다.

미래시제
1. I shall(will) see   We shall(will) see
2. You will see   You will see
3. One will see   They will see

위 표를 보면 will과 shall, 어느 것을 써도 좋다는 이야기가 된다.
　그러니까 이승만 전대통령이 영어를 배울 때 했던 will, shall에 대한 고민을 지금 한국 사람들은 할 필요가 없다는 것이다. 미국학교에서는 전통적인 미래시제의 용법을 가지고 학생들을 괴롭히지 않는다. 그러면 will, shall의 문법은 필요없는 것이 아닌가 하는 질문이 나올 것이다. 현실적으로는 한 마디로 그렇다. 전통적인 문법에서 풀려나긴 했으나 "shall, will 중 멋대로 써라"하는 공식적인 "공식 선언"이 없으니 교과서 속에서의 "선언"이 있을 때까지는 기다릴 수밖에 없다. 따라서 문법상으로는 일부 정리가 필요하다. 아무것이나 좋다 하면 문법에서 다룰 필요가 없을 것이다.
　한가지 분명한 것은 지도하는 입장에서 볼 때 "test"의 문제로 shall, will의 구별능력을 평가하는 따위의 시험문제 출제는 피하는 것이 바람직하다는 사실이다.

shall 용법은 초, 중, 고, 대학때 안배워

일반대중(일반 언어 사용자들)을 위한 미래시제의 정의는 이렇다
"미래시제란 미래의 어떤 시기를 표시한다."
이렇게 간단히 정의를 해놓고 will, shall의 용법이 나온다.

학교에서는 신경을 쓰지 않던 will, shall의 용법이 일반대중 문법에서 와서야 비로소 정식으로 선포된다. 어떻게 되느냐? will, shall의 용법에 관한 정확한 구별은, 격식을 차리지 않은 구어체나 심지어는 문자언어에서조차도 급속도로 자취를 감추고 있다. 한 마디로 구별하지 말고 써도 좋다는 선포다.

그러나 글쓰기에 조심스러운 일부작가들(careful writers) 사이에서는 정확한 전통적인 구별(will, shall의 용법)을 얼마간 고수하고 있는 경우도 있다.

조심스럽게 구별을 고수하고 있는 작가들은 그것으로서 그렇지 않은 사람들과 자기를 구별하고 있는 셈이다.

다음과 같은 예가 shall, will의 전통적인 구별을 가장 보편적으로 사용되는 경우를 보여준다.

단순미래때
"1인칭때는 shall을 써라."
"2인칭과 3인칭에서 단순미래를 나타낼 때는 will을 써라."
"단순미래는 장차 일어날 것같은 또는 할 것같은 기대를 의미한다."

1인칭: I shall go	We shall go	
2인칭: You will go	You will go	
3인칭: He will go	They will go	

한 마디로 I(We)의 경우만 빼고는 will을 쓰면 그것이 **단순미래다.**

일반대중들을 위해서 전통적으로 나와 있는 문법, 말하는 사람의 결심, 위협, 약속 들을 만약 꼭 표현하고 싶을 때는 shall과 will의 위치만 바꾸어라. 즉 1인칭에서 will을 쓰고, 2, 3인칭에서는 shall을 써라. 이렇게 간단히 "위치만 바꾸어라" 용법으로 설명하고 있다.

1인칭: I will go   We will go

2인칭: You shall go   You shall go

3인칭: He shall go   They shall go

재미있는 것은 이러한 희미한 용법마저도 세계 유명한 지도자들에 의해서 여지없이 깨뜨려 부숴지고 있다는 사실이다. 일반대중을 상대로 한 경우에서도 전통적인 will, shall의 용법이 허물어지고 만다.

영국수상이었던 처칠은 독일군의 포탄이 빗발치는 전쟁터에서 영국 국민들을 향해 연설을 했다. 국가의 존망이 왔다갔다 하는 백척간두에서 국민들을 향하여 말했다. 이때보다 더 절실하게 "의지"가 필요한 때가 없었을 그 순간에 위대한 처칠은 감동적인 연설에서 끝까지 shall을 썼다. 왜그랬는지 모른다. 문법학자가 처칠에게, 나는 언어 사용을 정리하는 문법학자인데 당신은 미래시제의 용법을 잘못 쓰지 않았느냐, 의지미래로 will을 써야 할 자리에 왜 shall을 썼느냐, 고 물어본 사람이 없기 때문에 왜 그랬는지 아무도 모른다. 처칠은 회고록을 써서 노벨 문학상을 받은 대문장가이기도 하다는 것을 독자들은 잘 알고 있을 것이다. 한 마디로 will, shall의 구별이 무의미하다는 것을 나는 말하고 있다. 처칠은 독일군을 물리치기 전에 전통적인 문법을 먼저 쳐부순 것이다. will, shall을 놓고 이것은 의지미래니, 단순미래니 골머리를 썩힐 필요가 없다. 맘대로 써도 틀리다고 할 사람이 없다. 따라서 will, shall을 괄호 안에 집어 넣는 식의 시험문제도 내서는 안된다.

미국의 각급 학교에서 will, shall에 대한 시험문제는 나오지 않는다. 만일 학교 시험이든 무슨 시험이든 will, shall을 묻는 문제를 출제한다면 그것은 죽은 시체를 붙들고 말을 거는 것이나 마찬가지다.

특별한 경우에 조금 남아있는 will, shall의 용법

shall 과 will이 다음과 같은 표현 앞에 쓰여질 때 1인칭 경우에는 shall, 2, 3인칭의 경우에는 will을 써라. shall 과 will의 용법이 무너진 미국에서는 최후의 보루로 이것만큼은 지키려고 한다.

1. be glad, be sorry, be happy, be delighted(happy와 뉴앙스가 다름), be pleased 등등일 때는 1인칭에서 shall을 사용하고, 2, 3인칭에서는 will을 쓰라고 되어 있다. 법조문에서는 항상 shall을 쓴다.

I shall be glad to see you. (not will)

We shall be delighted to help you. (not will)

You will be sorry to learn of his misfortune. (not shall)

He will be pleased to see you at five. (not shall)

2. 예절바른 정중한 명령, 지시를 할 때 2, 3인칭에서는 shall 대신 will을 써라. 주로 명령 계통인 군대에서 많이 쓴다.

Corporal Johnson will report to Captain Davis. (not shall)

You will hand in your report on Monday. (not shall)

The meeting will come to order. (not shall)

Mr. Allen, you will meet with the committee today. (not shall)

미국사람들은 will을 많이 쓴다

shall과 will에 관한 모국어 사용자들을 상대로 한 미국학자들의 조사결과는 흥미를 끈다.

1. 몇년 전 미국 전화전신회사(American Telephone and Telegraph Company)가 조사한 바에 따르면 여섯번의 대화 속에 shall이 여섯 차례 나오고 will은 402번의 대화 속에 1,305차례 나오는 것으로 밝혀졌다.

2. 헨더슨(Henderson)이라는 사람이 최근에 조사한 것을 보면 같은 시간대에 93.5%의 사람이 will을 쓰고, shall은 6.5%에 지나지 않았다.

쇌러(Schaller)라는 학자의 조사에 의하면, 단순이니 의지니 따지지 않고 shall을 41%, will을 59% 사용했다.

3. 윈스롭(Winthrop)이라는 사람의 세번째 연구조사에 따르면 101건의 예에서 92.7%가 will을 사용했고, shall은 7.3%에 지나지 않았다.

지역별로 보면 will, shall 사용 현상에 약간의 특색이 나타난다.

1. 미국 국내에서 북중서부주와 중앙북부주에서는 인칭 구별없이 will을 쓴다.

2. 동북부 뉴잉글랜드를 제외하고 대부분의 동부에서는 모든 종류의 대화에서 shall과 will이 제멋대로 쓰여진다. 특히 관심을 끄는 것은 젊은 세대와 교양인 가운데는 강력하게 will을 좋아하는 현상이 있다. 나이든 세대는 안그렇다.

3. 동북부주의 뉴잉글랜드에 한해서는 will에 비해서 shall의 사용이 단연 압도적으로 많다. 그러나 특히 교양있는 대화와 나이든 세대의

교양인 가운데는 will의 사용이 두드러진다.

이것은 무엇을 의미하느냐, 앞서 말한 몇가지 경우의 성역을 제외하고는 shall과 will을 맘대로 쓰고 있다는 것이다.

한 가지 흥미로운 사실은 같은 1인칭인데 복수 we~에서는 단수 I~ 상황에 비해서 will이 더 자주 쓰여진다는 것. 이것은 미국의 학교 교과서들이 we shall보다 I shall을 더 자주 강조하고 있는 이유가 아닐까 추측된다.

2인칭과 3인칭에 있어서는 shall은 보통 의무를 나타내고, 1인칭에 있어서는 shall이 가끔 말하는 사람의 결심을 나타낸다. 맥아더 장군이 필리핀에서 철수하면서 "I shall return." (나는 기어코 돌아올 것이다.) 이라고 유명한 연설을 한 일이 있다. 처칠이나 맥아더가 전통적인 will, shall의 용법을 파괴해서 "맘대로 써도 좋다"는 상황이 전개된 것은 아니다. 그 이전에 이미 일반 민중들이 구별을 하지 않고 써왔다.

will, shall 구별 안해도 된다

I shall, We shall은 단순미래를 나타내고 I will, We will은 강한 결심을 나타낸다고 주장했지만 학교 교과서들이 전통적인 문법을 지키지 못했다.

한국사람들이 궁금해 하는 "의지미래"는 어떻게 되는가. 정작 의지를 나타낼 때는 어떻게 할 것인가. 정말로 말하는 사람의 의지를 표현하고 싶으면

I certainly will, I indeed will에서처럼 의지를 나타내는 부사를 붙여 독자나 듣는 사람이 확실히 의지를 알 수 있도록 하는 방법을 쓴다.

I promise to……

I am determined that……을 쓴다든지.

이제 shall과 will에 관한 마지막 결론을 내는 것이 좋겠다. 지금까지 내가 해온 이야기는 바로 이 결론을 위해서였으니까.

미국의 어떤 사람들한테는 shall 또는 will의 선택이 수사적(修辭的)인 중요성을 표시하는 것에 지나지 않는다(의미의 차이는 없다). 이럴 때 shall은 will에 비해서 격식을 차린 효과와 노력이 두드러져 보인다. 따라서 will과 shall의 전통적인 구별능력을 평가하려는 테스트 문제에 나오지 않는 한 will, shall은 구별 말고 맘대로 써도 좋다.

이러한 shall과 will의 쓰임새의 변화와 흐름을 알면 용법을 놓고 고통스러워할 필요가 없다는 사실을 깨닫게 될 것이다.

언어는 변화한다. 언어사용의 현실 속에서 "문법"은 시녀 노릇을 하는 것이다. 만들어놓은 문법이 "왕"이 아니라 모국어 사용자들이 사용하는 "언어"의 뒤를 따라 "문법"이 달라지는 것이다. 언어는 변화하는 생명체이다.

학교문법에 반기를 든 목적격 대명사들

언어의 주인은 그것을 사용하는 민중이다. 아무리 말을 다루는 문법 학자들이 두툼한 문법책을 펴들고 이렇게 쓰지 않으면 틀린다고 도끼 눈을 뜨고 째려 보아도 그것을 사용하는 민중이 따르지 않으면 아무 소용이 없다. 가령 부패한 정부를 쓰러뜨리기 위해 전봉준 장군이 혁명을 꾀했을 때 많은 민중이 전장군을 따랐다. 물론 개중에는 따르지 않은 부호와 관리들이 있었지만 전장군이 점령한 지역에서는 조정의 법은 무시되고 전장군의 사발통문이 법 대신 효력을 발휘하게 되었다. 내가 이렇게 잘 알지도 못하는 역사를 갖다 대며 영어를 설명하려는 것은 우선 동학혁명은 내가 어릴 적부터 누누이 들은 이야기인 데다 영어 사용의 변화가 그것과 흡사한 데가 있어서다. 언어사용의 변화는 역사의 법칙과 비슷한 데가 있다. 세기의 석학 아놀드 토인비가 "역사는 도전과 응전의 법칙에 따른다"고 갈파한 것에 비유한다면 언어 역시 역사처럼 도전과 응전의 법칙을 따른다고 할 것이다.

지금부터 잘 들어보기 바란다.

언어 사용에서는 품사의 전통적 기능에 반기(叛旗)를 든 반란군들이 세(勢)를 얻어 학교문법이라고 하는 정부군(政府軍)에 도전, 포위하고 침략해서 더러는 정부군을 쓰러뜨리는 일이 있다. 그러나 아무리 반란군이 세를 얻어 천하를 제패하려 해도 아프카니스탄처럼 지방은 반란군 지배하에 있으나 수도 카불은 아직도 요지부동으로 정부군 치하에 있는 일이 많다.

대개 영어의 경우 정부군은 학교문법의 문자언어에서, 반란군은 구두언어에서 서로 막강한 세를 과시하고 있다. 내가 지금 여기서 이야기하려고 하는 것은 특히 <u>대명사 목적격</u>의 반란을 염두에 두고 하는 말이다.

영어의 대명사 목적격이 벌이고 있는 반란은 아직도 난공불락의 학교문법이 버티고 있는 문자언어의 공략에는 성공을 못하고 있는 실정이다. 그러나 대명사 목적격의 반란은 격식을 차리지 않은(informal) 분야에서는 막강한 세력을 떨치고 있어서 이것이 정부군 치하의 미국 학교문법에 엄청난 고민거리가 되고 있다. <u>학교문법과 대명사 목적격들의 싸움은 학교문법이 수세에 몰려 있어서 언제 점령당할지 알 수 없는 상황이다.</u> 물론 그렇다고 해서 반란군인 대명사 목적격들이 학교 담장 밖을 1백 퍼센트 점령하고 있는 것은 아니다.

반군의 주역들 me, him, her, us, them

반란을 일으키고 있는 대명사 목적격들의 이름은 me, him, her, us, them, (you는 주격이나 목적격이 같은 모양이어서 반란군인지 정부군인지 알 수 없다.) 들이다.

학교문법이 사수하고 있는 전통용법들은 다음과 같다. (언젠가는 반란군들이 학교로 들어오는 날에는 용법이 달라지겠지만 현재는 이렇다.)

It is I.

It is you.

It might be he.

＊It could be she. (내 생각에는 그 여자일 수 있다. 아닐 수도 있지만.)

두살 반짜리가 이런 표현을 자유자재로 쓴다. 이런 표현은 알아두면 요긴하게 써먹을 수 있다. 가령 복권을 사는 친구에게 Hey, you could be one of them(the winners). (네가 당첨될 수도 있어, 임마.) 하고 멋있게 말할 수 있다.

＊Could this be it?(이것이 그것일 수 있을까?)

한국사람들 중에 이런 간단한 표현을 구사하는 사람이 드문 것 같다.

It is we.

It was they.

Who was it?(그자가 누구지?)

몇년 전 한국에서 문법책을 보니 친절하게도 It is I. 라는 문장에서 I 대신 me를 사용해도 된다고 나와 있었는데, 학교문법에서는 천만의 말씀이다. 구어체에서만 가능하다. 시험문제에 출제된다면 어김없이 It is I. 가 맞다.

밤에는 "It is me.", 낮에는 "It is I."

대명사 목적격들이 왜 이처럼 반기를 들고 일어난 것일까? 그것은 늘 자기들이 해온 역할 즉, 동사의 목적격 역할만 해온 것이 지긋지긋하게 싫었기 때문이다. 목적격 대명사들이 가장 먼저 침략에 성공한 것은 주격대명사 I의 자리를 빼앗은 것이다. (학교문법에서는 아직 I의 자리가 확고하다.)

반란세력들이 주격대명사 자리를 빼앗은 다음의 경우를 보라.

It is me. (나야.)

It might be him. (주격 he의 자리를 침범하고 있는 목적격인 him. 구어체에서 me 다음으로 침략에 성공했다.)

It could be her. (주격 she의 자리를 침범한 목적격인 her. 역시 구어체에서 me 다음으로 침략에 성공했다.)

It is us. (주격 we의 자리를 침범한 목적격인 us. me, him, her의 세력에는 따르지 못하지만 상당한 세력을 과시하고 있다.)

It was them. (they의 주격 자리를 차지한 목적격인 them.)

내가 옛날 미국 초등학교에서 학교문법대로 "It is I."하고 가르쳤더니 어떤 아이가 번쩍 손을 들고 말했다.

"It doesn't sound right to me."(내 귀에는 어쩐지 안맞는 것같아요.)

그럴 것이 그 아이는 학교에 들어오기 전까지 목적격 대명사들이 통치하는 반란군 지역에서 내내 살다가 정부군 치하의 세상으로 왔으니 아무래도 이상할 수밖에 없었을 것이다. 그래서 반란군을 대신해서 그 아이는 학교문법에 용감하게 한번 도전해본 것이다. 초등학교에서 아이들이 시험을 치를 때 It is I. 라고 써야 할 것을 It is me. 라고 써서 점수를 못얻는 경우가 있었다. (지금은 반란군의 눈치를 보느라 이런 시험문제는 잘 출제하지 않는다.) 부모도 반란군 지역에서 아이와 함께 살고 있으므로 틀렸다고 생각 못하고 고쳐주지 못한 채 학교로 보낸 것이다.

옛날 내가 미국 초등학교에 재직할 때 Charles라는 교장선생님은 대화에서 항상 "It is I."라고 말했다. 그 교장 선생님은 절대로 반란군 세력에 가담하지 않았다. 대단한 분(?)이었다. 나는 속으로 감탄했다. 그러나 대학교수들도 강의시간이 아닌 편한 자리에서는 대부분 "It is me."라고 말한다. 말하자면 밤에는 반란군 편이 되었다가 낮에는 정부군 편이 되는 꼴이다.

그런데 흥미로운 것은 일반 민중들 사이에 꽤 사용되고 있는 "It is us."의 경우는 비교적 교육 정도가 낮은 사람들 사이에서 많이 쓰고 있는 중이라는 사실이다. 어쨌든 "It is me."의 경우는 교육 정도를 떠나서 반란군들 수중에 들어갔다고 말해도 지나치지 않다. 물론 학교문법은 아직 "It is I."를 고수하고 있다.

이처럼 특히 일반 민중들의 구어체에서 폭넓은 지지를 받고 있는 목적격 대명사들의 반란에 학교문법이 언제까지 정부군 진지를 사수할 수 있을지 모른다. 학교문법이 버티고 있는 성(城)을 쳐부수고 반란군들이 입성할 날이 멀지 않았다는 것이 문법학자들의 전망이다. 그러므로 영어를 외국어로 배우는 한국사람들은 이런 사정을 알고 학교문법과 대중들의 언어사용을 구별해주기 바란다.

참고로 will, shall의 경우는 반란군 세력들이 전통적인 영문법을 지키고 있는 정부군을 여지없이 무찌르고 마침내 will, shall의 전통적인 용법을 무너뜨리고 말았다. 영어의 세계에서 벌어지고 있는 도전과 응전의 모습은 이밖의 여러 군데에서 목격할 수가 있다. 하나의 예를 들면 소유격을 표시하는 apostrophe s('s)의 " ' "을 반란군들은 지금 없애려고 하고 있다. 실제로 상점의 간판들에서는 CHILDRENS SECTION(아이들의 용품을 파는 곳)이라고 간판을 붙여놓아 나같은 영어학자들의 기분을 언짢게 하고 있다. childrens section이라니. 's로 쓰지 않으면 마치 복수형인 children에 또 복수형을 만드는 s를 붙인 꼴이어서 볼썽 사납다. 그러나 반란군들은 " ' "를 없애려는 시도를 점점 더 눈에 띄게 벌이고 있는 중이다. 언어란 그것을 사용하는 민중이 주인이므로 다수의 주인들이 그렇게 쓰는 쪽으로 기울어진다면 문법학자는 그가 쓴 두툼한 책을 고쳐 쓸 수밖에 없는 일이다.

초등학교는 문법을 처음으로 가르치는 입문 단계이므로 매우 중요하다고 할 수 있는데 반란세력들이 아무리 엄청나게 세력을 얻고 있어도 아직 정통문법을 고수하고 있다는 이야기는 앞에서 했다. 학교 바깥에서 벌어지고 있는 현실이 반영 안되고 있는 셈이다. 학교문법이 외로운 싸움을 하고 있다고 할까. 그렇긴 하나 학교를 제외한 곳에서는 반란군들의 묘사문법(descriptive grammar)이 활발히 기세를 올리고 있다. 사태가 이렇게 전개되고 있는 마당에 "맘대로 써라."고 선언할만도 한데 대학을 포함, 미국 학교에서는 이래라 저래라 하지 못하고 엉거주춤하고 있는 상태다. 그래서 이런 문제를 시험으로 취급하기를 꺼리고 있다. 맞다, 틀리다고 할 단계가 지나버린 것이다.

아마도 곧 초등학교 과정에서 주격을 쓰거나 목적격을 쓰거나 맞다고 공식 선언하게 될 때가 곧 올 것으로 생각된다. 이것은 여담이지만 내년에 있을 미국 영어교수 심포지움에서 나는 초등학교 영어과정에 목적격 대명사들의 현실태를 반영하여 공식 등장시킬 것을 주장할 생각으로 준비를 하고 있다.

미국의 권위있는 지면들에서도 이미 주격, 목적격 구분없이 쓰고 있다. 다음은 한 예이다.

"I couldn't believe that woman was I……" She said it was him. -Saturday Evening Post

("그 여자가 나였다니 믿을 수가 없어요." 그녀는 그것이 그 남자였다고 말했다.) 한쪽에서는 주격(정부군), 다른쪽에서는 목적격(반란군)을 썼다.

재미있는 8품사

영문법을 배울 때 맨먼저 배우기 시작하는 것이 8품사다. 명사는 어떻고, 대명사는 어떻고 열심히 참고서의 밑줄을 그어가며 배우는 대목이다. 그러나 그렇게 다 알 것같은 8품사가 막상 활용단계에 들어가면 손을 들게 하고 만다. 영문법에 관해서라면 서점에 가면 수없이 많은 책들이 있다. 나는 여기서 서점에 수없이 많은 책들이 그렇듯 딱딱한 이야기를 해서 고통을 보탤 생각은 전혀 없다. 내가 미국 학생들을 상대로 영어를 가르치면서 체험으로 느낀 이야기를 하려고 한다. 덧붙여 이곳 미국에서 많은 한국사람들로부터 영어를 배우는 데 고통스러워 했던 대목들을 너무나 많이, 뼈저리게 들은 바 있으므로 그것들을 중심으로 한국인들이 겪는 영어의 고통스러움을 씻어주려고 한다. 잘 읽어보기 바란다.

품사란 무엇?

한 언어가 가지고 있는 모든 낱말들은 어떤 한 집단으로 소속되는

데, 영어의 경우 8가지 그룹 또는 classes로 분류된다. 각 낱말의 종류가 지니고 있는 기능이 각각 따로 있다.

8품사에 속하는 명사, 대명사, 동사, 형용사, 부사, 전치사, 접속사, 감탄사 들이 그것이다. 영어의 모든 말들은 이들 품사 중 어느 한 가지에 속한다. 통계에 따르면 현존하는 영어사전에 들어 있는 단어들 가운데 **동사, 명사, 형용사, 부사가 99퍼센트**를 점하고, 나머지 **1퍼센트**는 대**명사, 전치사, 접속사, 감탄사**가 차지한다고 한다.

품사 이야기를 시작하기 전에 영어를 외국어로 배우는 한국사람들이 먼저 알아두어야 할 것은 전치사, 접속사, 감탄사 들은 어떤 성격의 문장 속에 쓰여지더라도 그 형태가 원자재(原資材) 그대로 존속하고, 이 밖의 품사들은 문장 속에서의 성격, 역할에 따라 그 모습이 자주 바뀐다는 사실이다. (어떠한 경우에도 변하지 않는 3가지 품사를 알아두면 나머지는 저절로 이해하게 된다.) 이것은 아주 사소한 것같지만 내가 겪어본 바에 의하면 한국사람들은 종종 이 간단한 사실을 잊어먹어 버리는 것(명심하지 않는 것) 같다.

영어단어는 상황과 문장에 따라서 자주 바뀌는데도 불구하고 이곳 미국에 온 한국사람들은 10, 20년이 지나도 단어를 원자재 그대로 붙들고 있다. 그것들을 변화시켜 사용할 줄 모르는 사람들이 많다. 예컨대 3인칭의 주어가 올 때는 거기에 맞는 동사변화를 써야 하는데도 원자재 그대로 써서 미국사람들을 웃게 만든다. 영어를 모국어로 배우는 미국 아이들도 처음에는 한국사람들이 저지르는 실수를 그대로 한다. 그렇다고 해서 아이의 실수를 누구도 고쳐주지 않는다. 만일 고쳐준다면 그것은 언어교육학적으로 도리어 해롭다는 것이 정설이다. 아이들은 커가면서 수없이 들으며 **자체수리**(self-repair)를 통해 배우게 된다. 모국어를 쓰는 아이들이 저지르는 실수를 정정해주는 대신 "옳은 용법"을 자연스럽게 문장(구두, 문자) 속에서 시범을 보여주는 것(들려주는 것) 이 더 효과적이라고 언어교육이론이 뒷받침해주고 있다.

아이들은 그런 실수를 저지르다가 언어가 완숙한 엄마 아빠가 변화된 단어들을 쓰는 것을 알아차리고 하나씩 배우게 된다. 엄격히 말해서 주워 담는다. 그렇지만 금방 다 익힐 수는 없는 것이므로 미국아이들도 곧잘 실수를 되풀이한다. 재미있는 현상은 아이들이 변화된 형태를 한두 가지씩 귀로 들으면서 다른 낱말들도 모두 그와 같이 변화하는 것으로 간주하고 변화시켜서는 안될 단어까지 변화시켜서 사용하려든다는 것. 이것을 가리켜 '과도한 일반화'(over-generalization)라고 한다. 말하자면 규칙을 지나칠 정도로 확대 적용한다는 이야기다.

예를 들면 아이는 처음에 엄마의 boy, boy하는 소리를 듣다가 어느 날 느닷없이 엄마로부터 "Hey, look at two boys out there."라고 하는 말을 듣는다. 또 three boys, five girls 하고 두 사람 이상이 있을 때는 변화된 말로 사용하는 것을 알아차린다. 아이는 혼자 속으로 깨닫는다. 그리고는 어느 날 밖에 남자가 두 사람이 서있는 것을 보고는 "Hey, there are two mans."라고 말한다. 다른 데서 배웠던 규칙을 엉뚱한 곳에 적용시키는 것이다. 이런 잘못을 미국아이들도 잠시동안 겪게 되는 것이다. 그런 잘못을 범해도 "애야, 그 낱말을 쓸 때는 mans라고 하지 않는다."고 고쳐주지 않는다. 실수를 통해서 차곡차곡 자체 수리를 거듭해 익히게 되기 때문이다.

그러나 외국어로서 영어를 공부하는 한국아이들은 사정이 다르다. 한국아이들은 9, 10세에 처음으로 영어를 접하게 되는데 그 나이는 언어학적으로는 어른이나 다름없다. 한국아이가 실수를 하면 자체 수리를 통해 교정해나가는 미국아이들처럼 내버려둘 수가 없다. 모국어처럼 영어의 풍성한 "언어 입력"이 없기 때문이다. 실수를 저지를 때마다 편안한 정서 상태에서 고쳐주어야 한다. "이 바보야, 한두 번 가르쳐주면 알아들어야지 또 틀려?" 어쩌고 하며 군밤을 주듯 가르치면 절대로 안된다. 언어는 그런 식으로 가르치는 것은 금물이다. 미국아이들도 고생을 하면서 배우는데 하물며 한국아이들이 실수를 저지르는 것은 너무나 당연한 일이다.

실수를 할 때마다 **직접 가르침**(direct teaching)을 통해 가르쳐 주어야 한다. 이것이 미국아이들이 영어를 배울 때와 한국아이들이 영어를 배울 때 겪게 되는 다른 점 중의 하나이다. 한국아이들은 이미 9, 10세의 아이들로 언어학적으로는 "성인"이나 진배없으므로 고쳐주어도 얼마든지 받아들일 수 있다. 경우에 따라 변화되어가는 규칙을 부드럽게 가르쳐주어도 좋은 나이라는 이야기다. 한국아이들한테는 처음부터 간단한 이론적인 배경을 쉽게 설명하면서 얼마든지 가르쳐줄 수 있다.

단어의 기능(function)

function을 한국어로는 기능이라고 번역할 수밖에 없는데, 한 낱말이 실제 문장 속에서 쓰여지는 역할을 말한다. 언어기능은 문장 속의 역할이 컨트롤(지배)한다. 자동차의 엔진은 어떠한 상황 속에서도 엔진 역할을 하고 카뷰레터는 자동차가 비탈길에서 위험스럽게 굴러내려올 때도 역시 카뷰레터 역할만 맡을 뿐이다. 자동차가 위험한 지경에 처해 있다고 해서 카뷰레터가 엔진 역할을 할 수 없다. 그러나 저 문장 속에서는 명사로 쓰여진 단어가 이 문장 속에서는 형용사로 쓰여질 수가 있는 것이 영어다.

내가 쓴 〈영어의 바다에 빠뜨려라〉를 읽고 미국에 거주하는 어떤 목사 한분이 친절하게도 편지를 보내왔다. 내용인즉슨 내가 든 예문을 보고 이의를 제기해온 것이다. fun이 명사인데 왜 형용사로 썼느냐 하는 것이었다. 이런 정도는 굳이 이 책에 예를 들 필요가 없는 것인데도 여기에 옮기는 것은 아직도 많은 사람들이 이런 잘못된 생각을 하고 있기 때문이다.

Hey, we're going to have a fun activity. (재미있는 놀이를 하자.) 에서 보듯 미국아이들은 fun을 명사로도 쓰고 형용사로서도 사용한다. (예) I have fun.(명사인 경우) 어린이영어사전에는 fun이 명사 한가지로밖에 안 나와 있지만 중고등학교로 올라가면 형용사가 나와 있다. Hey, let's take a fun trip. (귀찮은 일 생각 말고 그냥 재미만을 생각하고 어디 갔다 오자.) 얼마든지 다양하게 형용사로서 fun이 쓰이고 있다. 이런 사실을 까맣게 모르고 작은 사전에 명사로만 나와 있는 것을 보고 내게 용감하게 잘못되었다고 지적한 것이다. 정중하게 답장을 보냈음은 물론이다.

주어진 문장에 따라서 단어의 기능이 달라진다는 것을 철저히 알아야 한다. 가령 미국의 집은 패밀리 룸(family room)과 리빙룸(living room) 등으로 기능별로 나누어져 있다. 그러나 한국의 옛날 집은 방이 하나밖에 없어서 손님이 오면 합숙소가 되었다가 아들 부부가 자면 신방이 되었다가 모든 식구가 식사를 하면 식당이 되었다가 한다. 쓰임새에 따라 그 기능이 달라졌던 것이다. 그처럼 같은 단어이지만 상황에 따라 품사, 즉 기능이 달라진다는 이야기다. 사전에 적힌 낱말의 품사 표시에 얽매어 있으면 외국어 학습자는 아주 큰 어려움에 봉착하게 된다. 사전을 펴보면 어떤 단어는 명사라고만 쓰여져 있으나 때에 따라 명사가 형용사로 쓰여질 때가 있다는 것은 위에서 이미 살핀 바 있다.

그러면 8품사 이야기를 하나씩 시작해 보겠다. 나는 지금 한국의 영문법책에서 무엇이라고 설명했는지에 대해서는 관심을 가질 겨를이 없다. 약간 다르더라도 이해해주기 바란다.

명사라는 것

미국아이들한테 명사의 정의를 가르칠 때 이렇게 말하면 그들은 금방 알아듣고 이해한다.

명사는 사람, 장소, 사물 또는 아이디어를 명명(命名)하는 품사다. 이 정의에서 한국사람들은 아이디어라는 말에 다소 멈칫거릴지 모르겠다. 아이디어는 한국어로는 번역하기 어려운 말인데 여기서 말한 아이디어에 속한 단어로 예를 들면 democracy, honesty 등이 해당한다. 다음의 단어들이 명사의 예다. 명사건 무엇이건 항상 문장 속에서 들여다 보아야 한다.

The clerks at the store helped each person. (그 가게의 점원들은 사람들을 도왔다.) each person = 각 사람

The trip to Seoul created excitement for weeks. (서울 여행은 수 주일 동안 아주 재미있었다.)

대명사라는 것

대명사는 명사 대신 사용되는 낱말이다.

한국사람들이 영어 학습에서 겪게 되는 첫번째 고통은 대명사로부터 시작된다. 한국어의 사용에서는 대명사가 영어처럼 많이 사용되지 않기 때문에 한국사람들은 대명사 사용에 지극히 서툴고 쉽게 습관화되지 못하는 것 같다. 영어는 앞에 한번 나온 단어를 뒤에서 반복해서 쓰는 것을 아주 싫어한다. 명사가 한번 나오면 뒤에서 대명사가 바통을 이어받아 써야지 되풀이해서 쓰면 싫어한다. 한국에서 금방 온 사람은 이같은 영어의 특질을 못 알아보고 한번 쓴 단어를 또 쓰고 또 쓰고 해서 미국사람들을 성가시게 한다.

나는 몇년 전 어떤 사정으로 미국에 사는 한 교포의 재판에 통역일을 맡아주러 법정에 몇차례 간 일이 있었다. 그 재판은 한국교포가 미국인에게서 야채가게를 빌려 장사를 하던 중 장사가 너무나 안되어 중간에 그만두고 주인에게 임대료를 돌려달라고 재판을 건 소송사건이었다. 그 재판이 어떻게 되었느냐는 독자의 관심거리가 아니다. 한인교포가 자기 변호사에게 한국말로 하면 내가 그 말을 영어로 변호사에게 통역해주고 변호사가 영어로 교포와 판사에게 말하면 또 그말을 영어로 교포에게 통역해주는 일이었다.

재판이 끝나고 변호사사무실에 가서 다음 재판의 작전을 짜게 되었다. 그런데 한국에서 영어를 잘한다는 말을 들었다는 그 교포는 "My country", "My country"하고 말끝마다 계속 써대는데 옆에서 보기에 정말 안되어 보였다. 도대체 독자들은 믿기 어려울지 모르지만 그 교포는 He나 She조차도 제대로 쓰지 못하고 계속 재판을 건 상대방의 이름을 대화 속에서 말하는 것이었다. 아마 변호사와 말하는 동안 수십 번은 그 이름이 나왔을 것이다.

한국사람들은 대화하는 두 사람간에 서로 알고 있는 이름은 구태여 말하지 않아도 서로 통하기 때문에 얼마든지 대명사를 빼먹고도 대화가 가능하다. 그래서 아예 주어같은 것이 빠져도 서로 이야기가 잘 통한다. 또 같은 단어를 몇번이고 되풀이해도 어색하게 생각하지 않는다. (내 말을 오해하지 말라. 영어와 한국어 어느 한쪽이 더 좋은 언어인가를 말하고 있는 것이 아니다.)

영어는 꼭 있어야 할 자리에 대명사가 하나라도 빠지면 그것이 문장 속에서건, 대화 속에서건 절대로 안된다. 일대 충격이 된다. 사전 속에서는 고작 1퍼센트에도 못 미치는 대명사가 그 중요성으로 따진다면 실로 엄청나다고 할 것이다. 한국에서 영어공부할 때 긴 문장 속에서 대명사들이 나오면 이 대명사는 앞에 나온 무엇을 받는다고 귀찮을 정도로 배우는 것이 대명사다. 영문독해를 할 때 대명사가 무엇을 받는지를 잘 알아보면 독해가 한결 쉬워짐은 물론이다.

James expects a woman. He will be surprised. John waits for her. She enters the office.

형용사라는 것

명사나 대명사를 수식(修飾)하는 데 사용하는 낱말이 형용사다.

나는 미국 초등학교 아이들에게 형용사를 가르칠 때 꼭 이렇게 가르쳤다. 형용사의 성격을 아주 쉽게 규정한 것이다. "형용사는 두 가지 종류가 있다. 하나는 what kind 즉, 무슨 종류냐, 또 한 가지는 how many 즉, 수량이 얼마냐. 모든 형용사는 이 두 가지 그룹으로 나누어서 항상 reading이나 writing을 하면 절대 실수가 없다."

Few people were standing in a line. (줄에 서있는 사람이 거의 없었다.) 이것은 how many에 속한다.

I bought a nice, new balloon. (나는 아주 좋고 새로운 풍선을 샀다.) 이것은 what kind에 속한다. 두개의 형용사가 what kind를 말할 때는 comma(,)를 사용하는 것을 자주 본다.

The huge, colorful stripes cover the balloon. (아주 큰 색색깔의 줄무늬가 풍선에 쳐졌네.)

앞에서 말한 것과 같이 형용사를 쓸 때 how many에 속하느냐, what kind에 속하느냐, 이 두 갈래로 대조해서 생각하면 혼동이 없고 실수가 없다. 자기가 쓰려고 하는 말이 what kind에 들어간다고 생각되면 그 속에서 찾아 쓰면 되는 것이고, 만약 how many쪽에 들어간다고 생각되면 역시 그쪽에서 찾아 쓰면 되는 것이다.

One small tank of gas fuels the balloon. (작은 가스 탱크가 풍

선에 가스를 넣는다.)one은 how many에 속하고 small은 what kind 에 들어간다.

부사라는 것

동사, 형용사, 또는 다른 부사를 수식할 때 사용되는 낱말이 부사다. 나는 미국아이들을 상대로 가르칠 때 항상 이 대목을 강조했다. 동사만을 수식해주는 부사를 분류해보면 다음 네 가지 역할로 나누 어 볼 수 있다. how(방법), when(때), where(장소), 그리고 to what extent(어느 정도)의 개념을 나타내주는 부사의 역할이 그것 이다.

The train moved swiftly. (기차는 신속히 움직였다.) —how

Soon it reached the studio. (곧 스튜디오에 도착했다.) — when

Many passengers waited there. (많은 행인들이 그곳에서 기다 렸다.) —where

People totally filled the platform. (사람들이 플랫폼을 꽉 채웠 다.) —to what extent

어느 정도(to what extent)를 말해주는 예를 하나 더 들면 I did it completely. (나는 그것을 완전히 했다.) 이 문장은 to what extent(어느 정도)의 개념을 말해주고 있다. 즉 대충했느냐, 거의 다 했느냐, 완전히 했느냐를 놓고 생각해보면 이 부사가 "어느 정도"를 표 시하고 있음을 알 수 있다.

형용사와 부사를 수식하는 부사의 역할은 how(방법)와 to what extent(어느 정도)의 개념을 나타내주는 두 가지로 나눌 수 있다. 이 러한 개념을 머리 속에 넣어두고 부사를 생각하면 부사의 성격이나 역할을 분명하게 인식할 수 있다.

Quite suddenly the train began to move. (아주 갑자기 기차는 움직이기 시작했다.) —how

The night was completely silent. (그 밤은 아주 조용했다.) — to what extent

동사라는 것

행동, 행위를 표시하거나 사실진술(statement)을 도와주는 데 사용되는 낱말을 동사라고 한다. 맨처음 초등학교에서 동사를 가르칠 때 미국에서는 둘로 나누어 설명한다. 하나는 action verb(행위동사), 다른 하나는 linking verb(연결동사)다. 모든 동사는 이 두 범주 안에 들어간다.

행위동사는 한 문장의 주어가 하거나 했던 행위를 말해준다.

come, tell, go, dance, think, believe, estimate, consider 등.

I come here.

Tommy relaxes in his chair. (토미는 의자에 편안히 앉아 있다.)

Tommy dreams about a flower show. (토미는 꽃잔치에 대해서 꿈꾸어 본다.(간절한 생각을 하다.))

think, dream 등은 육체적인 행동을 하지 않아도 행위동사라고 한다.

한 낱말과 서술(predicate) 부분에 들어 있는 말들을 연결시켜주는 역할을 맡는 낱말이 연결동사다. 행위동사와 다른 점은 연결동사는 행위를 표시하지 않고 다만 두 낱말을 연결시켜주는 역할을 하므로 서술, 설명을 도와주는 역할밖에 하지 못한다는 것이다. 연결동사로서 가

장많은 것은 be동사에서 나온 것들이다.

be	shall be	should be
being	will be	would be
am	has been	can be
is	have been	could be
are	had been	should have been
was	shall have been	would have been
were	will have been	could have been

그런데 한국사람들이 영어공부에서 가장 큰 고통을 겪고 있는 부분이 또 이 연결동사다. 행위동사에 대해서는 비교적 잘 이해하고 사용하는 편인데 연결동사는 그렇질 못하다. 왜 그럴까. 연결동사는 am, are, is의 be동사의 역할과 똑같으면서 그 동사 자체의 의미가 또 하나 중복되어 있기 때문에 be동사 이외의 연결동사들의 사용에서 고통을 겪고 있는 것으로 보인다.

이런 연결동사는 다행스럽게도 별로 많지 않다. be동사 이외의 연결동사는 다음과 같다.

appear, grow, seem, stay, become, look, smell, taste, feel, remain, sound 등.

He **appears** happy. (그는 행복한 것처럼 보인다.) appears는 He와 happy를 연결시켜준다. He가 happy한 것처럼 보인다고. (He=happy) 이 문장에서 appears가 is와 똑같은 연결동사로 기능을 발휘하면서 동시에 is가 갖지 못한 그럴 듯하다, 그렇게 보인다는 본래의 뜻이 추가되어 있다. is가 아닌 appears를 사용하므로서 표현이 보다 논리적인 느낌을 자아낸다.

Cooking **is** my dad's hobby.

It **became** his hobby recently.

Dad's kitchen **smells** good.

Mr. and Mrs. Johnson **are** farmers.

They **appear** proud of their vegetables.

Their tomatoes **taste** fresh and juicy.

Their carrots **become** bigger every year.

Their fields **are** in the hot sun.

A hat with a wide brim **is** important out there.

그러면 다음 문장들 속에서 연결동사와 행위동사를 가려내보라.

My father **works** hard.(행위동사)

He **is** a construction worker. (연결동사)

A construction company **employs** him.(행위동사)

The company **builds** apartment houses.(행위동사)

Construction sites **are** dangerous places.(연결동사)

Sometimes a brick **falls** from above.(행위동사)

A hard hat **seems** necessary there.(연결동사)

My father **likes** his job.(행위동사)

He **is** surely one of the best workers in the company.(연결동사)

　　미국에 사는 한국교포들은 이런 연결동사의 사용에 몹시 서툴다. 청과물상을 하는 교포들이 많은데,

　　"This fruit is good."(이 과일은 맛있다)라는 식의 문장을 잘 쓴다. 그런데 엄격히 한번 따져보면 앞에 예문을 든 He is happy. 나 This fruit is good. 은 문장으로는 맞지만 논리적으로는 맞지 않다. 그가 행복하다, 는 것은 따져보면 그(He) 사람 속을 내가 어찌 알 수 있는가. 겉으로는 행복한 것처럼 보이지만 속으로는 푹푹 썩는 일이 있어서 날

마다 걱정이 태산같은지 내가 어찌 아느냐 말이다. 그 사람이 행복한 지는 하느님이나 알 일이지 내가 알 수는 없는 일이다. 그러므로 He is happy.는 논리적으로는 안맞는 문장이다. This fruit is good. 도 마찬가지다. 코 큰 미국손님을 상대로 과일을 파는데 어디까지나 돈을 주고 사 갈 미국 손님이 맛있는지를 판단할 일이지 파는 장사인 한국 교포가 맛있다고 우길 일은 아니다. 이럴 때 "This fruit tastes good."(먹어보니 맛있습니다.)라고 표현해서, 돈을 주고 사 갈 손님의 입맛엔 어떨지 모르지만 내가 먹어보니 맛있다고 이야기하는 것이 논리적으로 맞는 표현이다. 이런 문장이 표현도 훨씬 더 생생하고 설득력이 있다.

I want to **taste** these apples. (이 사과 맛을 보고 싶다.) 여기서 taste는 행위동사.

This apple **tastes** good. (이 사과는 맛이 있다.) 여기서 tastes는 연결동사.

주동사와 보조동사

미국의 초중고등학교에서 쓰는 용어에는 주동사(main verb)와 보조동사(helping verb)의 개념이 알아듣기 쉽게 나온다.

내가 미국의 초중등학생들에게 영어를 가르칠 때 이런 식으로 설명하면 잘 알아들었다.

주동사는 동사구(동사가 하나 이상 집단을 이룬 것) 속에서 항상 행위나 존재(being)를 표현하는 가장 중요한 동사다. 초등학교 교과서에는 5학년 과정에 주동사 개념이 처음으로 나오는 것이 보통이다.

보조동사는 행위 또는 존재를 표시해주는 주동사와 함께 쓰이면서 도와주는 또하나의 동사다. 혼자서는 안된다.

The boys *are* building a clubhouse. (building은 주동사, are는 보조동사)

*clubhouse는 미국의 10, 11, 12세 정도 되는 아이들이 집 밖에서 자기들끼리 주말같은 때 놀기 위해 가설 집을 지어놓고 그 속을 들락거리며 노는 집을 말한다.

위의 문장을 현재진행형이라고만 생각하면 문장의 중요한 점을 놓치고 만다. 미국교사들은 아이들에게 현재진행형이라고만 가르치는 것이 아니다. are가 보조동사이고 주동사는 동사구에서 제일 마지막에 온다, 그 앞에 오는 것이 보조동사다, 라는 것까지 가르친다.

They *have been* given some tools.(have been = 보조동사, given = 주동사)

Mary *has* drawn some pictures；she has a lot of talent.(has = 보조동사, drawn = 주동사)

I *have* never seen such a picture.(have = 보조동사, seen = 주동사)

I *was* walking.(was = 보조동사, walking = 주동사)

I *have* climbed a mountain.(have = 보조동사, climbed = 주동사)

He *will* come with me.(will = 보조동사, come = 주동사)

보조동사의 사용 방법

보조동사가 am, is, are, was 또는 were일 때는 주동사는 대개 ~ing로 끝나는 것이 보통이다.

I am helping.

You are helping.

They were helping.

위와 같은 식으로 미국의 초등학교 5, 6학년 교과서에 나와 있다.

보조동사가 has, have, had일 때는 주동사는 ~ed로 끝나는 것이 보통이다.

He has laughed.

We have laughed.

They had laughed.

보조동사가 will일 때 주동사는 변하지 않는다.

You will become a citizen.

You will become a rich man.

이상에서 말한 내용은 독자들은 다 알고 있는 것이겠지만 다른 방향에서 개념을 정리해보면 훨씬 이해가 풍부해질 것이다.

전치사라는 것

하나의 명사 또는 대명사를 문장 속의 다른 어떤 낱말과의 관계(relationship)를 보여주는 역할을 맡는 것이 전치사다.

한국사람들은 전치사 하면 무엇 앞에 놓여지는 것으로만 생각하고 있어 이해에 애로를 겪는다. 전치사의 개념을 무엇무엇의 앞에 놓여지는 것으로만 생각하면 전치사를 정복하는 데 오랫동안 헤매게 된다. 전치사라는 말뜻 그대로 항상 무엇 앞에 놓여지는 것으로만 생각지 말라. 꼭 앞뒤라는 것만 생각지 말라. 낱말과 문장 속의 다른 어떤 낱말과의 관계를 표시한다는 말을 음미해볼 일이다. 한국의 중고등학교 교과서를 훑어보았는데 전치사를 잘못 쓴 부분이 꽤 있었다. 앞의 정의에서 관계라고 한 말의 뜻은 연결 이상의 것을 의미한다. 다시 말하면 유기적인 "의미"의 관계를 나타내주는 것이 전치사이다.

우리가 영어를 배우면 배울수록 전치사 때문에 골머리를 앓게 되는 것이 보통이다. 중학교때는 교과서에 나와 있는 대로 전치사가 지니고 있는 한두 가지 뜻만 알면 쉽게 넘어갔다. 그러나 정도가 높아지면 높아질수록 전치사는 속모를 존재가 되어 계속 학습자를 성가시게 한다.

전치사는 말 그대로 전치사로 쓰이기도 하고 동사에 붙어서 부사로 쓰여지기도 해서 그 용법이 헷갈릴 때가 많다. 따라서 문장 속에서 그것이 어떻게 쓰여졌는지를 따져 보아야지 문장 밖에서 사전을 보고 이것은 전치사다, 저것은 부사다라고 해서는 안된다.

He strolled **over** the hill. (strolled와 hill의 관계맺어줌)

He strolled **down** the hill. (strolled와 hill의 관계맺어줌)

He strolled **up** the hill. (strolled와 hill의 관계맺어줌)

He owns the car **at** the corner. (the car와 the corner의 관계 맺어줌)

He owns the car **near** the corner. (the car와 the corner의 관계 맺어줌)

He owns the car **around** the corner. (the car와 the corner의 관계 맺어줌)

접속사라는 것

낱말들 또는 낱말들의 집단을 서로 연결(join)시켜 주는 역할을 맡는 것이 접속사다.

접속사는 대개 세 가지 범주로 나누어진다.

첫째, 한 낱말과 다른 한 낱말을 접속시킨다.

둘째, 구와 구를 접속시킨다.

셋째, 문장과 문장을 접속시킨다.

Richard had three hamburgers **and** a quart of milk for lunch.
You may buy your lunch here **or** bring it from home.
I saw Jimmy, **but** he didn't see me.

감탄사라는 것

감정(emotion)을 표시해주는 역할을 맡는 낱말이 감탄사다. 감탄사가 들어 있는 문장 속의 다른 낱말들과의 문법적인 관계는 없지만 의미상의 관계는 있다. 한국사람들은 쉬운 감탄사도 잘 안 쓴다. 우리 민족성이 본디 감정을 표시하는 데 무덤덤해서 그러는지도 모른다. 한국사람들은 영어의 많은 감탄사 가운데 Oh,를 가장 많이 쓰고 다른 감탄사들은 거의 안쓴다. 그만큼 사용빈도가 적고 빈약하다는 이야기다. 어찌 보면 동양인의 점잔에서 오는 양반기질(?) 때문이라고도 볼 수 있겠지만 미국사람들은 감탄사를 즐겨 쓴다. 우리가 보면 별것 아닌 것 같은 내용을 가지고 호들갑스럽게 웃고, 놀라는 등, 감정을 적극적으로 표시한다. 우리가 민족성을 바꿔가면서까지 미국인들의 감정표시를 따라갈 것까진 없겠지만 적어도 미국인과 만났을 때는 감탄사를 가슴에 묻어두고 아껴둘 필요는 없는 것이 아닐까. 감탄사란 심장에 박혀 있는 것이어서 일어난 상황을 판단하고 나서 "이건 오, 노하고 감탄사를 표시해야겠구나."하고 생각할 사람은 없을 것이다. 저절로 가슴 속에서 자연스럽게 나와야 한다.

Oh는 부드러운 감정, 온화한 감정을 표시할 때(주로 긍정적인 면에서), Oh, no는 이럴 수가 있느냐, 는 느낌의 강도가 짙은 감정 표시를 할 때(주로 부정적인 면에서). 케네디 대통령이 오스왈드에게 저격받고 차에서 쓰러질 때 재클린 케네디 여사가 외친 "Oh, no"를 생각해보

라. (이런 경우 절대로 Oh라고만 하지 않는다. 만일 그랬다면 우스운 꼴이 되고 만다.)

감탄사를 소개하니 잘 활용해보기 바란다.

Aha! my! Oh, dear! Oops! Alas! Great! Horrors! Help! Wow! Where! Eek! Gosh! Good grief! Oh! Never! Oh, my! Oh, no! Oh, oh! Ouch! Phew! Well, well! (Yow!, Yuck!)

Oh! He will win the race.

Gee! Americans come from every continent on earth.

감탄사(언어)는 이성과 감정이 완전히 결합되어 맞물려 있어야 자기것이 된다. 즉, 늘 일촉즉발의 상태가 되어 있어야 감탄사(언어)를 제대로 쓸 수 있다. 마치 지뢰와 같다. 지뢰는 무엇이 닿기만 하면 폭발하는 것으로 임무를 다한다. 무엇이 지나가고 나서 "폭발할 걸 그랬나."하고 나중에 폭발하지 않는다. 한국사람들이 영어공부에 많은 시간을 들이고도 말이 제대로 안 나오는 것은 언어가 감정 속에 저장되어 있지 않기 때문이다. 감정에 닿기만 하면 펑하고 터지는 상태가 되어야 비로소 자기언어가 되는 것이다. 우리가 모국어로 욕을 하면 왜 속이 후련한가. 그 이유는 낱말마다 감정에 뿌리를 내리고 있기 때문에 욕을 하므로서 억눌린 감정이 언어에 실려 쏟아져 나오기 때문이다. 단어의 의미를 인지하고 있는 상태를 넘어서서 그것이 감정에 녹아 있어야 한다는 이야기다.

8품사를 결정해주는 것

한 낱말이 어떤 품사이냐 하는 것은 그 낱말이 어떻게 쓰여지느냐에 달려 있다.

8품사에 대해서 결론을 낼 때가 왔다. 낱말은 상점간판이 아니다. 방배동에 유명한 "팽나무집 돌구이"라고 간판을 단 식당은 끝까지 팽나무집 돌구이지 밤중에 갑자기 간판을 바꾸어 달지 않는다. 만일 그런다면 손님들이 혼란을 겪게 될 것이다. 단어는 문장 속의 역할에 따라 기능이 달라지고 품사가 달라지는 것이다. 사전에서 단어에 명사, 형용사, 동사 하고 표시되어 있는 것은 그 단어의 원자재(原資材) 때의 역할로서 못박아 놓은 것이다. 그러나 원자재때의 기능을 알아야 거기에 맞춰 나중에 써먹을 수가 있음은 물론이다. 이 책을 읽는 독자 가운데 이렇게 쉬운 설명을 모르는 사람은 없을 것이다.

그런데 왜 한국사람들은 예컨대 experience(명)(동)라는 단어를 명사로밖에 잘못 써먹는가. 내가 유심히 관찰한 경우에 따르면 백이면 백사람 다 약속이나 한 듯이 명사로만 썼다. 단어를 외울 때 "experience＝명사" 하고 문장 밖에서 단편적으로(하루에 5개씩! 하고) 외웠기 때문이라고 생각하지 않는가.

I have some **experience**. (나는 경험이 있다.)—명사

그러나 미국사람들은 experience를 다음과 같이 아주 멋지게 동사로 잘 쓴다.

We are going to **experience** something. (우리는 무엇을 경험하려고 한다.)—동사

I'm **experiencing** some difficulty. (지금 어떤 어려움을 겪고 있다.)—동사

이처럼 동일한 experience가 명사로 동사로 자유자재로 쓰여질 때 살아있는 영어가 되고 그 낱말을 소유하는 "소유주"가 될 수 있는 것이다.

동사에서 태어난 동명사와 분사

　본격적인 문법책 같으면 동명사와 분사에 대해서 여러가지로 잡다하게 설명할 수가 있겠지만, 여기서는 영어를 외국어로 공부하는 학습자가 조심해야 할 것에 초점을 맞추어 이야기하도록 하겠다. 독자들도 이미 짐작하고 있겠지만 호울 랭구이지에서는 문법을 이런 식으로 따로 떼어가지고 공부하지 않는다. 그러나 나는 집안에 굴러다니는 이빨도 잘 안들어가는 문법책을 가지고 씨름하는 사람들을 위해서 영어를 어떻게 하면 재미있게 공부할 수 있을까, 핵심을 찔러서 알기 쉽게 보여주려고 한다. 세세한 문법사항들은 문장 속에서 만날 때마다 독자들이 하나하나 공부하기를 권한다.

　동명사와 분사는 동사를 탯줄로 해서 태어난 같은 형제들이다. 모양도 ~ing형태를 취해 얼른 보아서는 그놈이 그놈 같아서 구별이 잘 안된다.

　동명사(動名詞)라는 명칭은 영어 gerund를 일본사람들이 번역한 명칭인데 이것만큼은 썩 잘 붙인 것같다. 동명사라는 한자어에서 암시하고 있듯이 동명사는 동사와 명사의 성질을 갖고 태어났다. 그의 어머니인 동사와는 성질이 같은 부분도 있지만 그렇지 않은 부분도 있다. 분사도 동사로부터 태어났다. 동명사와는 배가 같은 한 형제지간이다. 그러나 성질이 서로 다르다. 사람도 같은 피를 나눈 한 형제간이지만 서로 성질들이 많이 다르듯이.

동명사는 항상 동사성격을 보유하면서 명사로서 사용된다. 분사는 동사성격을 지니고 있으면서 늘 형용사로서 사용된다. 이 점이 동명사와 분사의 큰 차이점이다.

동명사는 명사로서의 기능을 갖고 있기 때문에 분사가 도저히 갖지 못하는 어떤 수식어들을 동반할 수가 있다. 분사는 수식어를 취할 수가 없다. 동명사는 명사가 그렇듯이 형용사에 의해서 자주 수식이 되거나 형용사구에 의해서 수식이 된다.

위에 말한 내용을 잘 이해하면 동명사와 분사가 무엇인가를 알 수 있다. 하지만 영어를 외국어로 공부하는 한국사람들은 동명사와 분사가 너무나 똑같은 모습을 하고 나타나기 때문에 고통을 겪는다.

예를 들어 설명한다.

Susan's hobby is **painting** in the garden. (수잔의 취미는 정원에서 그림그리는 것이다.)

이 문장에서 painting은 동명사다. 독자들은 얼른 이해가 안될지도 모른다. 그럴 것이 앞에 보조동사(helping verb) is까지 있으니 painting은 영락없는 현재분사로 보인다.

I am **swimming** in the pool. (나는 풀에서 수영을 하고 있다.)에서 swimming은 현재분사다. 이 문장과 위의 문장은 표면적으로 같은 구조를 가지고 있다. 문장을 나란히 놓아 본다.

Susan's hobby is **painting** in the garden.

I am **swimming** in the pool.

무엇이 동명사인가, 분사인가에 따라서 문장의 의미가 달라진다. 해석이 달라진다. 미국사람들은 구태여 문법적으로 무엇이 동명사인가, 분사인가를 몰라도 늘상 일상생활에서 쓰는 자기 모국어이니까 이해하고 해석하는 데 아무런 지장이 없지만 한국사람들은 완전히 영어를 익히기 전에는 문법적인 개념이 들어와 있어야 독해가 가능하다. 그래서 외국어 학습자들은 영어에 대한 문법적인 이해가 필요한 것이다.

그런데 왜 painting은 동명사이고 swimming은 분사인가.

Susan's hobby is **painting** in the garden.에서 만일 painting을 분사로 취급하면 그림을 그리는 자가 "수잔"이 아니라 "취미"가 되어버린다. painting을 분사로 취급해서 이 문장을 해석하면, "수잔의 취미는 정원에서 그림을 그리고 있다."가 되어 취미라는 추상명사가 붓을 들고 그림을 그리는 꼴이 되어버린다. 논리적으로 말이 안된다. 그림을 그리는 존재는 어디까지나 "수잔"이지 "취미"가 아닌 것이다.

만일 이 문장에서 painting이 분사가 되려면 's hobby를 빼버린 다음과 같은 문장이면 가능하다.

Susan is painting in the garden. (수잔은 정원에서 그림을 그리고 있다.)

미국의 교사들은 동명사를 가르칠 때 "보조동사 없이"(without its helping verb) ~ing 형태를 가지면 일단 동명사로 간주하라고 말한다. 그러니까 어떤 것이 동명사이며 분사인지를 알아보는 데 있어 키 포인트는 ~ing 앞에 보조동사를 두느냐 안두느냐로 얼른 가늠할 수 있다.

I am **doing** my work.

이 문장에서 doing은 보조동사 am이 있으므로 분사임을 확인할 수 있다. 보조동사에 대한 개념만 확실하면 동명사 알아보기는 아주 쉽다. 동명사의 신분은 명사다. 동명사의 기능은 명사와 같다고 했으므로 명사가 자리잡는 곳은 어디나 가서 앉을 수가 있다. 즉 문장의 주어, 동사의 목적어, 전치사의 목적어 역할을 할 수가 있다.

Editing requires a skill. (편집은 기술을 요한다.)—동명사는 이 문장에서 주어.

I enjoy editing. (나는 편집일하는 것을 좋아한다.)—동명사는 이 문장에서 동사의 목적어.

I enjoy walking. (나는 산보를 좋아한다.)-동명사는 이 문장에서 동사의 목적어.

I enjoy playing the flute. (나는 플루트 부는 것을 좋아한다.)—동명사는 이 문장에서 동사의 목적어.

I am tired of editing. (나는 편집일에 진저리가 났다.)—동명사는 이 문장에서 전치사의 목적어.

tired of ∼ = ∼에 싫증나다. tired from ∼ = ∼으로 피곤(피로)하다.

We avoided the rush by mailing the cards early. (바쁜 때를 피해 일찍 카드들을 부쳤다.)—동명사는 이 문장에서 전치사의 목적어.

다음 문장의 단어에 붙은 ∼ing가 동명사인지 분사인지 구별해보라.

Painting is Susan's hobby. (그림그리기는 수잔의 취미다.)—주어로서 동명사.

Susan enjoys painting. (수잔은 그림그리기를 즐긴다.)—동사의 직접목적어로 동명사.

Susan earns a living by painting. (수잔은 그림그리기로 살아가고 있다.)—전치사의 목적어로 동명사.

동명사와 목적어

앞서 동명사는 명사역할을 한다고 했다. 그런데 동명사는 또 그를 낳은 어머니인 동사로부터 동사의 성질을 물려 받았기 때문에 동사 역할도 한다. 동사가 직접, 간접목적어를 가질 수 있듯이 동명사도 직접, 간접목적어를 가질 수 있다.

Sweeping my room is one of my duties. (방을 청소하는 것은 내 임무 중의 하나이다.) 이 문장에서 동명사 sweeping은 주어로서 room을 직접목적어로 취하고 있다. 명사, 명사구, 명사절만이 될 수 있는 주어가 여기서는 동사 성질을 띠고 목적어를 취한 것. 그러니까 동명사는 문장에 따라 명사의 성질, 동사의 성질을 띠는 변신의 명수인 셈이다.

영어학습자들은 동명사가 직접목적어, 간접목적어를 취할 수 있다는 것을 체득하면 얼마든지 멋진 문장을 구사할 수가 있다.

Giving the employees a holiday will please them. (직원들에게 휴가를 주는 것은 그들을 기쁘게 할 것이다.)—동명사 giving은 주어로서 동사의 성질을 발휘하여 간접목적어로 the employees, 직접목적어로 a holiday를 취하고 있다. give라는 타동사에서 태어난 giving은 give가 간접목적어와 직접목적어를 가질 수 있듯이 동명사로서 똑같은 기능을 발휘하고 있다.

나는 다른 항목에서 동사를 설명하면서 동사에는 행위동사와 연결동사가 있다고 했다. 동사의 성질을 갖는 동명사의 경우도 그렇다. 동명사가 연결동사의 성질을 갖게 될 때는 당연히 그를 낳은 어머니 동사가 연결동사인 경우이다.

His **becoming** a leader involved many responsibilities. (그

가 지도자가 되는 데는 많은 책임이 따랐다.) 아주 멋진 표현이다. 영어를 외국어로 공부하는 사람들은 이런 문장을 구사하기가 쉽지 않다. His becoming a leader는 주어가 He라고 생각하면 ("became a leader." 또는 "has become a leader.") 이해하기가 쉽다. 정확히 말하면 뒤에 오는 동사 involved가 과거이므로 He became a leader. 라고 생각하는 것이다. 동명사 자체는 시제가 없으므로 의미상으로 다른 동사의 영향을 받는다.

I had not heard of Tony's being ill. (나는 토니가 아프다는 것을 들은 적이 없다.)

미국에 살고 있는 한인 교포들이라도 being이 들어가는 이런 멋진 문장을 잘 구사하기는 쉽지 않다. 아마 열이면 열 사람이 보통 I had not heard that Tony had been ill. 이라고 말하거나 쓸 것이다. 그렇지만 문법적으로는 맞는 표현이지만 실제로는 멋지고 좋은 표현이라고 할 수 없다. 동명사 용법을 잘 활용하면 아주 멋진 문장을 쓸 수가 있다.

미국 국회의원들이 연설하는 것을 TV를 통해 볼 때가 있는데 동명사와 같은 형태를 갖는 분사용법이 돋보인다(물론 자기나라 말이니까 그렇다고 하면 더 말할 필요가 없지만). 내가 들어도 참 멋지다는 느낌이 드는 표현이 잘 나온다. 가령 다음과 같은 경우가 그렇다.

Having said that, I'm going to conclude…… (Having said that = As I have said that = 내가 그 말을 했으므로, 나는 ……이라는 결론을 내리려고 한다.)

그러나 외국사람들은 같은 뜻을 이런 식으로 표현하기 십상이다.

As(Because) I have said that, I'm going to conclude…….

이 문장은 문법적으로 완전한 문장이다. 그러나 문법적으로 완전하다고 해서 좋은 문장이라고 할 수는 없다.

다시 위로 돌아가서 I had not heard of Tony's **being** ill.의 동명사 being은 ill을 보어로 취한다. "Tony's being ill"은 "Tony was ill"의 의미를 동명사구로 만든 것이다.

Driving a car in Seoul is difficult. (서울에서 운전하는 것은 힘들다.) 동명사 driving은 a car를 직접목적어로 취하고 부사구 in Seoul의 수식을 받는다.

미국인들은 일상회화에서 동명사의 구사를 아주 많이 하고 있다.

동명사의 부사 수식어

동명사는 부사 수식어를 거느릴 수 있다.

Sitting on a park bench is John's favorite pastime. (공원의 긴 의자에 앉아 있는 것이 쟌이 좋아하는 소일거리이다.)

sitting은 동명사로서 자동사 sit처럼 자동사 기능. on a park bench가 sitting을 수식하는 부사구.

He does not advise my **seeing** her now. (그는 내가 지금 그 여자를 만나는 것을 충고하지 않았다. —지금 만나지 말라는 이야기.) seeing은 부사 now의 수식을 받는 동명사이다.

이런 문장을 구사할 줄 모르면 He does not advise that I see her now. 라고 어색한 문장을 쓸 수밖에 없다.

동명사의 형용사 수식어

우리는 앞에서 동명사가 가진 동사, 명사 성질 가운데서 동사 성질을 띨 때의 경우를 살펴 보았다. 동명사가 동사 성질을 띨 때는 동명사에 따라서 보어를 취할 수도 있고 직접목적어, 간접목적어를 취할 수도 있다는 것을 보았다. 또한 부사나 부사구의 수식을 받기도 하는 것도 보았다. 동명사는 두 가지 성질을 갖고 있다는 것을 명심하기 바란다. 상황에 따라서 동명사는 동사 성질, 명사 성질을 띤다는 것을 다시 새겨보기 바란다. 두 가지 성질을 갖고 있지만 품사로 따지면 명사 신분이라는 것도 잊어먹어서는 안된다. 이렇게 해서 동명사는 순수한 동사가 할 수 없는 기능을 할 수가 있다.

이번에는 동명사가 명사 성질을 띠고 형용사나 형용사구의 수식을 받는 경우를 보기로 한다.

The fast **driving** in Seoul is dangerous. (서울에서 차를 빨리 달리는 것은 위험하다.)

driving은 동명사로서 형용사 fast의 수식을 받고 있다.

Bill's **coming** to the party made everyone happy. (파티에 빌이 온다는 것은 모든 사람을 기쁘게 했다.)

Bill's가 형용사로서 동명사 coming을 수식하고 있다. 그러면서 동사성격의 'coming'의 의미상으로의 '주어' 역할을 한다.

Her teacher praised her **dancing**. (그녀의 선생은 그녀가 춤추는 것을 칭찬했다.) 'her'가 dancing의 형태상의 형용사의 기능을 가지면서도 dancing의 의미상의 주어이기도 하다('She danced'의 의미임.) She 대신 동명사를 거느리기 위해 어쩔 수 없이 형태를 바꾸어 her를 썼다).

동명사는 자주 형용사구의 수식을 받는다

I heard the **rustling** of the leaves. (나는 나뭇잎새들이 바스락거리는 것을 들었다.)

동명사 rustling이 형용사구 of the leaves의 수식을 받고 있다. I heard the leaves rustling. 이라고 표현하는 것은 주로 영어를 외국어로 공부하는 사람들이 많이 쓰는 경향이 있는 것 같다. I heard that the leaves were rustling. 이라고 쓰는 표현도 마찬가지. 문법적으로 옳긴 하지만 수사학적인 면에서 이와 같은 표현을 학습하기 바란다.

The children listened to the **tolling** of the bell. (아이들은 벨이 울리는 것을 들었다.)

동명사 tolling 은 형용사구인 of the bell의 수식을 받고 있다.

거듭 말하지만 동명사 용법을 잘 쓰면 영어실력이 부쩍 늘게 된다. 그러나 그렇게 되려면 영어소설책, 비소설책, 그밖의 다양한 학습 자료들을 통해 열심히 익힘은 물론 원어민을 만나서 실제상황을 만들어 자기것으로 만드는 수밖에 없다.

내가 30여 년 전에 광주고등학교에서 영어를 가르치고 있을 때 영어를 열심히 하는 한 학생이 있었다. 그 학생이 하루는 아주 조심스럽게 질문을 했다.

"선생님, 동명사에 a나 the의 관사를 붙일 수 있습니까?"

동명사가 무엇인지 괴로워하고 연구하는 학생만이 할 수 있는 질문이었다. 그 학생은 영어공부를 하면서 동명사가 어떤 때는 동사역할을, 어떤 때는 명사역할을 하는 것을 보고 몹시 궁금해 했었을 것이다. 아주 옛날 이야기다.

동명사 앞에 소유격이 나오면 맞고 목적격이 나오면 틀린다.

The coach objected to *me* **playing** on the team. (틀림)

어떤 사람이 만일 이렇게 써놓고 맞다고 생각할 수도 있을 것이다. me가 목적격이므로 전치사 to의 목적어로 오는 것이 문법적으로는 당당하므로 당연하다고 생각할 법하다. 이 문장의 뜻을 억지로 해석하면 "코치가 그 팀에서 운동하는 나를 반대했다." 그런데 이렇게 되면 논리상으로 맞지 않게 된다. 코치는 어떤 경우에도 "나"를 반대할 수는 없고 내가 'play'하는 것을 반대할 수 있을 뿐이다. 이것이 한국사람과 미국사람의 사고방식의 차이다. 다음 문장을 본다.

The coach objected to *my* **playing** on the team. (옳음)

전치사 to의 목적어는 playing이다. my가 왜 있느냐 하면 누가 playing하는지를 밝히는 <u>의미상의 주어</u>가 필요해서 쓴 것이다. <u>my</u>는 형태상으로는 형용사 노릇을 한다. 이렇게 설명해도 이해가 잘 안될지 모르겠다. 좀더 이야기를 계속한다. 한국사람들은 "그 사람이 나를 반대했어. 그래서 해외특파원에 선정되지 못했어."라고 그 사람이 "나"를 반대했다는 말을 곧잘 한다 그러나 미국사람들은 이 경우 어떤 사람이 "나"를 반대하는 것이 아니라 내가 "해외특파원이 되는 것"을 반대했다고 생각한다. 이러한 사고 방식의 차이 때문에 이 문장에 대한 이해가 빨리 되지 않는다. 사람 자체를 반대한다는 대신 내가 "하는 무엇"에 반대한다고 생각하면 알기가 더 쉬울 것이다.

미국사람한테 왜 me는 안되고 my냐 하면 영어교사들 외에는 대답을 잘 못하는 사람들이 많을 것이다. 왜 그런가. 의미상 안된다. 그뿐이다.

부정사

미국의 학교에서는 **부정사라는 것은 자주 to가 붙어서 쓰여지는 동사의 원형이다**, 라고 설명한다. "자주"라고 했으므로 항상 그렇다는 것은 아니다라는 뜻이 들어 있다. 그러니까 to+동사의 원형이라는 형태를 갖는다는 말이다. to go의 형태이지 to went(go의 과거)의 형태는 아니라는 말이다. 물론 to가 안 붙는 부정사도 있다. 이것은 뒤에서 설명한다.

부정사는 명사, 형용사, 부사 역할을 한다. 그런데 한국사람들이 귀찮게 생각하는 것은 동명사도 명사 역할, 부정사도 명사 역할을 하기 때문에 당황한다. 명사 역할에 한해서는 동명사와 부정사가 서로 교대해가면서 할 수가 있다. 그런데 대부분의 미국사람들은 주어의 자리에 동명사를 쓰고 부정사는 잘 안 쓰는 경향이 있다. 문법적으로는 to부정사를 주어로 쓴다고 해서 하등 이상할 것이 없는데도 말이다. 관습일 따름이고, 그냥 주어로서 동명사를 더 선호할 뿐이다.

부정사는 동사의 직접목적어로 쓰여진다. 그러나 동사에 따라서는 부정사를 직접목적어로 쓰지 않는 경우가 있다. 부정사가 동사의 직접목적어로 쓰여질 수 있느냐 없느냐는 부정사가 선택권을 가지고 있는 것이 아니라 동사가 결정한다. 왜 그런가. 그것은 영어가 태어날 때부터 그렇게 결정되어 있는 것이다. 아이가 어느 한 쪽 귀가 다른 쪽 귀보다 더 큰 모습으로 태어났다. 누가 왜 그렇느냐고 물어도 대답할 수 없는 것이나 마찬가지다.

I enjoy walking. 에서 walking 대신 to walk는 쓸 수가 없다. 부정사를 목적어로 취하지 않는 동사는 몇 개 안되므로 무조건 욀 수밖에 없다. 고통스럽지만 이 고비만 넘기면 영어의 중요한 한 대목은 넘어가게 된다.

동명사만을 목적어로 취하는 동사들

acknowledge, admit, avoid, deny, enjoy, own, report, adore, escape, evade, fancy, finish, justify, mind, miss, postpone, resent, risk, stop, tolerate, understand 등.

동명사와 부정사를 목적어로 취하는 동사들

begin, cease, commence, decline, deserve, hate, like, dislike, propose, regret, remember 등.

그런데 어떤 동사는 목적어로 부정사를 취하느냐, 동명사를 취하느냐에 따라 의미가 달라진다. 형식 궁합은 맞으나 의미 궁합은 안 맞다는 이야기다. stop이 그런 예 중의 하나다.

I stopped **thinking** about it. (나는 그것에 대해서 생각하기를 그만두었다.)

I stopped **to think** about it. (나는 어, 하고 잠깐 멈춰 서서 그것에 대해서 생각했다.)

뜻이 정반대가 되었다. 주의하기 바란다. 위에서 stop은 동명사를 목적어로 취한다고 해놓고 stop 다음에 나온 부정사는 무엇이냐고 물을 사람이 있을지 모르겠다. 이 문장에서 to think는 stop의 목적어가 아니다. "I stopped and thought about it."로 생각하면 이해하기가 쉽다.

To edit requires a skill. (편집일은 기술을 요한다.) —To edit는 "requires"의 주어이며 "skill"은 "requires"의 목적어이다.

Kenny attempted **to flee.** (케니는 도망할 시도를 했다.) — to flee는 동사의 직접목적어.

The man **to edit** is Richard Hibler. (편집할 사람은 리처드 히블러이다.) — to edit는 man을 수식하는 형용사 역할.

He tensed his muscles **to spring.** (그는 뛰어오르려고 근육에 불끈 힘을 주었다.) — to spring은 부사역할을 하는 부정사.

Pointing (To point) is impolite. (손가락으로 지적하는 것은 예의없는 짓이다.) —주어로서 동명사, 부정사 다 쓸 수 있음.

Watering(To water) the grass produced good results. (잔디에 물을 주었더니 좋은 결과를 가져왔다.) —watering(to water)이 주어로서 grass를 목적어로 삼고 있다.

동명사는 전치사의 목적어로 쓰여질 수가 있으나 부정사는 몇 가지 예외를 빼놓고는 전치사의 목적어로 사용하지 않는다.

부정사는 대개 전치사의 목적어로 쓰지 않는다. 서로 궁합이 안맞는 사이라고 할까.

I am fond of swimming. (옳음)

I am tired of swimming. (옳음)

I am fond of to swim. (절대 안됨)

I am tired of to swim. (절대 안됨)

to없는 부정사

같은 부정사라도 to가 없는 부정사가 있다. 따라서 부정사인지 아닌지 잘 모를 수가 있다. 원래는 모든 부정사는 to가 있는 부정사였으나 오랫동안 문법적인 변화를 겪어오는 사이에 to가 생략되었을 뿐이지 to가 완전히 사라졌다고 생각하면 안된다.

예컨대 make 동사의 경우, I am going to make him do it. (나는 그에게 그것을 시키려고 한다.)

him 다음에 나오는 do는 부정사인데 to가 숨어버린 부정사이다. make 동사는 to가 없는 동사를 좋아한다. 왜 그러느냐. 이것 역시 이런 질문이 안 통한다. 사람들이 이렇게 써왔기 때문에 이렇게 쓰는 것

96

이다.

I want you **to go** there. (나는 네가 거기에 가주기를 바란다.)

make 동사때는 사라진 to가 want를 쓸 때는 다시 나타난다.

to가 없는 부정사를 취하는 동사들은 make, let, have 등 이른바 사역동사들 몇 개가 있다.

그런데 이것이 그렇게 간단하지 않은 것이 make, let, have 등 to없는 부정사를 취하는 동사들도 문장이 수동태일 때는 to가 나온다. 다음을 보라.

He was made **to go** there.

그런가 하면 부정사가 to있는 부정사이든 to가없는 부정사이든 상관없이 받아들이는 동사도 있다. help 동사가 대표적이다. 그렇긴 하나 help도 to가 없는 부정사를 더 좋아하는 것이 일반적인 경향인 것같다.

동명사와 부정사는 같은 기능이 있으면서도 같이 취급해서는 안 되고 또 같이 써도 의미가 달라질 때도 있다. 좀 복잡하다. 그래서 한국의 영어학습자들은 오류를 잘 범한다. 미국의 교사들은 동사 앞에 to가 있으면 부정사의 신호로 간주하라고 가르친다.

To write is my hobby. (글 쓰는 것이 내 취미다.)—부정사 to write는 주어.

My ambition is **to write**. (나의 야망은 글쓰는 것이다.)—부정사 to write는 명사 보어.

He did nothing except (**to**) **write**. (그는 글쓰는 것 말고는 아무것도 안했다.)—부정사 to write는 전치사 except의 목적어. 이 문장에서와 같이 부정사가 전치사의 목적어가 되는 경우는 아주 드물다. 전치사 except와 같은 경우에 부정사를 목적어로 취하는데 to write를 목적어로 취할 수도 있고, to없이 write만을 목적어로 취할 수도 있다. 그러나 except는 to없는 부정사를 목적어로 취하는 것을 더 좋아한다.

He likes **to write.** (그는 글쓰기를 좋아한다.) —부정사 to write는 likes의 직접목적어.

형용사 구실을 하는 부정사

The desire **to study** was apparent. (공부하려는 의욕은 분명했다.) —the desire to study는 의미상으로 the studying desire. 부정사 to study는 desire를 수식하는 형용사 역할.

They asked permission **to leave.** (그들은 떠날 수 있는 허가를 요청했다.) —to leave는 의미상으로 leaving permission. to leave가 permission을 수식한다.

Steve obtained a permit **to drive** a car. (스티브는 차를 운전할 허가를 얻었다.) —to drive a car는 의미상으로 driving a car. to drive a car가 permit를 수식하는 형용사 역할.

They had fresh water **to drink.** (그들에겐 마실 신선한 물이 있었다.) —부정사 to drink는 water를 수식한다.

The man **to edit** my work is Mr. Harder. —부정사 to edit가 man을 수식하는 형용사 역할을 한다.

The doctor **to call** is Johnson. (부를 의사는 존슨이다.) —to call이 doctor를 수식하는 형용사 역할을 한다.

To say such a thing is not acceptable. (그런 말을 하는 것은 도저히 받아들일 수 없습니다.) —to say가 a thing을 수식하는 형용사 역할을 한다.

한국사람들은 동명사나 부정사를 배울 때 구를 절로 바꾸고 절을 구로 바꾸는 골치아픈 연습을 많이 하는데 그런 연습은 복잡하고 공부

98

에 별로 효과가 없다. 긴 문장 속에서 필요에 따라 설명하는 것이 좋다. 문법을 따로 떼어서 공부하는 것은 안 좋다.

보통, 부정사가 부사로 사용될 때는 의미상 주로 목적을 나타낸다.

They stopped **to rest.** (그들은 쉬기 위해서 멈췄다.) 이 문장은 to rest가 동사 stopped를 수식한다. 이렇게 부정사가 부사 역할을 하여 동사를 수식할 경우는 동사의 목적을 나타낸다. 그들은 멈췄다. 무엇 때문에? 쉬기 위해서.

The students came **to listen.** (학생들이 듣기 위해서 왔다.) — to listen은 came의 목적을 나타낸다.

The police officer returned **to help.** (경찰은 돕기 위해 돌아왔다.) — to help는 returned의 목적을 나타낸다.

한정동사와 비한정동사

동명사, 분사, 부정사 들은 비한정동사(nonfinite verbs) 이기 때문에 혼자서는 설 수 없다. (can never stand alone). 가령 John running. 이라는 문장은 있을 수 없다.

John **is running.** is running 은 동사구로서 한정동사.

John **has been running.** has been running은 동사구로서 한정동사.

John **had been running.** had been running은 동사구로서 한정동사.

여기서 한정동사는 조동사의 도움없이 독립절을 형성할 수 있는 동사를 말한다. 한정동사는 행위에 대한 뜻을 갖는 시제, 태, 격, 인칭, 그리고 수에 대한 정보를 운반한다.

혼자서 사용될 때는 형용사로서 현재분사 역할을 한다.

a diving board, the boiling broth, a thinking person

명사로서 사용될 때 동명사가 된다. 현재분사 혼자서는 동사로서 기능할 수가 없다.

관계대명사

　한국어에는 관계대명사에 대응하는 것이 없다. 그래서 영어를 배울 때 관계대명사가 나오면 몹시 생소하게 느껴진다. 그러나 영어에서 관계대명사처럼 많이 쓰이는 것도 드물다. 그만큼 중요한 문법사항이라고 할 수 있다. 어려운 것같지만 관계대명사가 무엇인가를 확실하게 알고 들어가면 감을 잡을 수 있다. 관계사는 명사, 형용사, 부사가 종속절 속에서 명사, 형용사, 부사의 역할을 하면서 동시에 그 **종속절과 주절을 연결시켜주는 역할**을 한다. 따라서 관계사는 문장 속에 주절과 종속절이 없는 문장에서는 필요가 없다. 다시 말하면 주절과 종속절이 있는 문장에서만 관계사가 필요하다는 이야기다. 관계사의 소속절은 항상 종속절이라는 것도 상식적인 것이지만 알아 두기 바란다.

　그러면 관계대명사란 무엇인가. "관계"라는 말 그대로 연결을 해주면서 동시에 "대명사" 역할을 하는 관계사가 관계대명사다. 형용사 역할을 하는 관계사는 관계형용사, 부사 역할을 하는 관계사는 관계부사. 관계형용사, 관계부사는 관계대명사의 이종사촌쯤되는 친척들인 셈이다. 여기서는 영어학습자들이 가장 골치아파하는 관계대명사만을 다룬다.

관계대명사의 사용목적

언어의 경제성을 먼저 꼽을 수 있다. 관계대명사는 두 독립절을 하나의 문장으로 압축시키는 효율성을 노린다.

I know **an American gentleman**.

The gentleman (=He) speaks Korean very well.

이 두 문장에서 an American gentleman과 The gentleman은 같은 사람이다. 영어는 앞에 나온 말을 뒤에서 되풀이하는 것을 아주 싫어한다고 다른 장에서 언급한 바 있는데 이런 영어의 성향에 맞추어 문장을 고치면,

I know an American gentleman.

He(=The gentleman) speaks Korean very well. 로 된다. 되풀이되는 gentleman은 뒷문장에서 He라는 대명사로 대치하여 하나를 없앴다. 그러나 여전히 문장은 두개의 문장 그대로다. 이것을 하나의 문장으로 합쳐서 언어의 경제성을 노린다면 관계대명사(관계사)를 동원하여 앞 문장을 주절로, 뒷문장을 종속절로 하여 다음과 같이 만들 수 있다.

"I know an American gentleman."에서 **종지부**를 찍지 말고 바로 둘째문장의 "The gentleman (=He)"를 **who**로 대치하여 "who speaks Korean very well."로 연결시키면 된다. I know an American gentleman **who** speaks Korean very well. 여기에서 **who**가 맡는 기능이 자명해진다. 즉, 둘째문장 속의 The gentleman을 대신해주는 **he**라는 대명사의 역할을 하는가 하면, 첫문장과 **연결시켜**주는 **접속사**의 역할이라는 이중의 기능을 가지고 있다. 그러므로, 종속

절로 변신한 둘째 문장을 주절인(주인의 기능) 첫째 문장과 관계시켜 주면서 또한 대명사의 역할을 한다고 해서 관계대명사 라는 이름이 붙여진 것이다. 이러한 이유로 종속절은 주절에 특별 의미를 부여한다는 논리가 생길 수가 있어 관계절을 형용사절이라고 칭할 수도 있다. 이 때 관계대명사인 who는 주절 속의 gentleman을 대표하여 뒤따라 나오며 그 앞에 gentleman이 앞서 나온다고 해서 선행사라는 이름으로 대접을 받고 있다.

관계대명사는 이렇게 시간과 공간을 절약하여 언어의 경제성을 효율적으로 실현하는 역할을 한다. 만일 이러한 관계대명사가 없다면 비효율적이지만 어쩔 수없이 두 문장을 다 쓸 수밖에 없을 것이다.

관계대명사의 종류

관계대명사에는 주격, 소유격, 목적격이 있다. 대명사가 주격, 소유격, 목적격이 있는 것과 같다.

주격: who   which   that
소유격: whose   of which(whose)
목적격: whom   which   that

관계대명사의 격

대명사에 격이 있으므로 대명사의 역할을 하는 관계대명사에도 격이 있음은 너무나도 당연하다.

다음 예문들 속에 쓰여지고 있는 관계대명사의 격을 하나씩 살펴보자.

1. I know an American gentleman who(that) speaks

Korean very well. who는 he의 역할을 하며 he가 주격이니 그의 직분을 받아 그대로 주격의 신분을 향유한다. 이때 명심할 것은 관계대명사의 격은 주절 속의 선행사의 격의 구속을 받지 않으며 종속절 속의 역할에 따라 격이 결정된다는 것이다. 즉, 주절 속의 gentleman은 응당 know를 받는 목적격이지만 who는 그것에는 아랑곳없이 종속절 속의 He speaks Korean very well.를 인도하는 역할로 인해 주격으로 군림하는 것이다.

2. That is the lady **whom (that)** I saw at the store. = That is the lady. I saw her at the store. (I saw her at the store 의 her 대신 whom/that을 써서 종속절을 인도하여 한 문장으로 압축시켰다. 주절 속의 lady는 주격보어이지만 종속절 속의 whom I saw에서는 saw의 목적격이기 때문에 whom/that이라는 목적격을 사용한다. lady가 whom/that의 선행사임.

May I see the book **which (that)** you published last year? book = 선행사 which(that) = 목적격 관계대명사.

3. I have a friend **whose** mother is an actress. = I have a friend. His/Her mother is an actress. friend라는 **선행사**를 갖는 관계대명사인 **whose**의 격은 소유격이다. His/Her라는 소유격대명사 대신 사용하는 관계대명사이기 때문이다.

4. Jason has a puppy **which (that)** looks like a cat. = Jason has a puppy. The puppy (= it) looks like a cat. 관계대명사인 which 또는 that이 주절과 종속절을 연결시켜 한 문장으로 만들고 있다.

5. This is a new book the author **of which** [whose author] is Mr. Davis. 관계대명사 which 자체의 소유격 형태는 따로 없이 of which로 소유격의 의미를 나타낸다. of which 대신 whose를 빌려 쓰

기도 한다.

많이 쓰이는 관계대명사

1. 선행사가 사람 (때로는 생물)인 경우에는 who, whom, whose, that(that의 소유격은 없음) 어느것이나 쓸 수 있지만 보통 who, whom, whose가 주로 쓰이는 경향이 있다. 단, 최상급과 나란히 사용할 때는 that을 쓰는 수가 많다.

He is the **most** generous person **that** I have ever met. 이때 who를 쓸 수 있음은 물론이다.

2. 선행사가 사물 또는 생물(creature)인 경우는 의인법 (personification)의 목적 이외에는 which를 사용한다.

We often personify the **sun** and the **moon**, referring to the **sun** as *he* and the **moon** as *she.* 해와 달을 의인화시킬 때가 자주 있는데, 해에는 "그", 달에는 "그녀"라고 한다. 이때 who, whom, whose를 쓴다는 것이다.

3. 선행사가 사람, 생물, 사물인 경우에는 모두 that을 쓸 수가 있다. 1번의 예에서처럼, 최상급과 함께 쓰일 때는 that을 쓸 때가 많다.

This is the the **most** interesting story **that** I have ever read.

관계대명사의 수

관계대명사는 단수, 복수가 모두 같은 형태이므로 학습자들이 우선 공부하기 편해서 좋을 것이다.

I know an American **gentleman who** speaks Korean very well. (an American **gentleman**은 단수이기 때문에 who 다음에 speaks

라는 3인칭 단수동사형이 받고 있다.)

I know a number of American gentlemen who speak Korean very well. (American gentlemen은 복수이지만 같은 who 를 여전히 사용한다. 하지만 speak만은 복수주어를 받을 수 있도록 사용한다.)

관계대명사의 생략

목적격의 관계대명사들인 whom, which, that은 생략할 수가 있다. 대화체에서 많이 생략하고, 문자언어에서도 곧잘 생략한다. 그 외에도 생략할 수 있는 경우가 더러 있지만 우선 번거로움을 피하기 위해 관계대명사를 정확히 사용하는데 주력하기 바란다.

That is the lady I saw at the store. (lady 다음 whom을 생략한 경우이다.)

관계대명사의 전치사

외국어 학습자들은 전치사가 따라다니는 관계대명사의 사용에 애를 먹는 경우가 많다.

This is the town in which Elizabeth was born. = This is the town. Elizabeth was born in it. (이때 in이라는 전치사를 반드시 써야 함. in which에서 which 는 town을 가리키기 때문에 Elizabeth was born in the town. (그 town에서 Elizabeth 가 born 했다는 의미이지 in이 없다면 Elizabeth가 마치 그 town 자체를 born 했다는 것으로 도저히 성립할 수가 없다.)

That is the girl with whom I played. = That is the girl. I played with her.

모든 관계대명사가 전치사를 동반할 수 있는 것은 아니고 whom과 which에 한하여 전치사를 수반할 수가 있다.

that을 사용할 때나, 관계대명사를 아예 생략할 때는 전치사의 위치는 문장의 끝에 온다는 것을 명심하자. 이와 함께 관계대명사에 붙어 있을 때는 전치사이지만 문장의 끝에 올 때는 부사라는 것도 참고로 알아둘 일이다.

This is the town that Elizabeth was born in.

That is the girl that I played with.

선행사가 관계대명사 속에 포함되는 경우

1. This is what my father wants.＝This is the thing that my father wants. 문법적으로 풀어 쓰면 This is the thing that my father wants.가 된다는 이야기지, 실제 상황에서는 이런 문장은 거의 쓰지 않는다. what이 the thing that을 포함하고 있으며 thing이 선행사이다. what＝the thing that으로 생각하면 쉽다. 이 용법을 거듭 연습하여 저절로 구두로 또는 쓰기로 생산할 수 있도록 숙달해야 한다.

2. Do whatever you can do.＝Do anything that you can do. (whatever 속에 anything that이 포함되어 있다.) anything이 선행사이다. whatever하면 즉각 anything that을 생각하라.

3. Whoever likes painting is welcome to join the club.＝Anyone who likes painting is welcome to join the club. Whoever 속에 Anyone who가 들어 있으며 Anyone이 선행사이다. Whoever＝Anyone who의 공식이 생각 속에 잠기도록 하라.

whoever와 whomever의 용법상의 차이

whoever=anyone who

whomever=anyone whom

1. The teacher will give this book to **whoever** wants it.=The teacher will give this book to <u>anyone who</u> wants it. 이 문장에서 whoever 속의 anyone은 주절문인 The teacher will give this book to anyone에서는 **목적격의 역할**을 하지만, 같은 집 속인 whoever 속의 who는 **주격**이므로 **주격**인 whoever를 써야지, whomever를 써서는 안된다. 다시 말하면, 관계절 속의 역할이 그때의 관계대명사의 "격"을 결정한다.

2. **Whomever** you like may come to see me.=<u>Anyone whom you like</u> may come to see me. (Whomever 속에는 Anyone whom이 들어 있으며 whom이 you like를 받는 **목적격**이면서도 Whomever you like 전체는 may come to see me의 **주격 역할**을 하는 것에 주목하라. 미국인들 특히 외국인, 흑인들 사이에 whomever 를 쓸 자리에서 whoever 를 쓰는 사람들이 더러 있다. 분명히 말하지만 이것은 틀린 표현이다.

관계대명사의 한정적 용법과 비한정적 용법

1. I know an American **gentleman who** speaks Korean very well.

위 문장에서 who는 선행사인 gentleman의 의미를 한정시키고 있다. Korean을 잘 말하는 바로 그러한 American gentleman이라고 못을 박아 제한을 하고 있다는 것이다.

2. This is **Mr. Richard Hibler, who** works at a bank. (이 문

장을 한정적 용법으로 다룬다면, 이 분은 한 bank에서 근무하는 Mr. Richard Hibler라는 의미로, 같은 사람을 놓고 마치 다른 곳에서 일하는 Mr. Richard Hibler가 따로 또 한 사람 있는 듯한 우스운 논리가 된다. 그러므로, 이런 경우는 의미를 한정시키지 않고 설명을 추가시켜주는 "비한정적 용법"으로 쓰기 위해, 선행사 다음에 comma를 찍어서 구별하는 것이 전통적 관례로 되어 있다. 따라서, "이 분은 Mr. Richard Hibler인데, 한 bank에서 근무한다."라는 의미이다.

하지만, comma를 찍어 한정과 비한정을 형식으로 구별하여 필자와 독자의 의사소통의 편리를 도모해주는 관례를 지키지 않고, 의미 구성의 작업을 독자한테 일임해버리는 필자들이 오늘날에는 특히 많다는 것을 명심할 일이다. 이 경우 비한정으로 쓸 경우에도 comma를 찍지 않아 comma에만 의존하지 말고 문맥에 의존하여 필자의 메시지를 파악하도록 해야 한다.

무서운 복수(複數)

한국사람들이 영어를 공부할 때 곤란을 겪는 것 중 또 한 가지는 바로 단수, 복수의 활용이다. 쉬운 것 같으면서도 손에 잘 안잡히는 것이 이것이다. 손에 잡혔는가 하면 미꾸라지처럼 살짝 빠져나가고 만다. 정복이 잘 안되는 이유는 두 가지 이유를 들어볼 수 있다.

하나는, 한국어는 영어처럼 복수 개념을 까다롭게 요구하지 않는 언어라는 것, 다른 하나는 문법책을 통해서만 달달 외웠지 실제 상황과는 담을 쌓는 공부를 했다는 것. 이런 이유로 시험을 치를 땐 점수도 나오고 그럭저럭 아는 것처럼 여겨지지만 막상 말을 하거나 영작을 하면 그 실력이 전혀 쓸모가 없어지고 만다. 신병이 아무리 교관으로부터 총쏘는 법을 이론으로 배웠다고 하더라도 실제 쏘아보는 훈련을 병행하지 않으면 막상 총을 쥐어주었을 때 만사휴의가 될밖에.

결론부터 말한다. 단수, 복수를 깨끗하게 정복하려면 훈련을 하는 수밖에 없다. 그 길이 아니고는 아무리 잘 써진 문법책을 닳아빠지게 외도 안된다. 그러면 어떻게 훈련을 할 것인가. 먼저 문자언어를 들여다보며 파들어가기보다는 구두언어를 통해 몸에 배도록 한다. 미국아이들은 초등학교에 들어와서 단수, 복수를 따로 배우지 않는다. 이미 그들의 일상언어 생활 속에서 다 익혀가지고 온다. 한국학생들은 문법 책을 통해 단수, 복수가 무엇이라는 것을 배웠으면 그 기본적인 이론 을 밑바탕에 깔고 미국아이들이 구두언어를 통해 배우듯 말을 훈련하 면서 익혀야 한다.

사물이나 사람이 하나면 단수, 둘 이상이면 복수다

단수, 복수에 대한 개념을 한국학생들은 중1 때 배운다. 너무나 쉽고 간단한 개념이다. 한국의 영어학습서들도 자세히 취급하고 있다. 내가 여기서 다시 언급하는 것은 사실 불필요한 일이다.

One of the members has not cast his vote.

Many of the members have not cast their votes.

members가 나오니까 금방 머리에 "복수"를 떠올리고 동사도 수에 맞출 생각을 하는 사람도 있을 것이다. 여기서 확실히 알아둘 것은 주 어가 one이면 주어를 수식하는 것이 아무리 많은 복수를 거느려도 단 수라는 것. 마치 수많은 졸병 부하들을 거느리고 있는 최고사령관은 단 하나인 것처럼. many이면 반대로 뒤에 어떤 구절이 달려 있든 복 수인 것이 거의 절대적이나 또 하나의 "예외"가 있으니 어찌하랴! 그 "예외"란 놈은 바로 "many a" 다음에 단수형 명사가 따라 "단수 취급" 을 받는다. many a time, many a year. Many a student likes to study abroad. = Many students like to study abroad.

어떤 문장이든 동사는 수에 있어서 주어와 일치한다.

Linda dyes her hair, but Sandy does not.

Linda and Sandy dye their hair, but the other girls do not.

뒷문장은 린다와 샌디 두 사람이므로 복수.

주어의 수는 주어 다음에 붙은 여러가지 수식에 의해서 변화되지 않는다.

One of the girls is going.

"girls"(복수형)에 현혹되지 말라. One과 is가 일치함을 명심하라.

Both girls in the family are in the chorus.

both로 문장이 시작될 때는 반드시 복수라는 것을 잊지 말라.

다음의 대명사는 언제나 단수 취급을 한다.

each, either, neither, one, everyone, everybody, nobody, anyone, anybody, someone, somebody.

One of the uniforms were green. (틀림)

One of the uniforms was green. (맞음)

neither나 everybody는 복수의 의미를 띠고 있으나 하나하나를 가리키고 있어 단수 취급을 한다.

Neither is going.

Neither of the boys is going.

다음의 대명사는 항상 복수 취급을 한다. several, few, both, many.

Several of the boys are excited about the event.

Few in the audience were aware of the danger.

Both have decided to go.

Many of the workers leave at 5:00 p. m.

few는 "거의 없다"는 뜻이 있어 단수일 것 같지만 a few와 함께 언제나 복수 취급을 한다. few는 화자(話者)가 생각하는 것보다 적다고 여겨질 때 쓴다. 그 양이 얼마냐, 독자가 왈가왈부할 것이 아니다. 언제나 복수.

다음의 대명사들은 경우에 따라 단수, 복수 취급을 받는다. some, all, any, most, none.

이것들은 상당한 골치거리로서 말이나 글에서 잘 틀린다.

Some of the cargo **was** found.

Some of the books **were** purchased.

cargo의 의미는 복수의 뜻이 있지만 한 덩어리로 보아 단수 취급한다. 그러나 둘째 문장의 books는 여러 권의 책 중 한권 두권을 말하고 있어 some을 복수 취급.

Has any of the paint been purchased?

Have any of the students arrived?

앞 문장의 any는 한 덩어리의 페인트(양)로 보아 단수, 뒷문장의 any는 학생 각자(수)를 말하고 있어 복수. 역시 끊임없는 연습과 훈련으로 몸에 스며들도록 한다.

All of the cake **has** been eaten.

All of the bicycles **have** been rented.

앞 문장의 all은 cake의 전체 양을 말하고 있어 단수, 뒷 문장의 all은 자전거 수(number)를 말하고 있어 복수.

and에 의해서 구성된 대부분의 복합주어(주어가 둘 이상 있는 것)는 복수 취급을 한다.

Steve **and** he **do** the work.

His right arm **and** his left leg **were** hurt.

그러나 다음의 경우처럼 and로 만들어진 복합주어라도 그 주어가 하나의 개념을 말할 때는 단수 취급을 한다.

Ham and eggs is his favorite dish.

Law and order was maintained by the police.

햄과 달걀은 함께 나오는 하나의 간단한 요리(dish), 법과 질서도 분명히 두 가지가 다른 것이지만 사회인이 지켜야 할 하나의 규칙 개념으로 보고 단수 취급.

or나 nor가 올 때는 항상 단수 취급을 한다.

Neither rain **nor** snow **stops** Joanna from going to school. (비가 오나 눈이 오나 조애나는 항상 학교에 간다.)

Has either Mom **or** Dad arrived yet?

참고로 Mom과 Dad는 항상 대문자로 쓴다. Grandpa, Grandmom 도 마찬가지. 엄마, 아빠, 할아버지 할머니는 세상에 한 사람뿐이니까 고유명사 취급을 한다. 그러나 My mom, My dad식의 수식어가 붙을 때는 수식어의 앞문자를 대문자로 쓰고 mom, dad는 소문자로 격하된다. brother나 sister는 형제자매가 한 사람뿐인 경우라도 소문자로 쓴다.

✱ 한국에서는 부모(父母) 하면 아버지가 단연 먼저 자리를 잡는데, 영어사용사회에서는 Mom and Dad 하고 엄마가 앞자리를 차지하는 것이 보통이다. 문법의 영역을 초월한 한 문화적 소산물이다. 이유? 독자가 마음대로 생각하라. 미국의 어떤 언어학자는 이유에 궁한 나머지 아이들한테는 "엄마"의 정이 아빠보다 더 가깝다고 하는 것을 이유로 내세웠으나 큰 관심을 끌지는 못했다.

Neither the record player **nor** the tape recorder **works** well.

Neither the boy **nor** the girls want to go to the party.

Either his employees or the director himself is responsible for the result.

Neither ~ nor, Either~or 가 쓰여진 문장은 nor, or로부터 가까운 주어의 수를 따라 단수, 복수를 취한다.

둘째 문장에서 boy를 따르지 않고 nor에 가까운 girls(복수)를 따라 want가 왔다. 셋째 문장의 경우도 앞에 나온 employees를 따르지 않고 단수형인 director를 따른 것은 or로부터 가까이 있는 주어를 따랐기 때문이다. 다음의 두 문장은 바로 위에서 밑줄 친 두 문장과 같은 뜻의 문장을 다르게 고친 것이다. 위의 밑줄친 문장은 문법적으로는 틀린 문장은 아니지만 너무 딱딱하고 낡은 투다. 누가 만일 위의 밑줄 친 문장처럼 썼다면 미국의 교사들은 반드시 학생들에게 다음과 같은 멋있고 세련된 문장을 쓰도록 지도해준다. 문법도통의 경지를 넘으면 "멋"을 찾도록 "도"를 닦아라.

The girls don't want to go to the party, and neither does the boy.

Either the director himself is responsible, or his employees are.

집합명사의 주어가 각각 개별적인 것들(수)을 의미할 때는 동사를 복수로 받는다.

The faculty has a meeting this morning. (오늘 아침 교수회의가 있다.) —교수회의를 한 단위로 보아 단수 취급.

The faculty were giving their ideas on the new proposal. (교수회의는 새로운 제안에 대한 자기들의 의견들을 제시하고 있었다.) —교수회의에서 각각의 여러 의견들이 나왔으니 복수 취급.

Daein's family has gone to Pusan for the summer. (대인의

가족은 여름에 부산으로 갔다.)—가족을 한 단위(양)로 보고 단수 취급.

Daein's family have divided the chores among themselves. (대인의 가족은 각자 맡은 일들이 있다.)—각자가 맡은 역할들이 있으므로 복수 취급.

The class is a large one. (학급은 큰 반이다.)—학급을 하나의 단위로 보고 단수 취급.

The class are working on their projects. (학급은 각자 그들의 과제를 했다.)—각각의 맡은 과제로 보고 복수 취급.

Fifty dollars is too much to pay for the textbook. (50달러는 그 교과서 값으로 너무 비싸다.)—50달러를 한 단위의 양으로 보고 단수 취급.

Five percent of the working force is unemployed. (전체 노동자의 5%가 실업자다.)—노동자를 한 단위의 양으로 보고 단수 취급.

Five dimes are on the table. (식탁에 다섯 개의 10센트 짜리가 있다.)—10센트짜리 다섯 개를 각각으로 보고 복수 취급.

Five percent of the compositions were accepted. (작문의 5%는 받아들여졌다.)—학생들이 제출한 작문 하나하나를 분리해서 보고 복수 취급.

수로 볼 때는 복수, 양으로 볼 때는 단수라는 것을 알면 실수를 안 한다.

The number of women in the medical profession is increasing. (의료 전문직에 종사하는 여자들의 수가 증가되고 있다.)

A number of women **are** attracted to the medical profession. (많은 여자들이 의료전문직에 매력을 느끼고 있다.)

the number of는 단수, A number of 는 복수. 일일이 단수, 복수가 되는 이유를 알아맞추는 식으로는 영어공부가 멀기만 하다.

every와 many a는 항상 단수로 받는다. (한국어로 번역할 때는 복수로 해야 뜻이 통한다.)

Every man, woman, and child **is** interested in the town's new project. (모든 남자, 여자, 어린아이 들은 고을의 새로운 계획에 흥미를 가지고 있다.)

Many a scientist **has** wondered about that problem. (많은 과학자들이 그 문제에 대해서 놀라고 있다.) Many a scientist = Many scientists

책, 잡지는 단수 취급한다.

Namnong's *The Spring Garden* is a famous Korean painting. (남농의 봄정원은 유명한 그림이다.)

문장의 시작은 숫자로 표시하지 말고 문자로 써라.

25 people came to…… Twenty-five people came to……

s로 끝나는 학문 이름은 단수로 받는다.

Economics depends heavily on mathematics. (경제학은 수학에 깊이 달려 있다.)

연결동사를 쓸 때는 주어만 보고 결정한다.

One reason for his success **is** his relatives. (그가 성공한 한 가지 이유는 친척 덕분이다.) —주격보어가 복수지만 주어를 보고 단수로 받는다.

His relatives **are** one reason for his success. (그의 친척이 그

가 성공한 한 이유다.)

앞 문장을 바꾼 것인데, 이 경우는 주어가 복수가 됐으므로 동사도 복수로 받는다.

Here is Joanna. ─주어가 Joanna 한 사람이므로 단수.

Here are Steve and Toby. ─주어가 Steve and Toby이므로 복수.

위 예문에서 보듯 문장의 형태가 도치되었을 때 주의할 것.

동사 앞에 아무리 긴 절이나 구가 와도 그것이 하나의 주어 역할을 할 때는 단수취급을 한다.

To score high requires hard work. (높은 점수를 얻으려면 열심히 해야 한다.)

That you score high requires you to work hard.

주어의 수와 일치하는 단수, 복수 문제는 이 정도로 충분하다고 생각한다.

물질명사의 복수

미국의 간판들을 보면 복수로 쓰여진 물질 명사들이 무척 많다. 한국학생들은 의아하게 생각할 수도 있겠다. 물질명사가 복수로 되면 개별적이고 구체적인 의미를 띤다. 몇가지 예를 들어본다.

foods─ 복수가 되면 여러가지 식품들이 있다는 뜻. 흔히 슈퍼마켓 간판에 쓰여 있다.

coffees(여러가지 커피) ─ a coffee(Would you make a coffee, please? 커피 한잔 주실래요?)

skys(하늘을 나누어서 이쪽 하늘은 맑고 저쪽 하늘은 흐리다.), heaven은 복수가 없다.

waters(부산바다, 목포바다 할 때), clouds(별도의 여러 개의 개념).

overseas calls(해외를 말할 때 언제나 복수, 여기서 overseas는 calls를 수식하는 형용사), calls는 여러 차례 부른다는 의미에서. I made five calls. (어젯밤에 다섯번이나 전화를 걸었는 걸.)

go upstairs! (이층으로 가라.) —이 경우는 upstairs가 복수 형태를 띠고 부사로 쓰였다. 이층에 방이 하나뿐인 경우에도 복수형태를 갖는다. downstairs도 같은 형태로 쓰인다.

단수, 복수 개념은 아니지만 영어는 어떤 사물을 무리지어 말하는 다양한 표현이 있다. 예를 몇가지 든다.

a herd of elephants, shoals of fish, a flock of birds, a brood of chicks, a herd of pigs, a school of whales, a litter of kittens, a flock of sheep, a herd of cattle, a pack of wolves, a swarm of bees, a troop of monkeys

a collection of pictures, a fleet of ships, a suite of furniture, a set of tools,

a suit of clothes, a bunch of grapes, a bundle of rags, a chest of drawers,

a flight of steps, a group of islands

a tribe of natives, a troupe of dancers, a gang of thieves, a choir of singers,

a crowd of spectators, a company of actors, a team of footballers, a class(group) of pupils, a crew of sailors, a board of directors

전치사를 정복하는 길

우리가 영어를 배우면 배울수록 전치사 때문에 골머리를 앓게 되는 것이 보통이다. 오래 전 일본의 어떤 영어학자는 〈for에 관하여〉라는 책을 한권 펴낸 일이 있다. for 하나만 가지고 책을 한권 쓴 것이다. 그만큼 골치 아프고 전치사 용법이 다양하다는 것을 말해준다. 전치사를 정복하는 비법은 있을 수 없다. 있다면 실제 상황 속에서 학습하라는 말밖에 달리 해줄 말이 없다. 한국의 영어교과서를 보니 전치사 용법이 틀리게 사용된 부분이 더러 있었다.

상황 속에서 익혀라. 문법적인 개념은 알아두는 것이 필요하지만 아무리 이론을 달달 외워보았자 실제 상황 속에서 "내것"으로 만들어놓지 않는다면 전치사는 계속 영어학습자를 괴롭힐 것이다.

전치사는 말 그대로 전치사로 쓰이기도 하고 동사에 붙어서 부사로 쓰여지기도 해서 그 용법이 헷갈릴 때가 많다. 따라서 문장 속에서 그것이 어떻게 쓰여졌는지를 따져 보아야지 문장 밖에서 사전을 보고 이것은 전치사다, 저것은 부사다, 이것은 뜻이 어떻다, 라고 해서는 안된다.

전치사 가운데서도 시간과 장소를 나타내는 전치사가 가장 까다롭다. 쓰임새에 따라 차이가 아주 미묘하고, 관용적인 성격으로 많이 쓰여서 더욱 어렵게 느껴진다. 한마디로 전치사의 정복은 몸에 배도록할 수밖에 없다. 외국인 학습자들이 고통스러워하는 전치사를 미국 아이들은 어릴 적부터 별로 고생없이 익힌다. 시간 감각이 확실하지 않은 동사에 대해서는 미국아이들도 잘못쓰는 경우가 더러 있지만.

통계에 따르면 영어에서 **가장 많이 사용되는 전치사**는 at, by, for, from, in, of, on, to, with로 나와 있다. 이들 전치사의 다양한 쓰임새는 앞에서 지적한 대로 따로 떼어서 들여다 볼 것이 아니라 반드시 문장 속에서 익히지 않으면 안된다. 자신 속에 내재화시켜서 전치사의주인이 되라.

We ride in a car.(car에는 in을 쓴다.)

We ride on a bus, train, or subway.(여기서는 on을 쓴다.)

We fly on (not in) a plane. (여기서도 in이 아닌 on이다. We are not sitting on top of the plane.)

항공기의 꼭대기 위에 앉아 있는 것이 아닌데도 in을 쓰지 않고 on을 썼다. 이유를 따지지 말라. 영어를 모국어로 쓰는 사람들 사이에서이미 "합의"를 보고 쓰고 있으니 "이치"가 소용없음을 어찌하랴!

이들 문장을 보고 왜 자동차를 탈 때와 버스, 비행기를 탈 때의 전치사가 다른가, 하고 질문한다면 대답할 사람이 없다. 그것은 질문이안된다. 당신은 왜 "학교의 간다."라고 하지 않고 "학교에 간다."고 하느냐, 미국사람이 질문한다면 대답할 수 있겠는가. 에는 장소를 나타내는 토씨이므로 쓴다고 설명할텐가. 모국어 사용자들이 그렇게 쓰니까그대로 따라서 쓰는 것이다. 만일 누가 We ride on a car.라고 말한다면 듣는 순간 귀가 저항을 느낀다. 전치사 사용의 숙련도가 이런 정도로 생리화되어야 한다. 이 전치사를 쓸까, 저 전치사를 쓸까, 주저한다면 아직 전치사의 주인이라고 할 수는 없다. "자전거로 가다" 할 때는, "I go by bicycle to…" 또는 "I go on a bicycle to…" 하는가 하면, "자전거를 타다"할 때는, "I ride(on) a bicycle."하여 on을 써도 좋고 안써도 좋으나 on 없이 쓰는 것이 보통이다.

전치사는 항상 구를 인도한다

전치사가 나올 때마다 전치사구가 형성이 되고, 따라나온 명사는 전치사의 목적어가 된다.

어떤 낱말들은 전치사로 쓰일 때가 있고, 부사로 쓰일 때가 있고, 종속절을 인도하는 접속사로 쓰일 때가 있다. 이런 낱말은 회화를 할 때 무척 곤란하게 한다. 읽기를 할 때는 곰곰 따져가며 볼 수가 있으니까 훨씬 덜하지만.

전치사: The mountain climbers have not radioed in **since** yesterday.

접속사: **Since** they left base camp yesterday, the mountain climbers have not radioed in.

부사: At first I was not worried, but I have **since** changed my mind.

시간과 장소를 말해주는 at, on, in

시간을 표시한다.

at: at 5:00, at dawn, at dinner(at은 특정한 시간을 말할 때.)

on: on Monday, on May 22(on은 특정한 요일(day)과 날짜(date)

를 말할 때.)

in: in the afternoon, in the daytime, in the evening(in은 24시간 중의 일부분을 말할 때.) 그러나 예외로 night 앞에는 at을 쓴다.

in 1966, in May(한해나 한달을 말할 때.)

completed in five hours(시간의 일정기간을 말할 때.)

장소를 표시한다.

at: at home, at the club(만나는 장소를 말할 때.)

sitting at the desk(물체의 가장자리를 말할 때.) 그러나 말썽꾸러기 아이들이 책상 위에 올라가 장난을 친다든지 할 때는 on the desk.

turning at the intersection(어떤 물체의 구석을 말할 때.)

throwing the snowball at Timothy(목표를 향할 때.) 그러나 공놀이를 하기로 누구와 약속하고 던질 때는 to.

on: placed on the table, hanging on the wall(표면에 닿을 때.)

the house on Elm Street(거리의 이름을 말할 때.)

in: in the garage, in the envelope(닫힌 장소를 말할 때.)

in New York, in New Jersey(지리적 위치를 말할 때.)

그밖의 예들

James strolled over the hill. (언덕 위로 슬슬 걸어가다.)

James strolled down the hill. (언덕을 슬슬 내려가다.)

James strolled up the hill. (언덕을 슬슬 올라가다.)

His car is at the corner. (모퉁이에 있다.)

His car is near the corner. (모퉁이 가까이 있다.)

His car is around the corner. (모퉁이 언저리에 있다.)

In the spring, we will hear a concert by our favorite

tenor.

After the concert, he will fly **to** Seoul.

They did not want to leave **during** the game.

The applicants waited nervously **for** the announcement.

Drive **across** the bridge, go **down** the avenue **past** two stoplights, and then turn right **before** the Mobil Station.

전치사를 잘못 쓰면 이런 일이 생길 수도 있다.

The patient was referred to a physician **with** a severe emotional problem.

이 문장은, "심각한 정서문제를 안고 있는 의사에게 환자가 보내졌다."는 뜻이 되고 말았다. 이 문장은 The patient **with** a severe emotional problem was referred to a physician. 으로 고쳐져야 한다.

Two cars were reported stolen **by** the Gibbstown police yesterday.

이 문장은, "두 대의 차가 깁스타운 경찰에 의해서 도둑맞았다."는 뜻이 되고 말았다. 경찰이 도둑이라니!

복합전치사

according to

as well as

because of

by way of

due to

except for

in addition to
in front of
in place of
in spite of

instead of
next to
out of
with regard to

전치사를 사용하는 전략

1. 각 전치사의 가장 기본적인 의미를 지니는 몇 가지의 전형적인 예문을 머리 속에 새겨두도록 한다. 예를 들면,

in: The oranges are in the refrigerator.
There are still some pickles in the jar.
무엇인가를 항상 담고 있는 그릇같은 것을 말할 때는 in을 쓴다고 명심한다.

on: The oranges are on the table.
The book he is looking for is on the top shelf.
수평면 위에 있는 장소를 의미할 때는 on을 쓴다. 그러면서 그 수평면과 그 위에 있는 사물이 접촉하면서 수평면은 그 위에 있는 것들을 버텨준다는 것을 명심한다.

2. 같은 in인데 위와 다르게 쓰인다. 이때 쓰는 in은 컨테이너(그릇)를 생각하고 사용한다.

in: You shouldn't drive in a snowstorm.

snowstorm은 컨테이너가 아닌데 왜 in을 썼는가? 눈보라가 자동차와 운전사를 그릇처럼 둘러싼다는 것을 마음 속에 그려보라.

on: Is that a diamond ring on your finger?

손가락은 수평면이 아니다. 그러나 그러한 수평면처럼 손가락이 접촉하는 링을 벼텨주는 것은 마찬가지.

3. 비유적인 의미로 사용되는(figurative uses) 전치사의 종류를 익히고 있으면 전치사의 사용법을 기억하는 데 도움이 된다.

in: Steve is in love. (스티브는 사랑에 빠져 있다.)

스티브가 몸을 담그고 있는 "사랑"이라는 따뜻한 목욕물을 생각해보라.

on: I've just read a book on grammar. (문법에 관한 책을 막 읽었다.)

GRAMMAR라고 쓰여진 선반을 가상해볼 것. 그 위에 독자가 금방 읽은 책이 놓여 있다고 상상한다.

4. 전치사의 용법을 학습할 때 하나하나 분리시켜서 공부하면 효과가 떨어진다. 작문할 때마다 전치사의 용법을 일일이 따져가면서 할 것인가.

장소나 시간을 가리킬 때 in, on, at이 사용된다

at: There will be a department meeting at 2:30 p.m at Maple

Street.

위 예문에서처럼 공간, 시간의 정확한 지점을 말할 때는 at을 쓴다.

in : My wife arrived in the United States in July.

United States와 July가 그릇 역할을 한다, 라고 보면 알기 쉽다.

in이나 at의 경우를 제외하고 장소나 시간을 말할 때 항상 on이 쓰인다. 그러나 정확한 주소를 말할 때는 on을 쓰면 안되고 at을 쓴다.

on : I visited the company, which is on Fifth Avenue, on Monday. (5가의 어디인 줄은 모르지만 하여튼 5가에 있다.)

I'll be moving from my apartment on Maple Road on May 25.

on과 친해지기 위한 한 방법으로서 새겨둘 것은 마치 길에 접촉해 있는 건물을 생각해보고, 365일의 전체 달력 속에 약속날짜를 적어놓았다고 생각해본다.

전치사와 친해지는 방법으로서 이상의 개념들을 참고해봄직하다.

would와 should의 용법

will, shall은 용법에서 구별없이 쓴다는 것을 독자들은 알게 되었을 것이다. 그동안 의지미래니 단순미래니 하며 골머리를 아파하던 것을 한 칼에 해치웠다. 이 책을 읽는 사람들은 반신반의하며 쾌재를 불렀을 것이다.

그렇다면 would와 should는 will과 shall의 과거시제이므로 will과 shall처럼 맘대로 써도 되는 것인가. will, shall과는 다른 용법이 따로 있는 것인가. 대체로 would와 should는 will, shall의 과거형이므로 will, shall이 쓰이는 자리에 과거형으로 들어가서 그대로 쓰인다. 그러나 내 말을 잘 들어주기 바란다.

would와 should는 will과 shall의 용법처럼 맘대로 쓰이지만 다른 의미로 쓰일 때가 많다. 특히 종속절에서 그러하다. 영어를 공부하는 사람들은 바로 이 종속절에서 쓰이는 would와 should의 용법 때문에 골치를 앓을 때가 많다. 우리가 쉽게 익숙해지지 않는 부분이라고 할까. 그러나 그 쓰임새의 의미를 알고 있으면 would와 should의 묘미를 맛볼 수가 있다.

would와 should가 소원(wishing), 동의(consenting)의 뜻이 전혀 들어 있지 않은 단순한 미래를 표현할 때의 **전통적인 용법**은 다음과 같다.

서술문에 쓰일 때

단수
I should succeed.
You would succeed.
He would succeed.
복수
We should succeed.
You would succeed.
They would succeed.

의문문에 쓰일 때

단수
Should I succeed?
Should you succeed?
Would he succeed?
복수
Should we succeed?
Should you succeed?
Would they succeed?

위에서 보면 간단하다. will과 shall의 전통적인 용법과 같다. 그러나 단정문(assertive sentence) 속에서 I should 대신 I would를 사용한다든가 의문문에서 Should I? 대신 Would I?를, Should you? 대신 Would you?를 사용하는 경우가 흔하다. 다시 말하지만 will과 shall을 함부로 쓰듯이 would, should도 맘대로 쓸 수 있다는 말이다.

I would(We would)와 I should(We should)의 용법을 확실히 공부해보기로 하자.

1. I should break my knee if I fell.
2. I should be glad to accept your invitation to the party.
3. I should not wonder you were able to make it a success.
4. I should wish to examine the nature of your problem.
5. I would give him a present for his birthday.
6. I would gladly take your advice.
7. I would never agree with you on the matter.

위의 1번부터 4번까지의 예문들에는 쓰여진 대로 I should가 맞게 쓰여져 있다. 그 이유는 조동사인 should가 말하는 사람의 의지를 전혀 나타내지 않기 때문이다. 그러나 5, 6, 7번의 예문은 말하는 사람의 욕구가 분명하게 나타나 있기 때문에 I would를 쓴 것이다.

4번의 예문 I should wish to examine the nature of your problem. 에서 동사 wish는 분명히 의지를 나타낸다. 그러므로 만일 이 문장을 would를 써서 I would wish……라고 쓴다면 의지를 would와 wish에서 두번 나타내는 꼴이 된다. 결국 I desire to wish……라는 비논리적인 의미를 갖게 된다.

그렇긴 하나 최근에 와서는 I would와 I should 어느 쪽을 써도 받아들여지고 있는 추세다. 한마디로 어느 것을 써도 틀렸느니 맞았느니 아무도 시비를 걸지 않는다는 이야기다. 하지만 의미에 있어서는 분명한 차이가 있음을 알아두어야겠다.

I would help you with your project. 라는 문장을 I should help you with your project. 로 대치할 수가 있다. 그렇긴 하나 would를 should로 바꿈으로 인해 의미상에서 would를 썼을 때의 "친절"과 "동정"의 뜻이 많이 약화되었음을 보게 된다. I should에는 친절을 베풀려고 하는 말하는 사람의 욕구가 깃들여 있지 않기 때문이다. 결국 무엇이라고 설명을 하든 should, would를 구별없이 써도 틀렸다고 할 수는 없다는 이야기다.

Should I(we)?를 쓸 때

Should I break my knee if I fell?
Should I get sick without taking a good sleep?
Should we be late for the meeting if we missed the train?

"Would I?"는 대체로 상대방의 말이나 생각을 되풀이하면서 의문문으로 사용하는 경우에 한한다. 예컨대,
You would be fined fifty dollars for traffic violation.라고 했을 때 "Would I? No, I wouldn't!"라고 답변하는 경우다. 이런 용법은 주로 구어체(colloquial)에서 많이 쓴다.

should you?와 would you?를 쓸 때

Should you be late for school if you got up at seven o'clock?(일곱시에 일어나면 학교에 늦을까?) 만약 늦는다면 Yes, I should be late…… 하고 대답할 것이다.

Should you be unhappy if you were not invited to the party?(만약 파티에 초대를 받지 못한다면 기분이 나쁠 건가?) 그렇지 않다면 No, I should not…… 하고 대답할 수 있다.

Should you be interested in examining the plans?(그 계획안을 검토하는 데 흥미가 있으십니까?) 그렇다고 할 때는 Yes, I should be…… 라고 대답할 것이다.

Would you travel around the world if you won a prize in a lottery?(복권에 당첨된다면 세계일주여행을 가시겠습니까?) 그렇다면 Yes, I would…… 라고 대답을 할 수가 있다.

Would you have a new house built if you were given a building site?(신축지만 주어진다면 집을 한 채 지으시겠습니까?) 그렇다면 Yes, I would…… 라고 대답을 할 수가 있다.

Would you allow me to sit right in front of you?(선생님 바로 앞에 제가 앉아도 될 까요?) 좋다면 Yes, I would~ 라고 대답을 할 수가 있다.

Would you be so kind as to show me the way to the theatre?(극장에 가는 길을 가르쳐 주시겠습니까?) Certainly I would…… 라고 대답할 것이다.

그 다음에 "I should like"냐, "I would like"냐의 문제. 이 문제는 아직도 의심스러운 점이 있으나 단연 "I should like"와 "Should I like?"와 "Should you like?"의 사용이 많다는 것을 알아두기 바란다.

I should like to choose that program. (그 프로그램을 선택하고 싶습니다.)

Should I like to participate in the workshop?(그 워크숍에 참가하고 싶으냐고요?)

Indeed, I should.(물론이지요.)

저명한 작가들 사이에서는 위의 should 대신 would를 사용하는 경우가 매우 흔하다. 엄격히 따지면 이 경우 would를 사용하는 것은 좋은 용법이라고 할 수가 없다. 언어학적으로 볼 때 would 속에는 "……하고 싶다"라는 뜻이 이미 내포되어 있는데 다시 like(…… 하고 싶다)를 겹쳐 붙인 꼴이어서 논리상 어색한 꼴이 되기 때문이다. 그래도 사람들에 따라서 "역앞"을 말할 때 역전(驛前)이라는 말로서 충분한데도 굳이 "역전앞"이라고 "앞"을 한번 더 갖다 붙이는 한국사람들도 있지 않은가. 말하자면 그런 식이다.

제2인칭과 제3인칭에서의 should는 말하는 사람의 "의지"를 표시하기 위해 서술 단문과 종속절에서 사용될 수가 있다.

If you learned my way, you should be successful.(만약 당신이 나의 방법을 배웠더라면 당신은 성공할 텐데.)

If you learned my way, you should be successful. 에서 you의 생각과는 상관없이 말을 하고 있는 사람의 일방적인 의사를 표현해 주고 있다. 즉, "나의 방식대로 하면 성공할 것이다."라고 말하는 사람의 뜻이 담겨 있는 것이다.

분명히 말하지만 지금까지 나는 would, should가 구분없이 쓰여지는 것이 보통이지만, 전통적인 용법에 따라서 이렇게 쓰기도 한다는 식으로 이야기한 것이지 이럴 때 반드시 would를 써야 옳고, 저럴 땐 should를 써야 한다고 말한 것이 아니다.

종속절에 쓰는 should와 would

앞에서 종속절에서는 would, should가 쓰여지는 용법이 있다고 말했다. 그러나 이것 역시 서로 바꾸어 쓴다고 해서 틀렸다고 말할 수는 없다. 대개 다음과 같은 경우에 사용될 때는 would, should의 용법이 다르다.

1. 목적이나 기대를 표현해주는 절
2. 조건과 양보를 표현해주는 절
3. 주어가 아닌 다른 품사의 의지(volition)를 표현해주는 절
4. 한 생각(idea)으로서의 무엇인가를 진술해주는 절
5. 간접적인 화법

목적이나 기대를 표현해주는 절의 경우는 1인칭, 2인칭, 그리고 3인칭의 모든 인칭에서 would, should가 쓰여진다.

1. The teacher took every precaution lest I should(you should, he should) fail in the examination. (선생은 내가, 당신이, 그가 그 시험에 실패하지 않도록 경고를 단단히 했다.)

2. I held my breath before he should announce the result of the election. (그가 선거결과를 발표하기 전까지 나는 마음을 졸였습니다.)

의심을 품고 미래의 일을 표현하는 조건이나 양보의 절에서는 shall과 should가 세 가지의 모든 인칭에서 사용된다. 하지만 한 가지 명심할 것은 주어가 소원을 하거나 동의하기를 표현한다고 생각될 때는 will과 would를 사용하는 것이 옳다는 사실이다.

Whenever I(you, he) shall be given an opportunity, let us

attempt to do the job. (기회가 주어지는 대로 그 일을 하도록 합시
다.)

Though we(you, they) should fall short of accomplishing
the project, others would make the attempt. (그 사업을 완성하
지 못한다 해도, 다른 사람들이 완성하기를 시도할 거야.)

If I(you, he) will only make every effort, success is
certain. (만약 온갖 노력만 한다면 성공은 확실해.)

If we would get our homework done before bed, our
parents would be satisfied. (만약 우리가 취침 전에 숙제를 끝마치
면 우리 부모님은 흐뭇해하실 거야.)

위의 예문 속에서 will과 would가 쓰인 문장은 주어의 소원이나 동
의를 나타내고 있다. 미래를 놓고 생각해보는 일이 확실한 것으로 인
정될 때는 단순한 미래를 나타내기 위해 2인칭, 3인칭에서 will을 사용
할 수가 있다.

Though you(he)will certainly be unsuccessful, you(he) may
make the attempt. (성공할 수 없을 것이 뻔한 일일지라도 시도해볼
수는 있지.)

종속절의 주어가 아닌 다른 사람이나 다른 사물의 의지를 표연하기
위해서 shall과 should를 종속절 속에서 2인칭, 3인칭으로 사용할 수가
있다.

Mr. Kim insists that you shall meet him in his office. (김씨
는 네가 자기 사무실에서 만나줄 것을 우기고 있다.)

that로 시작되는 하나의 절이 사실이 아니라 하나의 생각으로서 무
엇인가를 서술할 적에는 모든 인칭에서 should를 쓰는 것이 좋다.

I'm not surprised that you should find your job rather tedious. (당신이 하는 일이 다소 지루하다고 느낀다 해도 나는 하나도 놀라지 않습니다.)

위의 문장을,

When I consider the matter, I do not find the idea surprising.으로 바꿀 수 있다.

처음 문장을 다시 바꾸어본다.

I'm not surprised that you find your job rather tedious. 라고 하여 should없이 you find라고 하면 어떻게 될까. should없이도 이 문장은 완전한 문장이 되지만 that 이하의 종속절은 바꾼 문장에서 단순한 생각(idea)이 아니라 하나의 사실을 서술해주는 종속절로 변한다는 것을 알아야 한다. 이런 미묘한 차이를 알고 있어야 좋은 영작문을 할 수 있다.

It is strange that Toby should refuse our request. (토비가 우리의 요구를 거절한다면 이상한 일이지.)

It is strange that Toby refuses our request. (토비가 우리의 요구를 거절하다니 이상한 일이지.)

앞 문장의 should에는 한낱 idea로서 거절하는 경우를 생각해보는 것이고, 뒷문장의 refuses는 사실을 나타낸다.

should와 would의 특별 용법

위에서 우리는 should와 would의 쓰임새가 will, shall의 과거형으로서 쓰여지는데 다만 몇 가지 종속절에서 의미있게 쓰여지는 경우를 살펴보았다. 다시 강조하지만 그러한 쓰임새가 틀렸다, 맞다, 하는 선에서 말하는 용법이 아니었음을 독자들은 알아차렸을 것이다. 구별않고 써도 누가 틀렸다고 할 사람은 없으나 아직도 많이 그러한 식으로 쓰여지고 있음을 보여준 것이다.

내가 여기서 특별용법이라고 떼어서 설명하는 까닭은 should와 would의 사용에는 will, shall의 과거형으로서가 아니라 시제의 영향을 받지 않는 특별한 용법이 있음을 보여주고 싶기 때문이다.

미국사람들에게는 아주 쉬운 것이 should와 would이다. 너무 쉬워서 미국학생들의 책에는 한 페이지 정도만 다루고 넘어간다. 그러나 외국어 학습자들에겐 이것 역시 적지 않은 고통거리다. should와 would가 shall, will의 시제상 과거형으로 쓰여질 때는 그 활용이 shall, will과 똑 같다. 다만 시간적으로 과거형이니까 과거형태로 바뀔 뿐이다. 특별 용법이란 거듭 말하지만 shall, will의 과거형태로 쓰여지는 것을 제외한 용법으로 사용되는 것을 말한다.

Would는 모든 1, 2, 3인칭에서 습관, 관습적인 행위를 나타낼 때 쓴다.

Should는 자주 모든 인칭에서 의무를 나타낼 때 사용된다.

Ought to와 Should는 둘 다 의무를 나타내고 서로 바꿔 써도 된다. (거의 같이 쓴다.)

Every morning I would walk for hours. (매일 아침 나는 몇 시간 동안 산책을 한다.) — 습관적인 행동

You should read a book every day. (너는 마땅히 날마다 책을 읽어야 한다.) — 의무

You ought to read a book every day. (너는 마땅히 날마다 책을 읽어야 한다.) — 의무

듣기, 말하기, 읽기, 쓰기의 요령

대학생들의 아파트. 공부 잘하는 학생들은 전국 클럽이 있어서 그 표시를 아파트에 자랑스럽게 붙여놓는다. 아파트에 붙여놓은 희랍문자가 보인다.

나를 안타깝게 한 독자의 편지들

　지난 해 말 한국에서 펴낸〈영어의 바다에 빠뜨려라〉를 읽고 많은 사람들이 편지를 보내왔다. 내가 재직하고 있는 이곳 뉴욕주립대학 파쓰댐 캠퍼스로 오는 낯선 한국독자들의 편지들은 나를 더욱 바쁘게 하고 있다. 이 편지들은 아주 절실하고 어쩌면 슬프기조차한 영어공부의 고민거리들을 담고 있어서 반가움 뒤에는 으레 착잡한 심정이 되곤 한다.

　어린 국민학생부터 중학생, 고교생, 대학생, 직장인, 학부모, 교사, 대학교수, 군인…… 영어공부를 하려는 수많은 사람들이 어떻게 하면 영어를 잘 공부할 수 있고, 잘 가르칠 수 있겠는지 내게 묻고 있다. 목청 높이 외치는 세계화 바람에 영어의 필요성은 더욱 절실해지는데, 아무리 해도 영어가 늘지 않는다며 안타까운 사정을 호소하고 있다. 독자들의 호소에 일일이 답장을 하려고 하지만 시간이 나지 않아 다 못하고 있다. 매우 미안하게 생각한다. 오죽했으면 이곳 미국까지 편지를 보냈을까. 나는 그 마음을 헤아려서 다른 많은 독자들과 함께 영어의 고민을 나누어 갖고 싶다. 이 책〈영어의 바다에 헤엄쳐라〉에 독자들의 호소에 대한 대답을 제법 충실하게 담았다고 생각한다.

한국영어의 문제는 무엇인가, 영어를 어떻게 가르치고, 영어공부는 어떻게 하는 것이 효과적인가, 영어의 고통스러운 부분들은 어떻게 해결할 것인가……를 내나름대로 미국에서의 30년이 넘는 영어교육의 경험을 공유하는 형식으로 해결책을 제시했다. 보다 본격적인 영어학습서는 차례차례 내놓을 것이지만 일단 이 책에서는 영어에 관심있는 사람들에게 영어를 정복하는 길이 반드시 있다는 소식을 전하려고 한다.

그러면 독자들이 안고 있는 영어의 고민은 무엇인지 함께 알아본다. 몇가지 고민거리만 여기에 소개하고 편지를 보낸 분의 주소는 자세히 밝히지는 않겠다.

"영문 번역해주는 강의에 자책감을 느낍니다"

88년 고등학교에서 영어를 가르치기 시작했을 때 한없이 기쁘고 가슴이 벅찼습니다. 학생들을 위해 열심히 가르쳤습니다. 그러나 나의 교수법은 단순한 문법지식과 번역식 수업이 영어교수법의 전부라고 착각하고 있었던 것 같습니다. 그럴 것이 제가 처음 영어를 공부하기 시작한 중학교 때부터 대학에 이르기까지 거의 모든 영어선생님들과 교수님들께서 영문을 우리말로 옮기는 번역식 수업을 해주셨기 때문에 나는 그 선생님들의 수업방식을 아무런 저항없이 그대로 따랐던 것입니다.

막힘없이 문법설명을 잘하고 어려운 영문을 우리말로 잘 옮겨주는 저에게 학생들은 실력있는 교사로 존경을 표시하기도 했습니다. 제가 가르친 제자가 1년에 한두 번 치르는 수능 모의고사에서 영어과목에서 아주 우수한 성적을 받았을 때는 보람을 느끼기도 했습니다. 그런데 그 우수 학생이 서울대 영어교육과에 지원하고 면접을 치르게 되었습니다. 면접이 입학점수에 반영이 되던 때였습니다. 그 학생은 면접을 끝내고 저희집에 찾아왔습니다. 첫마디가 이랬습니다.

"선생님, 저는 지금까지 영어를 잘못 배운 것 같습니다."

깜짝 놀라 물어보니 교수님들이 면접에서 영어로 질문을 하더랍니다. 그 학생은 쉬운 질문에도 제대로 대답도 못하고 면접을 끝냈다며 걱정을 태산같이 하는 것이었습니다. 나는 그 학생을 돌려보낸 후 저의 지금까지의 영어교수법이 잘못되었다는 것을 깨달았습니다. 아니, 학생들이 영어공부하는 데 오히려 방해가 되었다는 생각이 들어서 깊은 자책감을 느꼈습니다.

그 후 수업방식을 바꾸었습니다만 그동안 몸에 배었던 방식이 내가 창조한 것도 아니어서 바꾸기도 쉽지 않았습니다. 그러던 중에 우연히 작년 여름에 교수님의 강의를 듣고 바로 제가 바라던 영어교수법이라는 것을 깨달았습니다.

— 광주에서 박 ○ 중

"대학의 영어교육, 번역강의도 힘든 실정입니다"

저는 대학에서 영어를 담당하고 있는 교수입니다. 박사님의 〈영어의 바다에 빠뜨려라〉를 읽고 한국의 영어교육에 혁명이 있어야 한다는 박사님의 주장에 큰 감명과 공감을 느껴 분망하실 줄 알면서도 꼭 만나뵙고 지도를 받고자 하는 일념에서 이 글을 드리게 되었습니다.

우리나라의 초등학교, 중고등학교의 영어 교육에는 나름대로 문제들이 있고, 그 대안이나 해결책에 관하여 비교적 논의가 활발한 편입니다. 그런데 대학에서의 영어교육은 대부분 형식적으로 이루어지거나, 하나의 선택과목으로서 산발적으로 이루어지기 때문에 효과를 기대하기 어려운 실정입니다. 더욱이 교양영어의 경우 한 class에 100명 내외의 학생들을 수용하기 때문에 번역위주의 독해강의조차도 힘든 실정입니다. 따라서 학생들도 공부에 흥미를 잃고 학점취득에만 신경을 쓰며 관심있는 학생들은 사설학원들을 기웃거리게 됩니다. native speaker들을 고용하여 교양영어를 담당시키고 있는 대학에서도 문제점이 있어 고심하는 실정입니다.

저는 교수 개인의 의지와 개혁이 선행되어야 한다고 믿습니다. The English Language Arts를 구체적으로 어떤 수준과 과정에서 어떤 내용과 방법으로 적용하면 좋을지 한번 깊이 연구해보고 싶은 심정입니다. 96년부터 박사님이 주도하시는 교육 program에 참여하여 산 영어를 구사하는 교수방법, 총체적인 영어교육, 실생활과 직결된 영어를 배우고 가르칠 수 있는 기회를 가졌으면 합니다. 책으로 하는 연구보다이 편이 훨씬 중요하다고 생각합니다.

― 서울에서 이 ○ 섭

"교수님의 총체영어 교수 방법이 큰 힘이 됩니다"

그동안 문법 위주의 영어교육이 무용지물이라며 무조건 회화위주를 부르짖는 요즘의 한국 실정에서 저는 나름대로 언어의 네 가지 기능을 고루 가르치려고 노력해왔습니다. 그러나 다들 회화만을 고집하기에 저의 교수방법에 확신할 수 없었는데, 교수님의 총체적 영어 교육방법에 대한 말씀은 저에게 큰 힘을 보태주었습니다.

― 구미에서 석 미 숙

"영어교사가 되는 것이 두렵습니다"

저는 교육학을 전공하고 있으며 부전공으로 영문학을 하고 있습니다. 4학년때 교생실습을 나갈 것이며, 내후년엔 교편을 잡게 될 것입니다. 제가 대학에서 공부하면서도 약간 우스운 것은 영어교육을 전공해야 할 사람이 세익스피어나 영문학개관, 문학비평…… 같은 것만을 공부한다는 사실입니다. 영어에 관해 아직도 자신이 없는 제가 장차 영어교사가 되고 싶다는 꿈을 가진다면 무리일까요. 요즘에는 이런 생각도 든답니다. 제가 만약 영어교사가 됐는데 미국에서 온 학생이 있을 경우 과연 그 아이와 몇마디 대화를 나눌 수가 있을까. 그 아이가 영어로 질문을 하면 막힘없이 대답할 수 있을까. 무얼 어떻게 어떤 식으로 공부해야 할지 모르겠습니다. 교수님, 저는 지금 마음은 급하고 지나가는 시간에 대해 자꾸만 화가 납니다.

— 서울에서 김 나 영

"영어회화책으로 만족을 못 느끼고 있습니다"

하박사님께서 지으신 〈영어의 바다에 빠뜨려라〉를 사서 저녁식사 집합도 잊은 채 책을 읽고 이렇게 펜을 들었습니다. 저는 책을 읽으면서 무언지 모를 전율을 느꼈습니다.

누구에게나 자신의 인생에 푸른 꿈이 있듯이 제게도 꿈이 있습니다. 내가 앞으로 열심히 공부해서 쌓게 될 지식을 단순히 남에게 전달하는 것보다는 그것을 창조적인 분야에 바치고자 합니다. 물론 매우 힘들고 고통스러운 과정이 기다리고 있다는 것을 알고 있습니다. 이를 위해 저는 미국 대학에 유학을 가서 공부하고 싶고 연구하고 싶습니다. 이러한 꿈은 먼저 영어라는 벽을 넘어야 하는 것이 절실한 문제가 되고 있습니다.

그동안 영어회화책도 보고 라디오 강좌도 열심히 듣는 등 여러가지 시도를 해보고 있지만 만족을 못느끼고 있습니다. 영어를 공부하는 방법으로 하박사님은 몸소 박사님의 체험을 들려주시고 몇가지 이론을 말씀해주셨습니다만 어떠한 방법으로 정복할 것인가는 모르겠습니다. 저는 지금 영어를 잘하지는 못합니다만 세계공통어인 영어를 완전 습득해서 저의 꿈을 펴는 디딤돌로 삼고자 합니다. 조언을 부탁드립니다.

— 정읍에서 황 인 복

이밖에도 많은 편지가 와있으나 다 소개할 수는 없고 일반적으로 대부분의 영어학도들이 공통적으로 안고 있는 것이라고 생각되는 것만을 간추려 보았다. 긴 내용들은 요약했다. 대체로 많은 한국사람들이 위에 소개한 고민거리들을 갖고 있는 것으로 생각된다. 그 해결책은 무엇인가. 앞에서 이야기한 대로 이 책을 잘 읽어보기 바란다. 문제는 다른 학문도 마찬가지지만 자신의 의지에 달려 있다. 뜻있는 곳에 길이 있다고 하지 않던가. 다만 내가 쓴 두권의 책에서 한국 영어가 이대로 가면 안된다고 주장한 것은 영어교수법에 대한 반성을 촉구하는 뜻에서다. 영어학습자들에게 내가 눈물을 주먹으로 훔치며 공부하던 그 옛날의 고통을 덜어주고 싶어서 이 책 속에서 때로는 질책을 하고 때로는 격려를 한 것이다. 다시 말하지만 이 책을 통해 영어학습자들이 영어에 진짜 흥미를 느끼게 되기를 바란다.

필자 연락처:
출판사/ 서울시 종로구 내수동 1번지(대성빌딩 507호) 에디터 전교
대학/ Dr. A.K. Ha, Department of English Education, State University of New York College at Potsdam, 44 Pierrepont Avenue, Potsdam, New York 13676-2294, U.S.A.

영어가 귀에 잘 들리게 하려면?

　글로 써놓으면 무슨 말인지 훤히 알겠는데 쉬운 문장도 원어민(原語民)이 말로 하면 도무지 무슨 말을 하는지 모르겠다는 사람들이 많다. 어떤 사람은 미국사람이 하는 말을 어떻게 다 알아듣겠느냐며 키워드(key word)만 짚어가며 알아들으면 된다고 말하는 사람도 있다. 나를 어떻게 하겠다는 것인지 그것만 알면 외국어를 공부한 보람이 있지 않느냐는 것이다.

　그런데 말이란 것이 과연 골자만 알아듣고 다 알아들었다고 할 수가 있을까. 독자들이 영화를 보러 갔을 때 할리우드 영화에 나오는 번역 자막을 보고 제대로 재미를 느낄 수 있을지 의문이다. 번역 자막처럼 맛탕구 없는 것이 또 있을까. 영화 장면의 빠른 전환에 따른 시간과 공간의 제약 때문에 극도로 압축한 골자만을 새긴 영화 자막을 보고 있는 사람은 설령 영화 장면을 통해 재미를 본다고는 하지만 대화만이 갖는 뉘앙스를 포착할 수 없어 안타까운 느낌이 남게 마련이다. 살이 없는 뼈다귀가 무슨 맛이 있을 것인가. 가령 한국 TV에서 김수현씨의 드라마를 방영할 때 그 감칠맛나는 다이얼로그의 골자만을 순간순간 자막 처리로 본다고 했을 때 제대로 재미를 느낄 수 있을까.

말이란 "어"다르고 "아"다르다는 우리의 옛말이 있듯이, 말이란 키워드가 아닌 부분에서 뉘앙스가 풍겨나온다고 해도 별로 틀린 말이 아니다. 말이란 전체를 알아들어야 순간순간 말하는 사람의 톤이 달라지는 미묘한 마음의 빛깔들을 느낄 수가 있다.

영어를 잘 알아듣지 못하는 이유는 간단하다. 늘 칠판 앞에서 각본을 갖고 공부를 했으니 당연하다면 당연하다. 산 사람과의 실제 상황 속에서 상접 대화를 통해 귀 속에 말을 저장했더라면 그렇지 않았을 것이다. 어떤 한국사람들은 말을 잘못 알아들으니까 아예 상대방이 무슨 말을 하건 자기가 외워둔 말을 일방적으로 하는 경우도 있다. 대화는 상호간의 교류라는 측면에서 이것은 올바른 대화라고 할 수가 없다.

말을 못 알아 듣는 이유는 여러가지가 있을 수 있다. 영어 자체의 발음을 알아듣지 못해서 못듣는 경우도 있고, 말하는 사람의 진의를 몰라서 못 알아듣는 경우도 있다. 문제는 우선 영어가 귀에 들어와야 하는데 대부분 이것이 잘 안되어 첫단계에서 애를 먹는 사람들이 많다.

한국사람이 영어를 알아듣는 데 있어서 적어도 다음과 같은 "듣기 이해"에 대한 메카니즘을 알고 듣기공부를 한다면 도움이 될 것으로 생각한다.

듣기 과정과 기법

1. 듣는 사람은 말을 듣자마자 이미지로 바꾸어 단기 기억 속에 저장한다.

귀를 통해서 다른 사람의 말을 이해하려고 할 때 사람은 상대방이 하는 말을 받아들이면서 그 말을 이미지로 바꾸어 단기 기억장치에 저장한다. 말을 들을 때는 이미지가 중요하다. 말의 이미지를 포착하지 못하면 상대방의 말은 못 알아들은 상태로 지나가버리고 만다. 들은 말의 전부를 저장한다는 것은 불가능하고 필요없는 일이므로 이미지로 바꿀 수 있는 능력이 중요하다.

2. 말의 이미지를 구성 분자들(내용, 목적)로 조직을 한다.

말하는 사람의 말을 이미지로 포착하여, 내용, 목적별로 아주 순식간에 조직한다.

3. 말하는 사람의 목적, 표현, 내용 등 여러가지 것을 조리있는 메시지로 분류, 말을 듣자마자 듣는 사람의 장기 기억장치에 재건축된 의미로 저장한다. 그래서 갑의 말을 을에게 전할 때 의미만을 전하지 말을 그대로 전하게 되는 것은 아니다. 만일 말을 그대로 전해야 한다면 사람더러 녹음기가 되라는 것밖에 안된다.

4. 말하는 사람의 메시지를 저장하는 데 그치지 않고, 의도가 무엇인지 재빨리 파악한다.

대화가 이루어지는 현장에 관한 자기의 배경 지식을 동원하고 상대방의 품성을 알아차리고 목표를 순식간에 분별해서 따담아야 듣기이해가 성공적으로 이루어진다.

이것이 잘 안되니까 반 이상을 못듣고 지나가기 일쑤다. 포착을 못하니까 말이 귀에 안들어오게 된다. 영어를 가르치는 사람은 이같은 언어의 입력 과정을 이해하고 가르치는 것이 좋다. 이러한 듣기과정은 순식간에 이루어지는 것이므로 듣기 과정을 순간순간 확인할 수는 없는 일이지만 적어도 알아들었는지는 확인해볼 수 있다.

"방금 내가 한 영어가 무슨 말이었지?" 만일 학습자가 모르고 있다면 단기 기억장치에 저장이 안된 경우다. 그러면 교사는 다시 영어로 이야기해주고, 전체적인 메시지가 학습자에게 저장이 되도록 지도해나

간다.

듣기이해의 세부적인 기법

1. 말의 토막, 절, 가지 들을 단기기억에 저장하라.

한 인간이 무엇을 기억하려면 일단 단기기억 장치에 저장하는 과정을 거친다. 단기기억에 저장된 내용은 그대로 두면 몇분이 지나지 않아 증발해버리고 만다. 의미와 결부시키지 않으면 장기기억 장치에 옮겨 저장할 수 없다.

2. 듣고 있는 말 속에 담겨 있는 가지각색의 독특한 음성들을 구별하라.

발음 훈련을 받아야 상대방이 말하는 소리들을 구별할 수 있다. 장단음, 각 철자의 자음과 모음 발음 들을 듣는 사람이 낼 수 있어야 말하는 사람의 소리를 구별해낼 수 있다. 이 책 속의 발음 이야기를 참고할 것.

3. 강음, 소리의 전형적인 패턴, 억양을 알아차릴 것.

영어는 한국말이나 일본말과 달리 두 음절 이상의 각 낱말에는 스트레스(강음)가 있다. 여기서 말하는 스트레스는 한국에서 말하는 액센트, 미국에서는 이런 경우 액센트라는 말은 잘 쓰지 않는다. 액센트는 두 가지 뜻 즉 하나는 말 그대로 강음, 다른 하나는 말투("저사람은 영어에 한국액센트가 있다.")를 의미한다. 영어에는 영어만이 갖는 소리의 전형적인 리듬패턴이 있다. 글로 표현하기 어려운데, 옛날 어떤 만화가는 이것을 빗대어 만화로 그린 일이 있다. 한국과 일본 군인은 걷는 모습이 처음부터 끝까지 똑같은 규칙적인 걸음걸이, 미국군인은 처음 몇 걸음은 규칙적이다가 다음은 발을 크게 올리는 걸음…… 이런 식의 되풀이를 코믹하게 그렸었다. 억양은 대개 뒷부분이 올라갔다가 떨어지는 패턴을 취하고 있다. 이러한 패턴을 알아차려야 말을 듣는데 도움이 된다.

4. 각 낱말들의 축소된 발음 형태를 분명히 알아차릴 것.

영어의 각 낱말들은 발음 하나하나가 말을 할 때 그대로 소리나는 것이 아니라 흔히 앞뒷말과 붙어서 소리나기 때문에 이런 특성을 알지 못하면 무슨 말을 하는지 도무지 알아차릴 수가 없다. I asked them. ……을 말할 때 미국사람들은 〈ai askm〉식으로 말한다.

5. 낱말과 낱말의 경계를 구별할 것.

말을 할 때 낱말들을 따로 떼어서 하나하나 발음하는 것이 아니기 때문에 어디까지가 한 낱말인지를 모를 수가 있다. 무슨 말을 하는지 잔뜩 겨누고 있어도 앞뒷말이 엉겨서 빨리 지나가기 때문에 낱말의 경계를 구별하지 못하면 듣기이해에 지장을 받는다.

6. 영어의 독특한 어순(word order)을 알아차릴 것.

영어에는 영어만이 갖는, 도저히 바꿀 수 없는 어순이 있다. 독특한 어순들을 하루 빨리 습득해둘 것. put it on같은 수없이 많은 어순들을 알고 있어야 말이 빨리 귀에 들어온다.

이런 영어듣기의 필수적인 사항들이 고려되지 않은 영어회화책을 열 권, 스무 권 사다놓아 보았자 회화책 저 혼자서 중얼거리는 것이지 별 도움이 되지 못한다. 공항에서, 식당에서…… 써먹을 회화를 몇 마디 외워놓았자 공항이나 식당을 벗어나면 끝이다. 그런 단편적인 영어 몇 마디를 써먹자고 영어를 배우는 것이 아니지 않은가. 그런 정도의 물건 사고, 주문하는 것을 단편적으로 한다고 해서 그것을 대화라고 할 수 있을까.

7. 낱말들의 뜻을 알아둘 것.

이것은 외국어학습의 가장 기본적인 사항이다. 낱말을 많이 알고 있으면 듣기가 어렵더라도 어휘가 빈약한 사람보다 많은 점에서 훨씬 더 유리하다.

8. 말하는 사람의 주제, 아이디어의 핵심이 되는 키 워드(key word)를 빨리 포착할 것.

주제, 아이디어를 담고 있는 키 워드를 재빨리 머리 속에 담아두면 의미이해에는 큰 지장이 없다. 그러나 상대방이 무슨 말을 하는지는 대충 알아도 말의 미묘한 재미, 뉘앙스는 이것만으로는 이해하기 어렵다. 한국사람들은 미국 코미디언이 하는 말을 듣고 좀체로 미국사람처럼 배꼽이 빠지게 웃기가 어렵다. 그것은 물론 문화적 배경이 다른 탓이 있겠지만, 말들이 내뿜는 미묘한 차이들을 키 워드만으로는 이해하기 어렵기 때문이다.

9. 문맥 속에서 주어지는 상황으로 의미를 추측할 수 있는 능력을 기를 것.

한국에서 말하는 "눈치 코치"를 말하는 것인데, 무슨 뜻으로 말하는지 문맥을 통해서 추측하는 능력을 기르라는 말이다. 눈치가 틀려버리면 곤란하지만 덮어놓고 눈치를 보는 것이 아니라 문맥을 잘 잡으면 몇개의 단어들을 몰라도 소위 "때려잡아" 따라갈 수가 있다.

10. 낱말의 품사기능을 포착할 것.

같은 낱말이라도 문장 속에서 그때그때마다 기능이 달라진다. 어떤 단어를 죽어라고 명사로만 알고 있으면 들을 때 동사로 나오면 헤매게 된다. stone(돌)과 wall(벽)은 각기 명사이지만 이 둘이 합쳐져서 stonewall이라는 동사가 되어 "방해하다"는 뜻을 담는다. 이 문제를 해결하려면 평소에 영어책을 많이 읽어야 한다. 풍부한 품사 기능을 접하게 되므로 많은 독서체험은 도움이 된다. 그러나 책만 많이 읽는다고 듣기이해가 잘되는 것은 아니다. 듣지는 못하지만 독해를 할 줄 아는 사람이 수두룩한 것을 보아도 알 수 있다.

11. 영어만이 가지고 있는 기본 문형을 철저하게 알아차릴 것.

외국어 습득에서 이것이 가장 중요하다고 할 수 있다. 차라리 발음은 서툴더라도 문장 패턴을 먼저 익히는 것이 절대 중요하다. 국제결혼한 한국여성들 중에는 발음은 어느 정도 되지만 문장 패턴이 익혀지지지 않아 한국에서 보는 어떤 화교들의 한국말처럼 말이 끊어지는 식으로 하는 경우가 허다하다. 문장 패턴이란 원론적으로 말하면 한국에서 말하는 5형식에 다 들어가는 것이지만 그 하나하나의 문장 형식이 가지를 치고 접속사로 연결되고 해서 수없이 복잡해진다. 이 기본 문형들을 귀로 듣고 문장을 많이 읽고 해서 습득해야 한다. 기본 형식을 뼈다귀라고 하면 따라붙는 살이 많기 때문에 부지런히 익혀서 자기것으로 만들 수밖에 없다.

12. 문장과 문장을 연결하는 접속사를 재빨리 알아차릴 것.

순간순간 빨리 알아차리지 못하면 듣기를 계속 따라갈 수가 없다.

13. 주어, 동사, 목적어, 전치사 같은 문장의 구성 요소를 알아차릴 것.

이런 요소들을 문법적인 술어로 알아두라는 것이 아니라 상대방이 말을 할 때 거의 무의식적으로 귀에 들어와야 한다. 말하는 중에 어떤 것이 주어이고, 목적어인지를 따져가면서 들을 수 있겠는가.

14. 언어 이전의 세상 지식을 십분 활용할 것.

한국사람이건 미국사람이건 세계 공통적으로 알고 있는 상식, 지식을 활용해서 들으라는 말이다. 그러나 미국에는 있지만 한국에는 없는 것은 곤란하다. 어쨌든 만인 공통의 지식을 이용하면 말하는 사람의 말의 방향을 재빨리 예측해갈 수 있다. 가령 국회의사당 얘기가 나오면 순간적으로 민주주의, 법안처리 등 그것과 관련한 자신이 알고 있는 상식과 최근의 화제가 대화의 앞을 말해주는 신호로 포착하게 해준다. 그래야만 자신의 강력한 추리로서 앞말과 뒷말의 연결되는 의미의 흐름을 알아차릴 수 있다.

15. 문장 속에 나오는 메인(main) 아이디어 정도는 알 수 있어야 한다. 또 부수 아이디어, 자신이 알고 있는 정보에 첨가되는 새 정보 등을, 따로 세분화해서 생각하는 것이 가능해야 한다. 그렇지 못하면 금방 한 말을 다시 한번 해보시오, 하고 녹음기처럼 되돌려 들을 수도 없으므로 말을 놓칠 수밖에 없다.

16. 말하는 사람의 목적을 알아차릴 것.

무슨 말이든지 말하는 사람은 목적을 갖고 말한다. 듣는이도 그 목적을 처음부터 알아야 듣기를 진행시켜 나가는데 큰 도움이 된다. 처음 한두 마디 들으면 알 수 있다.

이상의 이야기들은 모국어인 경우는 필요없는 내용이다. 영어를 외국어로 공부하는 사람들이기 때문에 이런 과정과 기법을 이야기하는 것이다. 한 언어의 듣기에 숙달하는 과정은 듣기의 과정과 이해가 상접적이라는 측면에서 비디오 회화테이프같은 것으로는 어렵다는 이유가 여기서 나온다.

오늘과 같은 지구촌 시대에 영어는 어느 특정국가의 언어가 아니라는 발상에 의지하여 보다 획기적인 영어교육 정책이 필요하다. 40여년 전부터 덴마크, 노르웨이 같은 나라들은 초등학교 1학년때부터 원어민 교사들을 데려다가 영어를 마치 제2언어처럼 가르쳤다. 지금 그들 나라는 원어민 교사 대신 원어민들이 양성시켜놓은 자국인 영어교사들이 원어민 교사역할을 하면서 아주 훌륭하게 영어교육을 하고 있다. 그래놓으니까 올림픽때 금메달을 딴 선수가 인터뷰에서 영어로 척척 응할 수가 있게 된 것이다. 싱가포르의 비약적인 발전은 어디에서 온 것인가. 한국과는 전혀 다른 영어교육이 뒷받침되었다는 사실을 인정하는 데 인색해서는 안될 것이다. 이렇게 말하면 또 어떤 사람은 필리핀 사람들은 영어를 잘해도 저 꼴이지 않느냐고 눈을 부라릴 것이다. 영어는 도구이지 그것 자체가 기술이나 정보가 아닌데도 그런 식으로 억지를 부린다.

한국영어가 달라지려면 영어를 제2언어 수준으로 끌어올리면 좋겠지만 그것은 민족성이나 여러가지 역사적 배경 등 때문에 어려울 것이고, 적어도 제2언어 개념 비슷한 정도의 획기적인 개혁조치가 필요하다. 그런 개념을 세우고, 일선의 영어교육 현장을 현재와 같은 구습이 지배하는 환경으로부터 크게 개혁해야 한다. 덴마크, 노르웨이가 어떻게 영어교육을 실시했는지 가서 보고 듣고 해볼 일이다. 정보화시대인 21세기에 살아남으려면 영어교육의 개혁은 빠를수록 좋다. 인터넷의 눈부신 생활화를 생각해보고, 무역전쟁의 현실, 세계 정보 유통 언어의 위상을 생각하면 한국의 영어 교육이 위기에 직면해 있다는 것을 누구나 알 수 있을 터이다. 영어는 국가적인 생존 전략차원에서 지금과 같은 50년 전의 구습에 맡겨서는 안된다는 사실을 깨달을 필요가 있다. 학교의 영어교육이 제대로 못해주니까 고액 과외가 생겨나고, 학원의 그룹지도가 생겨나는 등 엄청난 영어과외비를 가계가 떠맡게 된 것이다. 학교 담장 밖에서 영어를 공부하려고 헤매는 사람들을 학교가 불러들여야 한다. 영어를 배운다고 엄청난 비용을 들여가면서 학생들이 외국으로 방학때 떼지어 몰려가는 것은 낭비다. 왜, 학교가 영어교육을 책임지지 않고 상업주의가 판치는 저자에 맡겨 놓는지 안타깝기만 하다. 영어를 조금 잘한다는 사람은 학교에서 배운 것이 아니라 학교 밖에서 눈물겹게 이리저리 뛰어다니며 익힌 사람들이다. 이런 모순을 이제 해결할 때가 왔다.

발음, 이렇게 하면 된다

한국사람들은 영어발음을 무척 어렵게 생각하는 것같다. 하긴 영어가 외국어이니 쉬울 리야 없지만 발음을 기초부터 철저히 닦아나가면 한국사람들이 두려워하는 것만큼 그렇게 어려운 것만은 아니다. 외국인 학습자들에게 영어는 읽기, 쓰기, 말하기, 듣기 어느것 하나도 쉬운 것이 없다. 발음 역시 외국인 학습자들이 고통스러워하는 부분이다. 영어단어는 아다시피 두 음절 이상이면 한 음절에 액센트가 있다. 한국말도 옛날엔 상성, 입성, 거성, 평성…… 사성이 있었으나 오늘날엔 거의 없어지고 일상어에서 장음 단음 정도만 살아 있고 이것도 잘 안지켜지는 것으로 알고 있다.

그러나 영어는 액센트만 있는 것이 아니라 긴 단어는 프라이머리(주요) 액센트(primary accent), 세컨더리 액센트(secondary accent)가 있다. 또 문장마다 억양(intonation)이 있다. 이것들 어느것 하나 무시해도 좋은 것이 아니다. 발음에 따라서 뜻이 달라지기도 하고, 억양에 따라서 문장의 내용이 달라지기도 한다. 액센트를 무시하면 거의 못 알아듣기 일쑤다. 듣는 사람도 내 말을 못 알아듣고 나 또

한 상대방의 말을 못 알아듣는다. 게다가 내가 여러 곳에서 누누이 말했지만 발음 자체가 문자와 소리가 다른 부분이 많아 애를 먹는다. 특히 우리 한국사람들에겐 영어발음이 한국문자로는 표기할 수 없는 음가(音價)들이 거의 대부분이어서 발음자체를 모사(模寫)하기 힘들 때가 많다.

한국의 어떤 교수가 제3국인이 영어발음을 서투르게 하는 것은 당연하다고 쓴 글을 나는 본 일이 있다. 나는 생각이 다르다. 원어민과 같은 발음을 내도록 노력해야 한다는 것이 내 주장이다. 발음이 정확해야 의사소통이 잘 이루어진다. 그리고 상대방으로부터 거부감도 없다. 영어는 어느 특정한 나라의 국어라기보다는 세계공용어 비슷한 국제어로 통하는 것이 현실이다. "나는 바담풍 할테니 너는 바람풍 하라."고 할 수는 없는 일이다.

나 역시도 발음 때문에 여간 애를 먹은 것이 아니다. 지금이야 내 영어발음은 미국의 영어교사들을 가르치는 원어민 입장에 있으니 누구에게도 시비대상은 아니다. 발음 정복은 지름길이 없다. 그때그때 익힐 수밖에 별 도리가 없다. 스페인어는 영어와는 달리 문자 하나하나를 다 발음하기 때문에 발음만큼은 쉽다고 한다. 그러나 영어는 알파벳에서 배운 소리가 낱말 속에서 그대로 발음되는 경우가 거의 없을 정도로 까다롭다.

영어 발음이 어렵다고 여겨지는 것은 영어는 그리스, 독일, 프랑스, 이태리, 멕시코, 인디언 등 그야말로 지구상의 곳곳의 말들이 흘러 들어와 있어서 어쩔 수 없는 일이다.

옛영어는 하나의 문자에 하나의 음(音)이 발음되었다. 그랬는데 노르만인에 의한 1066년 영국정복 이후 문자의 음가가 변화를 겪어 프랑스식의 문자 첨가가 일어났다. 사용문자의 변화와 함께 철자법도 크게 바뀌어 영어 고유의 음이 프랑스어식 철자법으로 바뀌는 경향이 커졌다. 발음은 변하지 않았으나 철자가 변한 경우, 발음은 변했으나 철자는 변하지 않은 경우 등 헤아릴 수 없을 만큼 변화가 있어왔다. 발음의 변천과정은 어쩌면 영어의 역사라고 해도 좋을 것이다.

현재도 미국영어는 계속 발음이 변하고 있다. 흑인을 중심으로 해서 일부 표현되고 있는 독특한 영어발음은 흑인사회의 상당한 지지를 받고 있다. 히스페닉계도 그들 나름의 발음이 생겨나고 있다. 영어를 외국어로 배우는 한국 사람의 경우 공부하면서 하나하나 익혀갈 수밖에 없다. 내 경험에 의하면 무슨 책 한권을 사서 법칙같은 것을 외워가지고 발음을 정복한다는 생각은 넌센스다. 거울을 보면서, 원어민과 접촉하면서 실제상황 속에서 열심히 하는 동안 발음정복은 저절로 이루어진다.

내가 한국에 갔을 때 교보문고와 을지서적에 자주 가서 영어책들을 살펴보았는데 초등학생들을 상대로 한 책들과 일부 중학생들을 상대로 한 책 중에는 상당수의 책들이 영어발음을 한글로 표기해놓고 있었다. "afraid(어프레이드), girl(거얼)" 하는 식으로 말이다. 나는 영어학자로서 이런 책을 아주 싫어한다. 한 마디로 영어발음을 한글로 표기해 놓은 것은 영어학습자에게 전혀 도움이 안된다. 오히려 해를 끼칠 뿐이다. 영어발음은 발음기호같은 문자로서도 아니고, 소리로서 귀에 들어가야 한다. 때문에 발음만큼은 독학으로 되지 않는다. 발음에 관한 책을 누가 귀신처럼 썼다고 해도 책이 결코 발음을 가르쳐 주지 않는다.

내가 영어공부를 하면서 애를 먹은 부분이 발음이다. 나는 중학생때 다행히 미국에서 공부를 하고 오신 선생님한테 배웠기 때문에 첫단추는 옳게 꿴 셈이었지만 나중에 홀로 영어를 습득해나가는 과정에서 뒤죽박죽인 영어발음 구조를 얼마나 원망했는지 모른다. 그렇게 온갖 고통을 겪고 발음을 익힌 탓에 내가 미국으로 유학오자마자 곧바로 대학에서 아무런 장애없이 교수들의 강의를 듣고 말할 수 있었다.

소리의 씨앗이 뿌려질 때

한국사람들이 영어발음 때문에 한걱정을 하고 있다는 사실을 잘 알고 있다. 그 걱정을 덜어줄 발음 이야기를 시작하기 전에 미국 아이들이 어떤 변화 과정을 거쳐 말소리를 익히게 되는지 살펴본다. 이것은 학자들의 연구결과를 요약한 것이다.

사람은 태어나서 두달까지는 도움이 필요하면 울고, 기분 좋을 때는 다른 소리를 내는데 이 무렵의 특징은 목구멍에서 얕은 소리를 내는 것. 석달째는 처음으로 단음의 소리를 내기 시작하고 자음과 모음이 들어 있는 단음절의 소리를 낸다. 예를 들면 it같은 소리. 인간의 목소리를 들으면 머리를 돌릴 정도로 반응을 보인다. 아직도 아, 어, 으 같은 모음들만 주로 낸다. 다섯달째에는 눈앞에 보이는 장남감 같은 것을 보고 어른들이 알 수 없는 무슨 소리를 지른다. 자기의 귀에 들려오는 소리 가운데 다정한 목소리와 성난 목소리를 구별하는 능력이 생기기 시작한다. 영어의 음(音)의 씨앗이 뿌려지기 시작해서 나름대로 음성들을 실험한다. 여섯달째 아이는 크고, 작고, 높고, 낮은 소리와 빠르고 느린 소리를 내면서 목소리에 억양이 나타난다.

일곱달째는 자기 목소리를 내기 시작한다. 단숨에 여러가지 목소리를 내고, 소리와 의미를 결부시키기 시작한다. 여덟달째는 관심있는 것에 대한 선택적인 반응을 보인다. 지금까지는 소리에만 의존해왔으나 어떤 낱말들을 인식하기 시작한다. 어른들이 쓰는 음성적인 질을 흉내내려고 한다. 아홉달째는 기침도 해보고, 혀로 무슨 소리도 내보려고 하고, 사교적인 제스츄어도 한다. 아직 언어 생산은 못한다. 열달째 아이는 어른의 말을 듣고 이미 자기가 자주 들어서 자기것이 되어 있는 말이면 어른이 하는 말을 따라 흉내를 내본다. 어른들의 지시에 복종할 정도로 알아듣는다. 열한달째는 제법 말의 의미, 얼굴의 표정을 자기생각에 따라 조절할 수 있는 능력이 나타난다. 열두달째 아이는 자기 이름을 알아차리기 시작한다. 어른이 손짓과 함께 "bye, bye"하면 아이도 손짓하고 그 말의 뜻을 안다. 자기가 알고 있는 낱말들을 연습하기 시작한다.

열다섯달째 아이는 사람을 보거나 놀잇감을 보면 손가락으로 가리킨다. 회화에 나오는 낱말을 사용하기 시작한다. 열여덟달째 아이는 두 낱말을 연결시켜서 자기 의사표시를 한다. 낱말수는 20개 정도 알아듣는다. 콧노래를 하기도 하고, 어른을 만나면 묻고 대답하고 하는 놀이를 시작한다. 스무한달째는 어른을 보면 옷깃을 끌며 무슨 일이든 물어본다. 대명사를 쓰기 시작한다. 주로 I, my를 많이 쓴다. 이십사개월째 아이는 놀라울 정도로 어휘가 늘어 보통 200∼300개의 단어를 알고 있다. 전치사도 튀어나온다. 어떤 이야기가 있으면 이때부터 짤막한 대화가 가능하다.

3년째 되는 아이는 900∼1,000단어로 늘어난다. 한 문장에 3∼4단어로 되는 문장구조를 표현하기 시작한다. 주어+술어 문장을 사용한다. 그러나 말하는 내용은 언제나 현재형.

4년째 아이는 놀랍게도 1,500∼1,600개의 단어를 안다. asked, many, may 등을 구사한다. 상당히 복잡한 문장 형태가 많이 등장하고, 가까운 과거 따위는 언어로 표현할 줄 안다. 일어난 대부분의 문제들은 즉각적으로 이해할 수 있다. how, why의 질문에는 약간의 어려움을 겪지만 어순이 자리잡기 시작하며 문장의 의미 파악을 시작한다. 평서문, 의문문, 감탄문이 자리잡는다.

5년째 아이는 2,100∼2,200단어를 구사할 수 있다. 자기 감정을 제대로 얘기할 수 있고, 느낌을 어른과 교류할 수 있다. 문장이 복잡해도 알아듣는 데는 전혀 지장이 없다. 연구 결과에 따르면 영어문법의 90%를 마스터한 상태가 되어 있다. 수동태를 쓰기 시작하고, 말을 살짝 돌려서 간접적인 요구를 하는 표현도 가능하다.

6년째 아이는 2,600단어를 자신이 쓰는 말(speaking vocabulary)로 구사할 수 있다. 명령이나 복잡한 문장 등도 이해하고, 8품사의 기능을 통달한다. 단어의 음절이 귀에 들어온다. 복수의 규칙을 거의 습득한 상태가 된다. 부사구를 구사하고 남이 간접적으로 말을 돌려 해도 알아 듣는다. 어떤 화제가 나오면 그것에 관해서 대화를 이어나갈 수 있다. 필요한 낱말을 거의 정복한 상태.

7년째가 되면 어른들이 사용하는 모든 형용사, 모든 소리의 조직을 알게 된다. 그리고 말을 해놓고 나서 보충설명으로 "내가 의미하는 것은 ～"식으로 자체수리를 통해 고쳐나갈 수 있다. 다른 사람과의 대화에서 명사를 안 쓰고 대명사의 지칭을 이해하는 등 대부분의 대화에서 어른과 맞먹는다.

8년째 아이는 80%가 수동태를 완전 정복한다. 영어라는 언어 속에 존재하는 40여 가지의 모든 소리들을 말할 수 있다. 대화에서 모든 구체적인 주제를 탈선없이 발전시켜나갈 수 있고, 상대방의 뜻을 헤아릴 수 있다. 언어 습득을 완료한 상태가 된다. 8세에는 이야기를 하면서 사물들끼리의 비교를 완전히 파악하는 언어적인 힘이 생긴다. 어른들의 언어재산을 확보한 상태.

이상이 미국아이들이 태어나서 여덟살 될 때까지 언어를 습득하며 말하게 되어가는 과정을 밝힌 학자들의 연구 내용이다. 외국어 학습자가 어리다고 해도 덮어놓고 두려워하며 단어수를 필요 이상으로 제한하지 않는 것이 좋다. 미국의 네살짜리가 1,500단어 이상을 지니는데 아무리 모국어가 아니라고 해도 인지면에서 아홉, 열살되는 초등학교 3년짜리가 훨씬 앞서 있다는 점을 생각하면 초등학교 3년 아이에게는 최소 500~700단어를 가르쳐도 충분히 가능하다는 것을 이 연구는 보여준다.

어린이들을 상대로 한 한국의 영어 학습서들을 보면 Tom, Mary같은 2~3개의 이름이 천편일률적으로 등장한다. 마치 미국엔 그런 이름을 가진 사람들만 사는 것처럼. 미국의 더많은 보통 이름들을 소개하는 것이 좋다. 이름이 발음훈련에 도움된다는 측면이 전혀 고려되어 있지 않는 것이 아쉽다.

영어발음은 한국문자로 표기 안된다

듣기(listening)는 발음으로부터 시작한다. hearing은 이비인후과 의사가 찾아온 환자에게 "귀가 잘 들립니까?" 하고 묻는 귀 자체의 청취력을 의미하고, 우리가 영어를 잘 알아 듣는가 하는 것은 listening이다. "저 사람 영어 리스닝이 좋다."고 말해야 영어를 잘 알아듣는다는 뜻이 된다. 영어를 잘 알아들으려면 영어의 발음을 잘 알아야 하는데 앞서 말한 대로 그것이 쉽지 않다는 것은 지적한 바 있다. 영어 발음은 한국어 발음과는 너무 다르다. 내가 웬만큼 영어를 하게 되었을 때 한국어와 영어의 발음 구조가 너무 다르다는 사실을 알고 집중적인 연습과 훈련을 했다.

한국사람들 가운데는 영어의 까다로운 몇개의 발음을 빼놓고는 한국 문자로 모든 발음들을 다 표기할 수 있을 것으로 생각하는 사람들이 있는 것 같다. 그러면서 "일본 사람들은 영어발음을 제대로 하지 못한다."며 남의 걱정을 하기도 한다. 신문, 잡지에 표기된 **맥아더** 장군의 이름을 MacArthur의 음가(音價)로 안다. **밀크, 스포츠**라고 한국문자로 써놓고 그것이 milk, sports의 발음으로 착각한다. 미국에 와서 "맥아더 장군이 우리를 도와 주었습니다." "밀크 한잔요." "스포츠 좋아하십니까?"하고 말을 하면 알아듣는 사람이 많지 않음을 보고 깜짝 놀란다. 듣는 사람은 분명히 "Pardon?"(다시 말씀해주세요)하고 되묻게 마련이다. "맥아더"나 "밀크" "스포츠"는 영어발음을 그대로 표기해 놓은 것이 아니다. 영어문자를 그대로 쓸 수가 없어 외래어 음가와 비슷한 한국문자로 편의상 그렇게 표기했을 뿐이다. MacArthur의 영어발음은 ⟨mɐ-kär-thɐr⟩, milk의 발음은 ⟨milk⟩(밀크로 소리나지 않는다.) sports의 발음은 ⟨spoːrts⟩(스포츠로 소리나지 않는다. 오히려 스포쓰에 가까운 소리가 난다.) 영어 발음을 한국 문자로 표기할 수 있다고 생각하지 말라.

미국사람들은 자음을 발음할 수 있다. 그러나 한국사람들은 ㅂ, ㅍ, ㅋ같은 자음을 그대로 발음할 수가 없다. 한국말의 자음들은 모음의 도움 없이는 음을 낼 수가 없다. 가령 영어의 p를 놓고 보자. 미국사람들은 이것을 ⟨p⟩로 발음한다. 자음만 가지고도 음이 된다. 그런데 한국사람들은 자음 하나만을 따로 발음할 수가 없기 때문에 모음의 도움을 받아 ⟨ㅍ⟩로 발음하지 않고 ⟨피⟩, ⟨파⟩, ⟨프⟩ 들로 발음하는 것이다. 그래서 곧잘 "p"의 음가를 "프"로 생각한다. 이런 발음 자체의 차이 때문에 미국사람들이 들으면 한국말은 굉장히 빠른 말로 들리고, 어색하게 들린다.

여기서는 한국사람들이 발음하기 힘들어하는 소리들을 중심으로 어떻게 발음하는지 설명한다. 알아둘 것은 **발음은 책을 통해서 습득되지 않는다**는 사실이다. 다만 참고로 할 수 있을 따름이다.

두 입술을 맞대고 내는 소리들 — b, p, m

b: 한국말의 '브'와 같은 소리가 아니다. 만일 미국인 학생에게 "보리" 음가를 가르친다고 할 때 미국인 학생은 우리처럼 **보리**라고 발음

하기가 어렵다. 윗입술과 아랫입술을 붙였다가 갑자기 떼면서 숨을 터뜨리는 동시에 목청을 울려서 소리를 내는 미국인의 보와는 음가가 다르다. 미국인의 보리 발음은 보가 부드럽고 길게 나온다. 미국 공화당 대통령후보 Bob Dole의 발음을 "밥돌"이라고 하면 미국사람은 아무도 못 알아듣는다. "밥돌"이라는 한글 표기는 너무 동떨어진다. 그러므로 이것을 옳은 음이라고 생각하면 절대 안된다.

p : 한국말의 "프"와 비슷하나 아주 같지는 않다. p와 프의 음가는 다르다. p는 역시 b를 소리낼 때와 똑같은 모양으로 윗입술과 아랫입술을 붙였다가 갑자기 떼면서 숨을 파열시켜 숨소리만 내는 소리다. 그러나 p음은 뒤에 모음이 올 경우 모음의 영향으로 목청을 건드려서 소리가 나오게 되어 한국말의 프와 거의 같게 들린다. 한국의 어떤 시인의 시에 "나는 피라고 말하는데 미국사람은 비라고 한다."는 싯귀를 본 일이 있는데 p발음 역시 속삭이는 소리처럼 들린다는 점에서 강하게 들리는 한국말의 프와는 달리 약하게 들린다. p발음은 그러나 한국인이 비교적 유사하게 내는 발음이라고 할 수 있다. 그러나 pot이 "팥"과 비슷하게 들리긴 하지만 p발음이 조금 다르다는 정도는 알아둘 필요가 있다.

m : 한국말의 "므"와 비슷하게 소리가 난다. 두 입술을 완전히 다물고 공기는 입에서 멈춘다. 한국말의 므는 두 입술을 거의 대지 않고 소리 내지만 m는 b, p음과 똑같은 입술 모양을 하고 내는 소리다. 미국사람의 입모양을 자세히 바라보고 있으면 m소리를 낼 때 윗입술과 아랫입술을 맞대고 목청을 울려서 소리를 내는 동시에 숨을 코로 내보내며 소리를 내는 것을 알 수 있다.

moon은 한국어의 "문"과는 다르다. 우리가 아무리 미국사람에게 문(文) 아무개 하고 사람이름을 가르쳐 주어도 미국사람은 무~ㄴ처럼 길게 소리를 낸다. "문"하고 단음으로 발음하지 않는다. m다음에 oo가

164

오면 대개 길게 발음이 난다.

이와 입술을 맞닥뜨려 내는 소리들 — f, v

한국사람들이 가장 애먹어하는 발음들이 이 소리다. f, v가 문제의 음가를 가지고 있는데 한국말에는 이 소리가 없다. 한국에 갔을 때 TV를 보니까 연예프로 사회자가 TV를 "티부이"라고 말하고 있었는데, 그렇게 발음하는 것이 아니다. 한국문자로 이 발음은 표기할 수 없다.

f : 한국말에는 이 발음이 없음. 한국의 많은 영어 학습책에는 친절하게도 "food(푸드)"식으로 한국말로 발음 표기를 해놓았다. 이것은 pood의 발음에 유사한 것이 되고 만다. 원래 food의 소리는 어디로 가버리고 말이다. f는 한국어의 "프"와는 전혀 다른 음이다. 중고교를 나와도 이 발음을 제대로 하는 사람이 거의 없다. 윗니를 아랫입술에 대고 며칠만 연습하면 제대로 할 수 있다.

v : 한국말에는 이 발음이 없음. v발음도 f와 똑같이 윗니를 아랫입술에 대고 발음한다. 두 입술을 대고 내는 소리가 아니다. 따라서 TV를 티부이라고 소리내면 안된다.

이상 두 입술을 맞닥뜨려서 내는 b, p, m의 발음, 그리고 윗니와 아랫입술을 맞대어 내는 f, v 다섯가지 소리를 정복하면 한국사람들의 영어발음 고민거리 중 상당 부분을 해소할 수 있다.

혀 끝을 입천장 앞부분에 대면서 내는 소리들 — d, n, t, s, z

이 가운데 t와 s음은 목청을 울리지 않고 발음한다. d, z, n음은 유성음. 이들 소리는 모두 혀의 끝을 입천장의 앞부분에 올려 살짝 대고 내는 소리다. 한국사람들이 computer를 미국인처럼 한다고 "컴퓨러"하고 하는 것을 보았는데 혀의 끝을 입천장 앞부분에 대고 내는 것은 똑같은데 t음이 약화되어서 마치 d음을 낼 때와 비슷해진다. 이것이 한국사람의 귀에는 t→d음이 ㄹ처럼 들리는 모양이다. computer를 컴퓨러라고 발음하는 미국사람은 아무도 없다. 한국사람은 발음할 때 혀끝을 사용하지 않기 때문데 d, n, t, s, z의 음이 빚어내는 미묘한 차이를 구사하기가 어렵다. 그러나 영어 발음은 미국, 영국사람만 내도록 되어 있는 것이 아니므로 훈련만 한다면 얼마든지 제대로 낼 수가 있다.

d : 한국말의 "드"와는 다름. drum이 "드럼"과는 아주 다르게 소리가 난다. 혀의 앞부분을 입천장 앞부분에 대고 d음을 소리내 보라.

n : 한국말의 "느"와 비슷하게 들리지만 같지는 않다. 역시 혀의 끝을 입천장의 앞부분에 올려 살짝 대고 내는 소리다. n은 코를 통해서 나는 콧소리이다. no할 때도 코에서 나온다.

t : 한국말의 "트"와 비슷하지만 같지는 않다. t도 귓속말로 속삭일 때처럼 목청을 울리지 않고 내는 소리다. 한국말의 "트"는 목청을 울리는 음이다. toy : "토이"와 비슷하게 들리지만 모음의 영향으로 음이 다름.

s : 한국말의 "스"와 비슷하나 역시 목청을 건드리지지 않고 내는 소리다. 손을 목에 갖다 대고 연습해보면 s와 "스"의 차이를 감지할 수가 있다. swim : "수임"과는 많이 다르다. 씨이 살짝 들어간 느낌의 소리로 들린다. 그래서 science는 "사이언스"와 많이 다르게 소리가 난다. 굳이 한글로 쓰자면 싸이언스와 더 가깝다고 할까.

z : 한국말에는 없음. 탁음이 있는 일본말에는 z와 유사한 발음이 있다. zoo를 "주"로 발음하는 것은 절대로 안됨. 발음을 생산하는 방법은 혀의 끝을 입천장의 앞부분에 대고 낸다.

혀의 뒷부분으로 입천장의 뒷부분을 건드리며 내는 소리들 — k, g, ng

혓바닥의 뒷부분이 입천장의 뒤를 건드리며 내는 소리들이다. k, g, ng가 그 소리들이다.

k : 한국말의 "크"와 비슷하나 같지는 않다. 한국사람은 이 발음을 입천장의 앞부분에서 내려고 하니까 잘 안된다. 소주 한 잔 마시고 "크" 할 때 내는 소리와 같다. Korea의 음가는 한글 표기대로 "코리아"로 소리나지는 않는다.

g : 한국말에는 없음. "그"음과 비슷하나 같지는 않음. 영어에서는 k 음이 아니면 g음이 있을 뿐 한국말의 "그"와 같은 음은 없다. dog은 "도그"가 아니다. k음을 낼 때와 똑같은 상태에서 내는 소리다. goal.

ng : "응"과 비슷하나 같지는 않다. bang하면 혀의 뒷부분이 움직여서 나는 소리다. 이때 혀의 앞부분은 가만히 있다. 한국사람은 "봉고" 차를 발음할 때 혀가 앞에서 놀지만 미국사람은 혀가 뒤에서 움직인다. k음을 낼 때와 똑같은 상태에서 내는 소리다.

혀를 윗니와 아랫니 사이에 끼고 내는 소리 — th

이 소리도 한국사람들이 죽어라고 잘 내지 못하는 소리에 속한다. 혀의 끝을 윗니와 아랫니 사이에 끼고 내는 소리다. th음이 그것인데 두 가지 음가가 있다.

thin : 여기서의 th는 목청을 울리지 않고(voiceless) 내는 소리. thin 의 경우처럼 th다음에 모음이 너무 빨리 따라붙을 때는 모음의 영향으로 유성음처럼 들리지만 무성음의 th음 자체는 거의 들리지 않을 정도로 속삭이는 느낌을 주는 소리다.

then : 여기서의 th는 목청을 울리며(voiced) 내는 소리. them의 th
도 마찬가지.

혀의 넓은 앞부분으로 입천장의 앞부분을 건드리며 내는 소리들 — sh, g

주로 혀의 넓은 앞 부분이 입천장의 앞부분을 건드리면서 내는 소리.

sh : sh가 단어의 첫소리일 때는 목청을 울리지 않는 무성음으로 낸다. shoe, shut, sure, sugar······

g : 목청을 건드리면서 내는 소리. 영어에는 프랑스어에서 온 genre
같은 발음을 빼놓고는 영어 자체에는 유성음 g음이 없다.

소리를 내는 방법

학교에 다니면서 영어발음을 어떻게 낸다는 것쯤은 다 배우고 있거
나 배웠을 것이다. 그런데 왜 안될까. 영어라는 언어가 꼭 영국이나 미
국사람들한테만 "신토불이"(身土不二)의 언어가 아닐진대 왜 그렇게
도 발음이 영 안되는 것일까. 거기에는 그럴만한 까닭이 있다. 한국말
은 대개 입을 별로 성가시게(?) 하지 않고 내는 소리들이다. 원래 한
국말도 음가를 제대로 내려면 구강근육을 많이 움직여서 내야 하는 소
리들이 있을 듯 싶지만 대체로 입안에서 혀를 굴려서 낸다는지 입술을
움직여서 내는 소리는 별로 없다. 이렇게 말을 생산해내는 체제가 영
어와는 영 달라서, 마치 한국말이 "니르고저 홀ᄒ배 이셔도 등국에 달
아"처럼 영어와 한국말의 발음 생산구조가 달라 잘 안되는 것이다. 특

별히 영어가 영미권의 사람들한테만 생물학적으로 맞는 언어여서는
아니다.

　언젠가 한국에 갔다온 친지 한 사람이 TV에 방영된 어떤 프로그램
을 담은 비디오 테이프를 갔다 준 것 (나는 집에서 쉴 때 이따금 한국
비디오를 보기도 한다.) 을 보다가 재미있는 장면을 보았다.

　어떤 사람이 산에 가서 산새를 잡는데, 그물을 쳐놓고 산새들의 말
로 "이리 오라!"고 소리를 내는 것이었다. 그랬더니 산새들이 제 동료
가 무어 맛있는 먹거리를 찾았으니 와서 같이 먹자고 하는 줄 알고 우
르르 몰려와서 쳐놓은 그물에 걸리는 것이었다. 그 새소리는 한글로
표기할 수 없는 발음이었지만, 새를 부르는 그 사람은 오랫동안 새소
리를 흉내내면서 새소리의 "원어민" 발음을 익혀 새들을 감쪽같이 속
여 불러모은 것이다. 영어도 그렇다. 영어발음을 새소리와 비교하는 것
이 야릇하긴 하지만 어쨌든 한국문자로는 표기가 안된다고 생각하면
된다. 가령 새소리를 "뱃종! 배배배배배……"하고 표기해놓고 산에 가
서 그대로 소리친다고 생각해보자. 새들이 동무하기는커녕 다 도망가
고 말 것이다. 상점의 간판에 한글로 표기한 영어는 어쩔 수 없다고 해
도 영어학습책에 "스포츠" "커피" "보우트"하는 식으로 영어단어 옆에
친절하게 표기를 해놓은 것을 보고 "이러면 안되는데……"하고 나는
고개를 내저었다.

　영어발음을 한국문자로 표기해 놓고 그대로 발음하면 미국이나 영
국사람들이 알아듣지 못한다. 다시 말하지만 새 소리를 한국문자로 표
기할 수 없듯이 영어발음도 표기가 안된다고 생각하면 된다. 이런 정
도의 사실을 확실히 머리 속에 집어넣고 한국사람들이 힘들어하는 영
어발음을 중심으로 발음 하나하나를 어떻게 생산해내는지 밝혀놓기로
한다. 이것은 어디까지나 발음을 내는 이론이므로 발음의 생산은 실제
상황 속에서 익혀야 함은 물론이다. 새 소리를 내는데 혀를 구부려서

입천장에 닿을 듯말듯하게 호, 하, 소리를 번갈아 낸다, 고 누가 어디에 썼다고 하면 그것이 곧 새 소리를 원어민처럼 내는 것이 되겠는가. 실제 새 소리를 들어가면서 끊임없이 귀로 익혀서 내것으로 해야만 비로소 새들이 자기 동료의 말인 줄 알고 날아올 것이다. 발음이 독학으로 정복하기가 어려운 것은 이 때문이다.

스톱 발음들

1. 입속에서 소리가 나오자마자 정지하는 소리를 말한다. 영어의 모든 음은 두 부류로 나뉘는데 하나는 소리가 생산되는 순간 정지하는 스톱음과 다른 하나는 소리를 냈을 때 입속 공기의 흐름이 아무런 걸림없이 입을 통과하면서 연속 뻗어나가는 연속음이 그것이다. 소리란 과학적으로는 공기 때문에 난다고 설명할 수 있다. 한국사람들이 하는 영어발음이 귀에 설게 들리는 가장 큰 이유는 주로 스톱할 음을 계속하거나 계속할 음을 스톱하기 때문에 생겨난다.

2. p, b, m, t, d, n, k, g, ng가 스톱음이다.

Bob를 바브라고 발음하는 것은 b가 스톱음인데도 한국사람이 연속음으로 발음하는 경우에 속한다. b발음은 윗입술과 아랫 입술을 맞대고 생산되는 순간 공기의 흐름을 차단하고 정지되어야 제 음가가 나온다. 물론 Bob의 B는 곧바로 뒤에 모음 o가 따라붙어 있으므로 스톱해서는 안되는 음이다. 자음은 모음이 없이는 연속이 안된다는 사실은 잘 알고 있을 것이다. 따라서 Bob의 b발음(뒤에 모음 o가 온 B발음이 아님.)은 바 다음에 b발음할 때 모음을 넣어서 연속음으로 만들지 말고 b를 생산하는 순간 스톱하면 된다. b발음을 이렇게 길게 설명하는 것은 다른 스톱음들 p, m, t, d, n, k, g, ng음도 같은 방식으로 생산되기 때문에 스톱음의 생산구조를 설명하기 위해서다. 가령 한국과 일본의 여자배구시합을 볼 때 일본팀의 공이 한국팀으로 넘어오는 순간 앞에 있는 한국의 키 큰 선수가 blocking을 걸어 공이 한국진영으로 길게 뻗어가지 못하고 스톱되는 것과 흡사하다. 다시 말하지만 스톱되면 스톱음이고, 길게 뻗어가면 연속음이다. 아이때부터 이런 식으로 훈련을 시킨다면 영어발음이 어색하게 되지 않을 것이다.

예: tab(tab) = a small flap, strip, loop, or piece.

tam(tam) = a Scotch cap

tat(tat) = make a kind of lace.

tad(tad) = a small child.

tan(tan) = a brown color imparted to the skin.

tack(tack) = to fasten or affix with tacks.

tang(tang) = a sharp distinctive flavor.

위에 예를 든 고딕체 단어들은 모두 스톱들이다. 참고로 괄호 안의 문자는 발음기호, 발음기호가 한국의 영어사전과는 달리 표기되었음을 알 것이다. 미국의 사전들은 미국의 독자적인 발음기호로 이렇게 표기한다. 한국의 영어사전들은 만국발음기호를 따른 것. 발음자체가 틀리게 나는 것은 아니니 문제는 없다. 한국학생들이 미국에 와서 당황하는 것 중의 하나다.

3. 위에 나온 예처럼 n, m, ng는 콧소리로서 소리를 생산할 때 공기가 막히지 않고 콧구멍을 뚫고 연속되는 소리인데, 입에 와서는 그 이상 뻗어가지 않고 정지된다. tang은 탱과 비슷한 소리인데 다른 것은 탱이 태~ ㅇ하고 울림이 콧속에 남아 있는 점이다. 하지만 입에 와서는 그 이상 뻗지 않고 정지된다. n, m, ng는 콧속으로 나오지만 마지막에 입천장의 앞부분이나 뒷부분을 대면서 정지하는 소리다.

4. 만약에 콧속으로 나올 필요가 없는 다른 말들은 입속에서 폭발한다. 아래 5. 6.번에 예가 나온다.

5. b, p, m의 발음은 두 입술을 맞대고 생산되자마자 끝나는 음. 두 입술을 맞대는 이유는 그 이상 공기가 새나가지 않게 하기 위해서다. 한국사람은 이들 발음을 할 때 예컨대 Bob가 바브가 되는 이유는 b발음을 할 때 대체로 입술모양을 보면 벌려져 있기 때문이다. 즉, b발음 시 모음이 딸려 나왔다는 증거다. 달리 말하면 b가 스톱음이 되어야 하는데 모음이 붙어나와 연속음이 되어버렸다는 이야기다.

6. d, t, n은 스톱음. 두 입술을 맞닥뜨리고 내는 소리와는 달리 혀가 입천장의 앞부분을 대면서 끝내는 소리.

7. g, k와 ng는 스톱음. 혀의 뒷부분이 입천장의 뒷부분을 대면서 끝내는 소리. 혀가 입천장의 앞부분을 터치하느냐, 뒷부분을 터치하느냐에 따라 소리가 달라진다는 것쯤은 다 알고 있을 것이다. 영어 원어민과 한국사람의 발음이 다르게 나는 이유는 이런 데서 온다. 한국사람은 축구시합을 구경하면서 goal을 차넣었을 때 미국사람 같으면 벌써 혀가 오무라져 혀의 뒷부분이 입천장의 뒷부분을 살짝 대고 goal의 g음을 생산하는데, 한국사람은 그렇질 못하다. 그래서 "골"이나 "꼴"로 소리낸다. k음도 같은 g와 같은 상태에서 내는 소리.

폭발음과 비폭발음

1. 목젖이 열리고 공기가 자유로이 구강 속을 흘러나오는 소리. 즉, 모든 무성음의 소리다.

2. 더러는 처음에는 무성음으로 시작했는데 나중에 금방 유성음의 목소리가 뒤따를 때는 목소리가 나오는 보컬 코드가 닫힌다. 다음 3. 번이 예가 된다.

3. pit는 무성음 p로 시작했으나 곧 뒤따라오는 모음 i 때문에 공기가 강력하게 나온다. 그런 음을 폭발음이라고 하는데 그 대표음이 p음

이다.

4. 첫소리 p와 가운데 오는 p음이 다르다. p음은 단어 속의 위치에 따라 소리가 다르게 나온다. spit의 p를 발음할 때는 입술이 열리자마자 목청이 떨리기 시작해서 소리가 나온다. 위에 예를 든 pit의 p음과는 다르다. pit의 p음은 목청이 떨리지 않는다.

5. tic의 t, kin의 k음은 목청을 진동시키지 않고 소리가 나온다. 그러나 stick의 t나 skin의 k음은 목청을 떨면서 소리가 생산된다.

6. 실험을 해볼 수 있다. 입술 앞에 작은 종이 조각을 조금 떨어져 대고 pit을 발음해본다. 만약 제대로 소리가 나오면 입 속에서 나오는 공기에 밀려서 종이가 움직이고, spit을 발음할 때는 종이가 떨리지 않는다. 이것은 곧 무성음과 유성음의 차이이기도 하다.

마찰음

1. 어떤 음을 낼 때 공기의 흐름이 방해를 받아 마찰할 때 생기는 소리. 소리를 낼 때 정지는 안 당하지만 입 속에서 상당한 방해를 받는다. s, z, f, v, th, sh가 그런 음들이다. 손바닥을 입 앞에 가까이 대고 이들 소리를 내면 공기가 약하게 느껴진다.

2. s, z 발음을 내려고 할 때는 언제든지 혀의 앞부분으로 입천장의 앞부분을 건드려야 한다. 혀의 앞부분으로 입천장의 앞부분을 건드리지 않으면 그 소리가 나오지 않는다. s발음을 내면서 목청을 떨면(유성음화하면) z발음이 나온다. 즉, s발음을 하면서 여기에 모음을 붙이면 z음이 된다. 한국사람들은 s음은 비교적 유사하게 내는데, z발음을 못하는 사람이 대부분이다. Jesus의 발음을 제대로 내는 사람을 거의 본 일이 없다. 한국음으로 "지저스"라고들 하는데 한국어의 지음과 영어의 z음은 하늘과 땅 차이다.

3. 입천장의 단단한 앞부분에 혀의 앞부분을 대고 내는 소리에 mesher와 measure가 있다. 이 두 소리는 혀의 위치는 같고, 소리가 다르게 나온다. sh를 내는 음가에 유성음화시키면 su가 된다. su음을 낼 때 혀가 입천장에 닿을까말까 하면 된다.

4. th음 (thin, them)은 혀를 웃니와 아랫니 사에에 끼고 내는 소리. 혀를 이빨 사이에 밀면서 낸다. thin할 때는 무성음, them할 때는 유성음.

파찰음

church의 처음에 나오는 ch음은 무성음으로, church의 뒤에 나오는 ch음은 마찰음으로 끝내는 소리다. judge의 j도 무성음으로 소리를 낸다. ch음은 t+sh음이 나오는 것으로 알고 있으면 된다. white shoes를 빨리 발음하면 why shoes와 똑같이 들린다.

쉬쉬음

sip, zip, shoe, leisure, measure 속에 나오는 굵은 체의 글자들과 church, jug의 굵은 글자의 음을 쉬쉬음(치찰음;sibilants)이라고 한다. 이 음들을 생산할 때는 물을 끓일 때 쉬, 쉬, 쉬하고 나는 소리 (hissing noise) 같은 음이 나온다.

유음(流音)

1. l, r음은 물이 흘러가는 것과 같다고 해서 우리가 보통 유음 (liquids)이라고 하는데 한국사람들이 가장 힘들게 내는 음들이다.

2. l음은 혀의 앞부분을 입천장의 앞부분과 접촉시켜서 내는 소리. 한국사람은 l, r음의 발음을 할 때 ㄹ음에만 의지하기 때문에 l음과 r음의 음가가 구별이 잘 안될 때가 많다. 가령 rice(쌀)음과 lice(이)음이 구별되어 들리지 않기 일쑤다.

l음은 혀의 앞부분이 입천장의 앞부분을 대면서 내는 소리인데, 이때 혀의 양쪽 부분은 밑으로 쳐져 있다. 이것이 l음을 낼 때의 혀의 위치다. light 음을 미국사람이 내는 것을 한국사람이 잘 들어보면 마치 **을라이트**처럼 들린다. 그렇게 한국문자로 표기한 것처럼 발음하는 것은 아니지만 말이다.

3. r음을 낼 때는 단단한 입천장의 바로 뒤에 혀끝을 오그려(curl) 올려서 내는 소리다. 입천장에 혀가 닿는 것은 아니다. l음을 낼 때의 혀의 위치와는 다르다. 일부 유럽인들도 이 음을 내는 데 많은 고생을 한다. right 음을 한국사람이 잘 들으면 마치 **우라이트**처럼 들린다. 그렇게 한국문자로 표기한 것처럼 발음하는 것은 아니지만 말이다.

4. 영어에서 l과 r음은 유성음(목청이 떨리는 음). 그러나 만약 l이나 r 앞에 무성음이 올 때는 l, r음이 부분적인 무성음으로 바꾸어져버린다. please, price가 그 예다. please에서 l앞에 무성음 p가 와서 l음이 상당한 무성음으로 난다. price도 r앞에 무성음 p가 와서 똑같은 현상이 나타난다.

5. 영어에서의 l음은 유성음이지만 다른 나라들의 경우는 이 음이 무성음인 경우가 압도적으로 많다. 그러니까 한국에 없는 음이어서 한국사람이 l음 때문에 고생하는 것이다.

반모음들

1. y, w는 반모음. 소리를 낼 때 입 속의 공기의 흐름이 방해를 거의

받지 않고 나는 소리. wright음과 right음이 같게 들리는 것은 그런 까닭이다.

2. y나 w는 그 앞에나 또는 뒤에 모음이 반드시 따르는 것이 특징이다. 그렇지 않으면 영어의 음이 아니다. 우리대학 영어교육과 과장이 폴란드계 미국인인데 성(姓)이 Mly로 시작한다. 이런 음은 영어에는 없기 때문에 누구도 제대로 발음하는 사람이 없어서 항상 당사자에게 "그 음을 어떻게 발음하느냐?"고 물어서 부른다. y 앞에 자음 l이 오는 단어 형태는 미국인으로서는 보도 듣도 못한 소리이기 때문이다. 외국어 학습자에게 발음교육을 시킬 때 영어철자에는 없지만 문자를 조합하여 의미가 없는 문자의 집단을 쓰도록 해서 영어음처럼 내도록 해보는 훈련을 한다. 영어의 발음 틀(pattern)에 익숙해지는 데에 도움이 되는 방법으로 많이 쓰고 있다. 말하자면 영어발음을 창조해보는 것이다. 교사는 학습자들이 쓴 것을 보고 이런 음은 이러저러하기 때문에 영어음의 범주에는 안들어간다, 불어에는 들어갈지 모르지만 영어에는 없는 음이다, 는 식으로 지도하는 것이다. 한국사람들도 영어발음을 배울 때 이런 훈련을 해봄직하다.

3. y, w음을 내려고 할 때는 가까이 있는 모음으로부터, 또는 모음쪽으로 신속히 미끄러져 나와야 제 음가가 나온다. wright에서 보듯 w 가까이 모음 i가 있어서 w음은 날까말까 하고 순식간에 미끄러져 나간다.

좋은 예가 하나 있다. 한국의 현대 그룹이 자동차를 굴려 미국시장에 진출했다. 현대의 영문표기는 HYUNDAI. 그러나 HYUNDAI를 "현대"로 발음하는 미국인은 내가 본 바로는 없다. 모두 "헌대이" 비슷하게 발음한다. 영어로 "현대"하고 발음할 수 없어서 그러는 것은 아니다. 영어에서는 h로 시작해서 y가 바로 뒤따를 때 즉 hy로 시작하는 단어는 "하이" 아니면 "허" 비슷한 두 발음밖에 없다. 도저히 이

HYUNDAI 영문표기로는 "현대이"하고 나올 수밖에 없게 돼있다. Y는 순간 미끄러지고 H와 U가 금방 연결되어 그렇게 들리는 것이다. 앞서 말한 y음의 설명에서 "가까이 있는 모음으로부터, 또는 모음쪽으로 신속히 미끄러져 나와야 제 음가가 나온다"고 한 것을 생각하면 그 이유를 금방 알 수 있다. 미국의 TV광고에서도 역시 "현대이"처럼 말한다. 미국사람들에게 HYUNDAI로 써놓고 "현대"로 발음하게 하려면 그 표기를 보여주고 발음의 시범을 해주면 된다. 미국의 한인교포들은 이를 두고 "미국친구들은 현대 발음 하나 제대로 못하느냐?"며 불만을 표시한다. 그러나 영어음의 패턴이 그런 것을 어쩌겠는가. 상호나 물건의 영어표기로 한국 음가를 내게 하려면 이런 영어발음의 특성을 미리 살펴보아야 할 것이다.

4. 미끄러진다고 말했는데 이것은 신속히 이웃 음으로 옮겨가는 것을 의미한다. 굴러져서 부분적으로 자음 또는 모음으로 들리기도 하기 때문에 반모음이라고 한다.

5. y를 실제 발음할 때는 혀를 입천장의 앞부분으로 올려서 낸다. 그래서 yellow가 마치 얼른 들으면 **이옐로우** 비슷하게 소리가 난다고 할까.

6. w는 혀의 뒷부분을 입천장의 뒷부분을 향해 올리면서 동시에 입술을 동그랗게 만들어 내는 소리. 만일 "오십시오."라는 한국 말을 미국사람이 할 때는 "오"음을 낼 때 입모양을 아주 동그랗게 해가지고 요란스럽게 낸다. 그러나 한국사람은 입모양을 별로 바꾸지 않고 "오십시오."하고 말한다. 만일 누가 유리창 저 쪽에서 "오십시오."라는 소리를 했는데 입모양만 가지고 무슨 소리를 했는지 알아 맞추어보라면 알아맞추기가 쉽지 않은 것이 한국어다.

발음은 원어민의 지도가 꼭 필요하다. "Help me!"라는 영어발음은 얼른 들으면 우리 귀에는 "헤어프 미"처럼 들린다. l음은 흔히 모음 다음에 올 때 소리가 잘 들리지 않고 마치 약한 한국말 "어"음처럼 들린다. 이런 것은 원어민과 상접활동을 통해서만이 습득할 수 있다.

세계의 언어가 흘러든 영어

영어가 세계에서 가장 많은 사람들이 사용하는 언어는 아닐지라도 세계의 가장 많은 지역에서 쓰는 언어인 것만은 틀림없다. 그 이유는 무엇일까. 16세기경 영국은 세계에서 가장 중요한 바닷길을 개척하고 상선을 보내 세계 각지와 교역을 활발히 했다. 게다가 탐험대, 선교사들이 세계의 곳곳을 찾아갔고 뒤따라 군대와 정착민들이 영어를 가지고 갔다.

그렇지만 영국인은 새로운 땅을 발견하고 탐험한 첫번째 사람들이 아니었다. 포르투갈인들은 오스트레일리아에 영국인보다 먼저 갔고, 네덜란드인들은 뉴질랜드에 영국인보다 앞서 닻을 내렸다. 노르웨이 탐험가들은 북아메리카에 먼저 발을 디뎠다. 그러나 이들 선발대들은 뒤를 이어준 사람들이 없었다.

오늘날 영어가 세계에 널리 쓰이게 된 가장 큰 이유는 북아메리카의 언어가 되었다는 사실을 꼽을 수 있다. 1788년 북아메리카의 인구는 4백만 명 정도. 오늘날 중국, 인도, 러시아는 미국보다 많은 인구를 가지고 있지만 자기나라 밖에서는 거의 그들 언어는 쓰여지지 않고 있다. 미국의 인구는 이들 나라의 뒤를 이은 2억2천만명. 독자들도 알다시피 미국인의 선조들은 독일, 이태리, 오스트리아, 러시아, 헝가리 등 세계각지에서 왔고, 그들이 가지고 온 언어들이 많이 영어 속에 자리잡았다. 이러한 역사적 배경을 가지고 있어 영어의 어휘가 다양하고 풍부해진 것. 물론 그 이전에 영어의 역사를 형성한 라틴, 그리스, 프랑스어 들의 많은 어휘가 영어로 흘러들어가 영어의 구성분자가 되었다. 오늘날 영어는 과학, 외교, 정보, 유통면에서 막강한 파워를 갖고 세계

각지에서 현재를 이해하고 미래를 열어가는 국제어의 위상과 권위를 지니고 더욱 널리 쓰여지고 있다.

다음에 우리가 흔히 쓰는 영어 가운데 영어권 밖에서 흘러들어온 말들을 예로 들어 본다.

yacht(네덜란드), matador(스페인), gong(말레이), bungalow(인도), piano(이태리), kangaroo(오스트레일리아), robot(체코), zebra(아프리카), caravan(페르시아),

fiord(노르웨이), chimpanzee(아프리카), boomerang(오스트레일리아), cafe(프랑스),

waltz(독일), piccolo(이태리), judo(일본), kiwi(뉴질랜드 마오리족), tomahawk(인디안), vanilla(스페인), broccoli(이태리), mosquito(스페인), skipper(네덜란드), oasis(이집트), shampoo(인도), umbrella(이태리), sauna(핀란드), budgerigar(오스트레일리아), ballet(프랑스), kindergarten(독일), gondola(이태리), orangutan(말레이), igloo(에스키모), tea(중국), vodka(러시아)

웬 파닉스?

소리와 문자의 관계

파닉스(phonics)는 본래 영어를 모국어로 하는 아이들을 위해서 생겨난 것이다. 외국어로서 영어를 배우는 사람하고는 아랑곳없이 자기 나라의 국어 때문에 생겨난 것. 한국어로는 적절한 번역이 안된다. "The study of speech sounds(언어음성 자체의 연구)"를 목표로 하는 발음, 발성과 관련한 음성학(phonetics)은 따로 있다.

한 마디로 문자와 소리의 관계만을 표시해주는 것이 파닉스다. 왜 영어에서 옛날부터 파닉스가 나오지 않으면 안되었는가. 소리나는 대로 문자를 쓰는 한국어와는 달리 영어는 알파벳 자체가 갖고 있는 본래의 소리와 한 낱말 속에서 쓰여질 때의 소리가 다른 것이 너무나 많다. 영어가 모국어인 아이들한테는 무슨 말이든 구두언어로 귀에 들려올 때는 아무런 문제가 없다. 아이적 집에서 "학교(school)"란 말을 자주 들었는데 학교에 들어와 막상 책을 펴보니 "학교"의 철자가 k자 문자로 표시되어 있는 것이 아니라 ch로 표기되어 있어 아이는 아찔한 느낌을 받는다. 그 아찔함을 도와주기 위해서 생겨난 것이 파닉스다.

가령 한국의 아이가 집에서 "넙다"라는 소리를 늘 듣고 지내다가 학교에 들어갔는데 책에 "넓다"라고 쓴 문자를 선생님이 "넙다"하고 소리내어 읽는 걸 본다면 아찔하지 않겠는가. 다행히 한국어는 소리나는 대로 표기하는 좋은 문자이므로 영어에서와 같은 혼란은 일어나지 않게 돼있다.

부산의 한 교사가 내게 편지를 보내왔다. 영어학습의 최고의 방법인데 "왜 파닉스를 시원치 않다고 하십니까?" 항의를 한 내용이었다. 서울에 갔을 때 어떤 학부형도 내게 파닉스가 영어교육의 교수법인 것으로 들었다면서 내게 설명해주기를 요청했다.

흔히 학원 같은 데 가면 교사가 "Say after me."하고 철자에 따른 발음하는 법을 보여주며 가르쳐주는데 무엇이 어떻느냐 하는 것이었다. 철자에 따른 혀와 입의 모양을 자세히 밝히고 "소리"를 생산하는 장음, 단음, 액센트 등 발음이나 발성에 대해서는 이론을 정립시킨 포네틱스라는 음성학이 따로 있다. 파닉스는 발성법을 가르치는 것이 아니라 영어를 모국어로 공부하는 아이들이 처음 문자를 접했을 때 어떤 철자에서 어떤 음이 나오는가, 이것을 가르쳐주려고 하는, 즉 "문자"와 "음성" 사이에 다리(교량)를 놓아주는 도움을 맡고 있는 것이 바로 파닉스다. 예컨대 school, chemistry의 ch는 k발음이 나온다. 단어 자체를 소리나는 대로 skul, kemistry로 쓰면 이렇고 저렇고 할 것이 없는데 단어에서 문자 표기가 왜 그렇게 달리 표기되는가. ch가 모두 k발음으로 통일되어 나오느냐 하면 그렇지도 않다. 가령 chair, cheer같은 단어는 미국사전에서는 [ch], 한국사전에서는 [tʃ] 발음이 나오고, chic(멋진), chauffeur(운전사)의 ch는 미국사전에서는 [sh], 한국사전에서는 [ʃ]로 발음이 난다. 이렇게 같은 철자도 단어에 따라서 소리가 달리 나온다.

영어는 이처럼 말소리와 다른 문자로 표시되는 글이 한두 가지가 아니다. 이 때문에 파닉스가 소리와 문자와의 관계를 밝힌 여러 가지 규칙들을 가르쳐주고 있다. 그러므로 파닉스는 영어교육의 한 "부분"을 맡고 있는 데 지나지 않다. 파닉스는 다시 말하지만 교육 방법을 왼통 도맡고 있는 것이 아니고 문자와 소리의 관계를 정리해서 모국어 학습자에게 가르쳐주는 것이다. 그런데 오늘날 미국에서 파닉스는 소리와 문자의 관계를 표시하는 한 묶음의 "규칙들"이긴 하나 일률적으로 딱 들어 맞는 것이 아니어서 인기가 시들한 형편이다. 파닉스가 말해주는 규칙에 예외 사항이 너무나 많기 때문. 이러한 파닉스에 매달려 가지고는 리딩(독해)교육을 시키는데 오히려 더뎌진다고 해서 시들해지게 된 것이다. 그렇다고 파닉스가 전혀 필요없다고 하는 것은 아니다. 그것은 수업중에 텍스트에서 나올 때마다 가르쳐주면 한 "상황" 속에서 "규칙"으로서 따로 격리시켜 지도하는 것보다 더욱 효과적이다. 호울 랭구이지가 이 일을 하고 있다. 따로 떼어서 학습장 속에서 괄호 넣기, 밑줄치기 등등으로 엄청난 시간과 정열을 바쳐 매달리기에는 비생산적이라는 이야기다.

부시 대통령때 부통령을 지낸 퀘일이 미국대선 캠페인을 벌이면서 미국의 초등학교에 들어가 칠판에 tomatoes를 썼는데, 철자를 틀리게 썼다. 교실에 있던 어떤 학생이 철자가 틀린 사실을 지적해 미국 매스컴에 가십기사로 나온 일이 있다. 상대방 후보측은 도대체 공부를 어떻게 했길래 "감자"를 "감재"로 쓰느냐는 식으로 공격을 해 쌍방이 서로 설전을 벌인 일이 있다. 말하자면 퀘일은 파닉스를 모른다는 것이었다. 부통령의 철자가 틀린 사실을 지적한 그 꼬마 학생은 사전출판 회사의 광고 모델 제안을 받기도 했다. 소리를 무슨 철자로 표시하느냐. 일반인들도 철자를 쓸 때 퀘일처럼 가끔 틀릴 수 있으나 어쨌든 파닉스의 임무는 소리와 철자와의 관계를 밝히는 데서 끝난다.

파닉스의 문제점

파닉스가 지니고 있는 문제는 당초 영어 철자법이 17세기때의 영어 철자, 영어의 낱말들이 발음되었던 것에 따라 만들어진 것이어서 옛날에는 지속적으로 맞았으나 오늘날엔 철자법과 소리에 안맞는 것들이 너무 많다.

한 마디로 그 시스템이 이제는 잘 적용되지 않는다. 문자와 소리의 규칙적인 관계가 옛날에는 잘 적용이 되었으나 오늘날에는 그렇지 못하다.

전형적인 파닉스 규칙을 하나 인용하자. "두 모음들이 나란히 걸어 갈 때는, 앞에 가는 놈이 말을 하지, 뒷놈은 소리없이 따라가기만 한다." 이 규칙에 찰떡처럼 맞아들어가는 낱말이 read이다. e라는 모음과 a라는 모음이 나란히 산책을 하고 있는데, "앞의 e는 [e]하고 긴 모음의 소리가 나며 뒤에 따라가는 a는 소리가 나지 않는다." 라는 멋진 "규칙"을 따라 "reed"와 같은 발음을 해야 한다고 Phonics는 가르치고 있다. 이와같은 매력적인 "규칙"이 100%로 적용이 된다면 Phonics의 지위는 지금처럼 하락하지 않았을 것이다.

클라이머(Clymer)라는 학자가 1963년에 조사한 바에 따르면 이 전형적인 [ea] 규칙의 파닉스는 45%밖에 맞지 않았으며 미국초등학교 1학년 학습자료에 자주 나오는 낱말들의 "철자"에 도움이 안되었음이 나타났다. 많이들 주장해왔던 "규칙"의 찬란한 "시스템"으로 한때 군림했던 Phonics는 "철자"를 예측하는 데도 자주 정확치 못하다는 이유 때문에 "규칙"의 묶음이라고 하기에는 이미 "자격"도 없는 "통칙"을 여전히 가르치고 있다는 비난을 면치 못하는 신세가 되고 말았다. 따라서 파닉스만을 떼놓고 가르쳐서는 활용이 안된다. phonics가 안고 있는 또 하나의 치명적인 문제는 독해는 의미구축의 과정인데, 파닉스는 이 과정을 전혀 가르치지 못한다는 것이다.

그렇다면 "reading=comprehension"에 기여하는 phonics의 역할이 어떻다는 것은 자명한 일이기도 하다. 많은 phonics 지지자들은 reading 교사들은 마땅히 phonics 지도에 되돌아가야 한다고 확신하고 있으나, 기원전 약 3000년부터 reading 교사들은 phonics를 지도하지 않았음이 reading 학습지도의 역사적인 사실로 판명이 되었다.

1930년대 미국에는 파닉스 신봉자들이 많았다. 고대 희랍에선 reading 교사들은 함께 큰소리로 읽으면서 reading을 지도했다. 교사와 학생들이 노래하듯이 읽는 방법 즉, 합창하는 형식으로 가르쳤다. 왜? 음절별로 가르치기 위해서였다. 고대 로마의 reading 교사들도 그리스와 마찬가지였다. (Mathews, 1966)

그리스어는 모든 문자 하나하나마다 한 "음소(phoneme)" 또는 "소리"를 갖기 때문에 phonics는 쉬웠다. 재미있는 것은 30분 만에 여러분은 그리스어 읽는 것을 배울 수가 있다. 물론 한 "낱말"의 뜻도 이해 못하지만 문자 하나하나의 소리를 구두로 생산할 수는 있다는 것이다. 이런 것을 reading이라고 할 수 있을 것인가? 영어는 다르다. 그리스, 로마 교사들은 파닉스의 규칙을 안 가르치고 음절만 가르쳤다.

파닉스의 규칙들 중 신뢰도가 높은 것

한국에서 파닉스에 대한 관심이 있는 것같아 보다 자세히 파닉스 이야기를 계속한다. 미국대학에서는 영어교육과 학생들에게 파닉스 규칙 가운데 최소 75% 이상 적중해야 의미가 있는 것으로 가르친다. 즉, 75% 이상 맞추지 않는 파닉스 규칙은 지도할 의미가 없는 것으로 간주한다.

다음은 1983년 파닉스에 대한 여러 규칙들의 신뢰도를 학자들이 조사한 것인데, 앞서 말한 파닉스 규칙 중 평균 45%를 넘는 적중률을 보인 규칙들을 중심으로 분석한 것이다.

1. 한 자음과 마지막 음이 e가 따라올 때는 그 앞모음의 장모음들은 보통 장모음이다. (take, mice, lone)―77~87%

2. 한 낱말의 가운데 두 모음들이 있을 때, 두 모음들 사이에 둘 이상의 자음이 올 때는 두 자음들 사이에 분기선을 끊는다. (mat-ter, sen-tence)―78~88%

3. 두 모음 사이에 한 자음이 올 때는 앞에 있는 모음은 흔히 장모음이다. (va-por)―24~52%

4. 한 낱말 속에서 두 자음들 사이에 모음 하나가 낄 때는 그 모음은 대개 단모음이다. (tap；tin-sel；stop)―66~69%

5. r이 한 모음을 뒤따를 때, r과 상관없이 그 모음은 보통 그 모음의 본디 소리를 유지한다. (fir；further；tire；car；for)

  a. r이 i의 뒤에 올 때(ir)―100%

  b. r이 u의 뒤에 올 때(ur)―100%

  c. ire로 쓰여질 때―100%

  d. r이 a의 뒤에 올 때(ar)―74%

  e. r이 o의 뒤에 올 때(or)―50%

6. e, i, y 앞에 g가 올 때는 그 g가 본디 음을 갖지 않고 j음을 갖는다. (gem, gin, gym)―70~81%

7. 한 낱말이 자음으로 끝나면서 그 뒤에 곧 le가 따라올 때는 각 자음 앞에서 분할시킨다. (ma-ple；sin-gle)―95~100%

8. 낱말의 음절이 둘 이상이고 y로 끝날 때 그 y는 보통 길게 e음으로 난다. (cand-y；definite-ly)―91~94%

9. 낱말이 e로 끝나고 그것이 유일한 모음일 때 항상 그 모음은 장모음이다. (me；he；she)―100%

뉴욕주립 대학 자체에서 설립한 것은 아니지만 파쓰댐의 뉴욕주립대학 내에 유치원이 있다. 이 유치원에서는 아이들에게 호울 랭구이지 식으로 가르친다.

10. 두 모음이 함께 올 때는 보통 처음 오는 모음이 장모음이다. (bait；boat；feet) —67～78%

11. 낱말이 ge로 끝나는 말은 j음을 낸다. (page；edge) —100%

12. 낱말에 이중자음이 올 때는 한 자음의 음을 낸다. (mitt；grass) —100%

13. 낱말의 끝이나 중간에 이중자음이 올 때는 한 자음의 소리를 낸다. (settle；gross) —100%

14. 문자 c 뒤에 e 또는 i가 따를 때는 c가 s음을 낸다. (center；concede) —89～90%

15. 낱말 중에 kn이 올 때는 k는 소리가 안 난다. (know；knit) —100%

16. 낱말의 처음에 wr이 올 때 r 하나의 소리만 내면 된다. (write；wring) —100%

17. 액센트가 없는 음절에서 모음 소리는 아주 약하게 들린다.

(pen-cil;towel;gar-den;let-tuce)—49%

18. 낱말 끝에 y가 올 때는 보통 y가 i 또는 e음으로 난다. (try;candy)—85%

19. 낱말 끝에 -ed, -er, -ing, -le가 붙고 한 모음과 한 자음으로 끝나는 낱말에서는 맨마지막 자음이 둘로 겹친다. (tip-tipped;hop-hopping)—90%

20. 모음이 nd, ld 앞에 올 때는 장모음이 올 때도 있고, 단모음이 올 때도 있다. (bend;field)—88%

21. 하나의 모음이 단어의 끝에 올 때는 보통 장모음이다. (candy)—64%

22. 낱말이 단음절이고 끄트머리에 y가 올 때는 그 y는 i음을 갖는다. (try)—55%

23. 낱말 속에서 a뒤에 l, ll 또는 lk가 올 때 a음은 똑같은 소리로 끝난다. (calm;call, walk)—47%

24. 강세가 있는 음절 속에 두 모음이 겹쳐 있을 때는 보통 장모음으로 소리난다. (meet-ing)—57%

25. 한 음절의 낱말이라도 두 모음이 서로 겹치면 보통 장모음을 낸다. (seek;soon)—59%

26. 낱말이 or로 끝나거나 or 다음에 하나 이상의 자음이 올 때는 or는 torn에서의 or처럼 소리가 난다. —50%

27. 마지막에 re가 오고 바로 앞에 한 모음이 올 때 그 모음은 장모음도 아니고 단모음도 아니다. (sure)—47%

28. y나 r앞에 er가 오면 그 모음은 very할 때의 그 소리와 마찬가지다. —48%

29. 낱말이 er ir, ur로 끝나거나 ern, irth, urn으로 끝날 때는 her의 er처럼 소리가 난다. —3%

30. 모음 o다음에 ld가 올 때는 o는 장모음이 된다. (cold;sold)―100%

31. ld나 ght 앞에 i가 올 때는 i는 장모음을 낸다. (mild;light)―75%

32. g가 낱말의 끝에 올 때 g음은 tag에서처럼 난다. ―46%

33. y가 낱말의 첫자로 올 때 yellow, yet에서의 y와 같은 자음의 소리가 난다. ―100%(한국에서는 이 y를 반모음이라고 한다.)

34. lk 가 단어의 끝에 올 때 lk는 하나의 음이 난다. (talk)―100%

35. mb가 낱말의 끝에 올 때는 앞에 있는 m소리만 난다. (dumb)―100%

36. x가 낱말의 끝에 올 때 x는 항상 k와 s소리가 들린다. (box)―100%

37. 낱말의 첫소리가 gh로 시작할 때는 항상 ghost의 g소리가 난다. ―100%

38. 낱말의 처음에 x가 올 때 x는 xylophone의 x음과 같다. ―0%
* Sorenson, 1983

이상이 파닉스의 여러 규칙 가운데 그 신뢰도를 조사한 몇 가지를 소개한 것이다. 보다시피 신뢰도가 100%인 것은 학습자들이 알아두면 좋겠지만 신뢰도가 많이 떨어지는 규칙은 알아놓았자 별 소용이 없다. 파닉스는 문자와 소리의 관계를 밝힌 것이지만 그 신뢰도가 평균적으로 볼 때 떨어지는 것이 매우 많은 편이다.

무엇을 어떻게 외지?

사람들이 말하기를 영어를 잘하려면 잘 외워야 한다고들 말한다. 수많은 낯선 어휘와 문장패턴, 까다로운 문법과 여러가지 용례…… 외려고 생각하면 골치가 지끈거릴 정도로 수없이 많다. 온통 모든 것이 다 외워야 할 것뿐인 것같기도 하다. 그래서 영어를 암기과목으로 치부하는 사람들도 있다. 확실히 그런 측면이 많이 있다. 기본적으로 외국어는 일단 기억되어 있는 기본 지식을 전제로 출발하기 때문에 암기력이 좋은 사람일수록 유리하다는 것은 절대적인 사실이다. 하지만 외는 것만 가지고 만사 OK인가 하면 그렇지는 않다. 말이라는 것은 여러 학자들이 주장하는 것처럼 사람마다 언어습득장치가 있어서 모국어를 익히는 환경과 비슷한 상태를 만들어 주면 애써 사전을 한장한장 씹어먹듯이 하지 않아도 터득할 수가 있다. 수학처럼 계산해들어가는 과목도 아니고, 화학처럼 실험실습을 통해 연구하는 학문도 아니다. 사람마다 실제 상황 속에서 자주 쓰고 닦고 하며 익히는 과정에서 터득해가는 신비로운 배움장치가 있다. 그러므로 일단 외운 것을 토대로 하여 자기자신의 언어신경 속에 완전히 자리를 잡을 때까지 간단없는 언어

사용을 통하여 외운 자료가 언어신경의 일부가 되어야 한다.

기본적으로 외는 부담을 져야 한다. 무엇을 어떻게 욀 것인가. 그것이 문제다.

〈단어, 숙어 1만어〉를 욀 것인가, 〈불규칙동사〉를 욀 것인가. 내가 아는 옛제자의 아들은 서울의 고등학교 3학년 학생인데, 영어 하나는 썩 잘한다. 내가 잘한다고 했으니 보통 잘하는 것이 아니다. 지난 3월에 서울에서 토플시험을 보았는데 580점이 나왔다. 어쨌든 고교생으로서 그만하면 잘한다고 할 수 있다. 이런 학생을 보면 나도 호기심이 생긴다. 학교에서 내가 주장하는 호울 행구이지 영어학습을 했으리라고 보기도 어려운데 어떻게 그만큼 하게 되었을까.

학생의 아버지되는 나의 옛제자로부터 들은 이야기는 이랬다. 아들이 중학교에 들어가서 영어에 호기심을 보일 때 중학교 2학년 영어교과서를 구해 첫과부터 맨끝 13과까지 본문을 달달 외게 했다고 한다. 일요일마다 되풀이해서 성경을 암송하듯이 외어바치게 해서 그야말로 2학년 영어교과서는 자다가 일어나도 어떤 과이든 줄줄 꿰게 되었다고 한다. 그랬더니 영어의 필수적인 기본 문형을 터득하고 그 다음부터 영어잡지도 보고, 〈미녀와 야수〉같은 비디오 테이프도 보면서 발음도 알아듣게 되더라는 것이다. 그래서 고등학교 1학년 겨울 방학때 영국문화원의 영국교사들이 가르치는 영어학습 과정에 등록하여 본격적으로 독해, 회화, 듣기, 쓰기 교육을 하게 했더니 실력이 부쩍 늘어 지금은 느리기는 하지만 별 불편없이 말도 하고 듣기도 지장이 없을 정도라고 했다. 영어책을 다 외면 고등학교때 미국에 어학연수 보내주겠다고 약속한 것을 지키느라 혼났다는 옛제자는 영어에 욕심을 부리는 사람이라면 현실적으로 학교 교육을 통해 영어를 자유롭게 말하고 듣고 하는 수준을 기대하기는 어렵다고 안타까워했다.

나는 옛제자가 소매를 끄는 바람에 그의 집을 방문했다. 그 학생은 마침 용산전자상가에 컴퓨터 부속품을 구하러 가고 없었다. 그의 공부 방에 들어갔더니 영어공부에 열중한 학생의 모습이 저절로 머리에 떠올랐다. 책상 위에 풀이를 마친 엄청난 양의 영어문제 프린트물, 빌보드 잡지, 페이퍼백 영어소설들, 영영사전…… 들이 아무렇게나 흩어져 있었다. 방에서 영어 냄새가 지독스럽게 났다. 중학교 1학년때 중2영어 교과서를 왼 사람이 다 이렇게 되는 것은 아니겠지만 학생의 열의를 후끈하게 느낄 수 있었다. 저녁을 마치고 차를 마시고 있는데 문제의 학생이 나타났다.

그는 미국 어학 연수 갔다온 이야기를 들려주었다. 미국대학의 어학 연수 프로그램에서 시험을 치렀는데 가장 높은 코스 바로 밑 9등급에 들어가 한달 동안 공부를 했다고 한다. 그 학급에서 한국 대학생들, 일본 대학생들과 함께 연수를 했는데 영어 공부에 별로 도움이 되지 않았다고 했다. 자기는 그래서 시간만 나면 뉴욕 맨하튼까지 기차, 버스를 타고 가서 롤러 블레이드를 빌려타고 싸돌아다녔다고 했다. 거리에서 생생한 어학연수를 한 셈이라며 씩 웃었다. 내 생각에 이 정도의 영어 실력과 적극적인 성격이라면 미국에 한두 달만 있어도 말하기가 상당 수준에 이를 것으로 판단되었다. 그 학생은 영어공부를 더 열심히 해서 컴퓨터를 전공하고 싶다고 했다.

어느 옛제자 아들의 영어공부 이야기를 간단히 했는데, 나는 여기서 두 가지를 말하고 싶다. 그 학생은 기본 문형과 어휘를 많이 외웠는데 모두 따로 단편적으로 왼 것이 아니라 문장과 함께 외웠다는 것. 그리고 그의 영어 공부 방법은 자기가 좋아하는 팝송잡지, 소설과 같은 흥미있는 자료를 가지고 했다는 것(그는 영어 교과서는 거의 손대지 않았다고 한다. 첫째 이유는 재미가 없어서). 그는 호울 랭구이지라는 말은 몰랐지만 이미 부분적으로는 호울 랭구이지 방법으로 공부하고 있었던 셈이다.

외는 것은 매우 중요하다. 그러나 외운 자료들을 토막 토막으로 써먹는 것에 끝나면 한 언어의 소유자가 되기는 어려운 일이다. 다양스러운 "상황"들 속에서 외운 기초 자료들을 확대시킨 창조적 문장들을 만드는 훈련을 해야 한다(외국인 학습자에게 외워도 늘 잊어먹기 마련인 외기의 부담은 고통스럽기조차 하다). 내가 어떤 학생의 이야기를 한 것은 많은 한국사람들이 영어를 하다가 중도에 포기하거나 좌절감을 느낀 나머지 영어를 하려면 미국이나 영국 본바닥으로 갈 수밖에 없지 않겠는가, 생각들을 하고 있는 것 같아서다. 물론 영어를 잘하는 방법의 하나로 영어권의 나라로 유학을 오는 것이 좋은 일이다. 그러나 그러려면 거기엔 한두 가지 문제가 따르는 것이 아니다. 경제적 부담, 문화가 다른 데서 오는 이질감, 외로움⋯⋯ 그런 엄청난 부담을 지는 만큼 어학공부를 하려는 최종 목적이 무엇인가를 깊이 생각해볼 일이다. 나는 지금 어학 공부만을 위해서 유학을 온다는 것에 대해서는 좀더 생각해볼 여지가 있다고 말하고 있다. 일선 영어교사가 1년 정도 연수를 오는 것은 목적에 부합되고 효과도 있다고 본다. 그렇지 않고서 단순히 영어 공부만을 위해서 유학을 오거나 한두 달의 어학연수는 재고할 필요가 있다, 는 것이 내 생각이다.

어느 고등학생의 경우에서 보듯 한국 내에서도 방법을 찾으면 좀 고통스럽기는 하지만 얼마든지 길이 있다. 실제 상황 속에서 공부하는 식으로 공부 방법과 환경을 바꾸는 것이 필요하고, 그보다 먼저 영어 공부를 하려는 목적을 확고히 가져야 하는 것이 필수적이다. 신념이 뚜렷하고, 지극한 바가 있으면 된다. 바이올린 주자가 훌륭한 바이얼리니스트가 되려면 2만 시간의 연습이 필요하다고 한다. 영어를 예술분야인 바이얼리니스트에 비할 것은 아니지만 영어의 경우도 많은 시간을 투자해야 한다. 한두 달 해보고 눈에 띄는 진전이 없다고 해서 뒤로 나자빠져서는 안된다.

미국사람들이 잘 쓰는 말

한국사람들은 일상어에서 그다지 많은 관용어를 쓰는 것 같지 않다. 대부분 말이 나타내주는 뜻 그대로 많이 쓰는 듯하다. 의미있는 속담이나 격언들이 많음에도 불구하고 그 언어적 재산이 별로 활용이 안되고 있다는 이야기다. 그러나 영어는 일반인들의 일상회화에서 관용어를 비교적 잘 쓰는 편이다. 단어 그 자체의 뜻만 가지고는 해석이 안되는 것들이 수두룩하다. 이것도 외국인 학습자를 당황하게 하는 것 중의 하나이다. 이것들도 역시 외국인 학습자들은 많이 외워 두어야 할 사항이다. 멋진 관용어를 많이 알아두고 있다가 실제 상황 속에서 활용하면 영어 정복에 큰 힘이 된다.

한국사람들 가운데는 관용어를 알고 있어도 엉뚱한 자리에 쓰는 일이 더러 있다. 이것은 처음엔 어쩔 수 없는 일이다. 아무리 이 관용어는 이러이러한 때 쓴다고 책에서 배웠지만 막상 실제상황 속으로 들어가면 곤란을 겪기 마련이다. 지금 상황에서 이 속담을 써야 할지, 저 격언을 인용해야 할지 자칫 어색한 활용이 될까 싶어서 주저하게 된다. 독자들 가운데 자신이 알고 있는 관용어를 글이나 회화에 어느 정도 사용했는지 생각해보면 금방 짐작할 수 있는 일이다. 역시 미국사람들과 자주 어울리면서 쓰임새를 터득할 수밖에 없다.

속담이나 격언에 관해서는 좋은 책들이 많이 나와 있다. 그렇지만 그 내용들 중에 실제로 많이 쓰이는 것은 어떤 것인지 잘 모르는 경우가 많다. 또 어떤 상황에서 적절하게 쓰이는지도 정확히 모르기 쉽다. 영어 원어민과의 대화에서 적확한 관용어 사용은 대화를 활기있게 이끌어가는 양념과도 같은 역할을 한다.

한국의 영어학습서에는 "How are you?" 다음에는 으레 "I'm

fine, thank you."로 나와 있다. 어찌 인사가 한가지 뿐이겠는가. 내가 있는 대학에서는 "How are you?"하고 동료교수나 학생들끼리 인사를 건네면 "Fine, and you." 이런 화답을 하는 사람도 있지만 그것 대신 "Hang in there."라고 하는 사람들도 많다. 앞의 말은 공식적이고 판에 박힌 말같은 느낌을 주지만 "Hang in there."는 좀더 개인적이고 친밀한 느낌을 준다. 물론 뜻은 같다. "Hang in there."를 굳이 설명하자면 철봉같은 데 매달려서 가까스로 버티고 지낸다, 즉 하루하루 버티면서 산다, 정도의 인사다. 미국이나 한국이나 인생살이는 고달프기 마련인가보다.

Drop me a line. 무슨 뜻일까. 독자들은 금방 궁금한 생각이 들 것이다. 미국사람들이 자주 쓰는 말이다. "나한테 편지해줘."라는 뜻이다. 표현이 재미있지 않은가. a line이 무엇을 의미하는지는 대뜸 짐작이 갈 것이다. 한 행(行)의 글. 그러니까 한줄이라도 좋으니(편지를 쓰는 데 한줄 쓸 사람은 없을 것이다.) 편지해달라, 편지해라.

미국 대학생들은 paper를 써내느라 무척 힘들게 대학생활을 한다. 교수마다 숙제를 내준다. 다음 강의 시간까지 과제물을 제출 안하면 절대 안된다는 엄명이 떨어진다. 이때 교수는 안경너머로 눈빛을 쏘아보며 I'll make no bones about it.이라고 한다. 뼈다귀를 추려내지 않겠다, 그렇게 지레짐작할지 모르지만 "～ 하기를 꺼리지 않다, ～을 솔직히 말하다."는 정도의 뜻. 그때까지 제출 안하면 안된다는 교수의 강한 다짐이 들어있는 말이다.

Don't judge a book by its cover. 말 그대로 하면 책을 볼 때 표지를 보고 내용을 판단하지 말라, 는 뜻인데, 대개 "외모를 보고 판단하지 말라."는 내용으로 잘 쓰인다. 겉을 중시하는 경향이 강한 사람들은 귀담아 들어둘 말이다. 책이야기가 나왔지만 미국대학의 서점들은 대개 학생들이 사용한 책들을 사들여 책표지에 "Used"라고 표기해놓고 정가의 반이나 3분의 1 가격으로 판다. 물론 새 책들과 나란히 전시해놓고 판다.

이상 몇 가지 예를 들어보았는데 이런 관용적 표현이 7백~8백개 정도 있다. 지면이 부족해서 따로 소개할 기회를 갖도록 하겠지만, 학습자들은 관용어를 많이 익혀둘 필요가 있다.

먼저 15,000단어를 외라

한국학생들은 단어를 무지막지하게 외운다. 어떤 사람들은 A부터 시작해서 알파벳 순서로 하루 몇 단어씩 목표를 정해놓고 돌격대식으로 외기도 하고, 참말같지는 않지만 사전을 한장한장 찢어가면서 씹어먹듯이 하는 사람도 있다고 한다. 대부분의 학생들은 단어장을 들고 다니며 비좁은 전철, 버스 안에서 왼다고 들었다. 내게 편지를 보내온 어떤 학생은 7만 단어가 들어 있는 사전을 반 정도 외웠다면서 그러나 영어가 신통치 않다며 안타까워했다. 그 열성이 대단하고 놀랍기만 하다. 학생 시절에 영어단어를 외는 이러한 전통적인 방식은 별다른 의문이나 개선책이 없이 대물림처럼 되풀이되고 있는 것 같다.

이러한 단어 암기 방식은 그러나 그 엄청난 노력에 비해서 너무나 비효율적이다. 전혀 효과가 없다고야 할 수 없지만 외는 순간에는 단어들이 금방은 머리 속에 들어와 있는 듯하다가도 얼마 지나지 않아 감쪽같이 다시 사전 속으로 되돌아가 버리고 만다. 외기와 잊어먹기의 지루한 대결이 되고 마는 것이다. 그러면 이러한 방식 말고 단어를 머리 속에 쏙쏙 저장하는 다른 방법은 없을까.

학자들이 연구한 바에 따르면 대학을 나온 미국사람들이 일상생활에서 쓰는 단어수는 최소 1만5천 단어라고 한다. 이 정도의 단어수는 미국 초등학교 3학년 정도면 다 알아들을 수 있는 단어의 양(量)이다. 물론 전문직에 종사하는 사람들은 이 단어수에 자기 분야의 단어가 추가된다. 그러니까 영어를 공부하는 한국사람들도 1차 목표를 이 정도에 맞추어야 한다는 계산이 나온다. 한국에서 중고등학교 영어과정을 마치면 어느 정도의 단어를 알게 되는지 자세히 모르겠지만 아마 대학을 졸업해도 특별한 경우가 아니면 1만5천 단어를 알고 있기가 힘들 것이라는 생각이 든다. 사실 이 단어수는 영어를 배우는 외국인에겐 결코 적은 단어수가 아니다.

하지만 영어를 겉핥기로 배우려는 것이 아니라 한번 파보고 싶다는 학구열이 절실한 사람에게는 1만5천 단어는 필히 넘어가야 할 작은 산봉우리에 지나지 않는다. 영어를 막힘없이 구사하고 쓰는 데 필요한 단어수는 이보다 좀더 높은 산봉우리가 기다리고 있다. 2만~3만 단어가 요구된다. 후유, 하고 한숨을 쉴 일이 아니다. 단어 정복에도 전략이 필요하다는 말에 귀기울여주기 바란다. 그 방법의 하나로 미국 초등학교에서 저학년 학생들에게 어떻게 단어지도를 하는지 소개한다.

word bank 만들어 단어 왼다

학생들은 각자 자신이 만든 word bank가 있다. 학생은 교과서나 동화책에서 자기가 잘 모르는 단어가 나올 때는 그 단어와 뜻을 카드에 옮겨 적는다. 그리고는 그 옆에 단어의 뜻을 그림으로 그려 놓는다. 물론 그 그림은 단어를 그림으로 해석한 자기의 그림언어인 셈이다. 그리고 나서 단어카드 뒷면에 그 단어가 들어있는 문장을 적어놓는다.

용례다.

학생은 word bank에 정리된 단어카드를 뽑아들고 단어를 본다. 얼른 뜻이 생각나지 않으면 먼저 그림을 본다. 그 단어를 보고 자신이 그려 놓은 그림을 보면 단어의 뜻이 생각난다. 그리고 나서 이 단어가 어떤 문장 속에서 어떻게 쓰여졌던가를 알아보기 위해 단어카드 뒷면에 쓰여진 문장을 본다. 이런 식으로 단어를 정리하고 기억한다.

미국의 초등학교 교사들은 학생들에게 네 단계의 과정을 거쳐 단어를 익히게 한다. 그 과정은 이렇다. 먼저 문장을 제시한다. 제시된 문장을 본 학생은 어떤 단어 때문에 걸리는 부분이 생겨난다.

"쟌, 이 단어의 발음을 해보렴."

학생은 자신이 모르는 단어 같으면 선생님의 발음을 듣고 그것이 전에 누가 말했던 것이라는 것을 알아차리거나 모른 채로 있다. 셋째 단계는 그 문장을 처음부터 끝까지 읽게 한다. 모르는 단어를 다른 낱말이 도와주는 것이 없느냐고 묻는다. 사전을 펴보게 하면 안된다. 둘째, 셋째줄에 가서 의미상으로 모호하게나마 떠오르는 것이 있다고 말한다. 학생은 이 과정에서 익힌 자신의 사전인 "word bank"에 적어 놓는다.

영어 단어 외우기는 연상이론, 한 가지를 외면 그와 비슷한 것이 빨리 기억하게 된다는 이론을 곧잘 활용한다. 같은 낱말이라도 첫소리가 (이니시얼 사운드) 잘 기억이 되는데 첫소리가 같은 발음을 가진 낱말들이 다른 낱말보다 훨씬 잘 기억하게 된다. 사람 이름도 같은 첫소리로 나오는 이름을 골라 가르치면 훨씬 잘 발음을 기억하게 된다.

가령 apple의 a음과 같은 소리가 나는 단어들을 모아 문장 속에서 익히면 훨씬 잘 기억하게 된다. 이것은 연상이론(association theory)으로 내가 만들어낸 방법이 아니다. 힘을 덜 들이고 욀 수 있는 방법이다. 같은 접두사, 접미사 그룹을 역시 문장(상황) 속에서 익힌다든지 하는 방법도 생각해볼 수 있다. 이것이 호울 랭구이지 방법의 하나다. 잊지 말 것은 단어외기는 먼저 문장을 제시한 다음 익히기로 들어가는 순서를 밟는다는 것.

　단어 하나만을 따로 떼어 기억한다는 것은 내가 이 책의 다른 장에서도 언급했지만 원자재를 쌓아두는 것에 지나지 않는다. 아무런 연관성이 없는 흔한 단어장 같은 것은 아무런 소용이 없다. 왜? 상황이 없으니까. 가령 독자가 어느날 전철 안에서 한 여학생이 떨어뜨린 지갑을 발견하고 찾아주었다고 하자. 그래서 그 여학생으로부터 감사 편지를 받은 일이 있다든지 책을 한권 선물받았다고 하면 그 일이 쉽게 잊혀질 수 있을까. 아무리 오랜 세월이 지나도 안 잊어버릴 것이다. 왜냐하면 거기에는 생생한 상황이 있으니까. 단어외기도 마찬가지다. 무작정 단어를 외려들 것이 아니라 상황 속에서 알아야 진짜 쓸모가 있고, 자기것이 된다. 자기것이 되지 않으면 아무리 단어를 많이 외도 헛고생이 되기 쉽다.

　사람의 기억 종류에는 세 가지가 있다. (〈영어의 바다에 빠뜨려라〉에서 언급한 바 있다.) 하나는 센서리 메모리(sensory memory). 가령 TV 드라마에 많은 광고가 나온다. 그 광고들은 1, 2분이면 머리 속에서 사라진다. 아주 짧은 시간 기억되었다가 사라지는 기억이다. 다음은 단기 기억(short term memory). 광고가 나온 것을 메모지에 적어놓고 저것을 사야지, 하고 며칠간 기억하고 돌아다닌다. 그러다가 잊어먹는다. 마지막 장기기억(long term memory). 이 장기기억 창고에 저장된 것만이 자기것이 된다. 장기기억에 저장되려면 앞서 말한 연상과 상황이 의미와 결부되어 기억될 때 장기기억 창고에 저장되게 된다. 내가 고창중학교에 다닐 때 배운 많은 영어단어들이 그런 식으로 내것이 되었다.

읽기를 잘하려면

한국사람들이 영어를 배우는 목적은 무엇일까. 사람마다 다소 다르긴 하겠지만 어떤 목적을 가지고 영어를 배우든 독해(reading comprehension) 능력은 필수적이다. 설령 말을 못하고 쓰기를 잘못한다고 할지라도 읽기만큼은 거의 절대적으로 필요한 기능이다.

단어를 많이 알고 문법에 통달했다 할지라도 그것들이 독해(讀解)에 도움을 주지 못한다면 아무런 쓸모가 없다. 때문에 내가 늘 강조하는 것은 단어를 위한 단어, 문법을 위한 문법으로는 우리가 목표하는 진정한 독해에 이를 수가 없다는 것이다.

영문 독해를 생각하기 전에 한국어 독해를 먼저 생각해 볼 일이다. 듣기, 말하기를 잘한다고 해서 반드시 독해를 잘한다고 할 수 없다. 가령 수능고사 언어영역에 긴 글을 주고 이 글에 대한 여러가지 문제가 출제되었을 때 쉽게 답을 쓸 수가 있을 것인가. 독해문제는 국어의 경우에도 결코 만만치가 않다. 하물며 그것이 외국어인 경우에는 이중의 부담이 아닐 수 없다.

나는 대학에서 영어교육학의 여러가지 분야 가운데 특히 독해를 주전공으로 했다. 때문에 독해에 대해서는 특별히 할 말이 많다. 그러나 이 책에서는 독해를 잘하기 위해서 독자들이 갖추어야 할 것들, 독해 요령 등에 대해서 부분적으로 이야기를 하겠다. 다음 내용은 내가 다른 기회에 한번 했던 이야기를 손본 것이다. 보다 본격적인 책은 다른 기회를 기다려주기 바란다.

독해의 조건

독해를 잘하려면 필수적으로 갖추어야 할 조건이 있다. 그것은 첫째 언어학적 지식이다. 한 문장의 구조에 관한 지식, 문장이나 단락 속에 사용되는 문법은 물론 단어, 숙어, 관용구에 대한 분명한 이해를 말한다. 사전에 나와 있는 뜻을 아느냐 하는 것보다 문맥 속에서의 의미라는 것은 두말할 것이 없다. 문장에 의한 고등 추리력을 말한다.

John and his friend went to the ball game. They were lucky to get tickets for the game. They saw many people they know.

위 지문을 놓고 다음과 같은 독해질문을 출제한다.

1. Where did John and his friends go?
2. Where did they see the people?

위의 1, 2번 문제의 답은 제시된 문장을 연결해보면 쉽게 알 수 있다. 1번의 답은 "To the ball game", 2번의 답은 At the ball game 이다. 만일 2번 문제에서 장소를 알 수 있는 낱말이 없다며 "정답없음" 했다면 추리력이 낮다고 할 수밖에 없다.

둘째, 문장에 의한 추리력이다. 주어진 문장에서 낱말들이 가지고 있는 본래적 의미, 즉 표면적 의미를 넘어서서 내포적 의미, 즉 숨은 뜻까지를 찾아내야 한다.

When the first automobile show was held, Steve and Toby entered their steam car. It set a world's record by travelling one mile in two minutes and fifteen seconds.

위 지문을 놓고 다음과 같은 독해 질문을 출제한다.

What did Steve and Toby do with their car at the first automobile show?

① They enjoyed driving their steam car down the street.

② They entered their steam.

③ They raced their car.

④ They made a show of their steam car.

⑤ They made a show of themselves.

정답은 ③번이다. "그들은 차로 경주했다."는 뜻이다. "경주"라는 말은 본문의 어디에도 없지만 "It set a world's record by travelling one mile in two minutes and fifteen seconds."(그 차[It]는 1마일을 2분 15초에 달림으로써 세계기록을 수립했다.)는 문장을 통해서 경주했다는 사실의 추리가 가능하다.

셋째, 낱말이나 글쓴이가 제공하는 정보만으로 추리할 수 없는 독자 스스로의 지식이나 체험에 의지하여 하는 추리력이다.

독해는 전략이 필요하다

독해를 잘하려면 다음과 같은 몇 가지 전략이 필요하다. 무턱대고 소설을 읽듯이 줄거리를 따라가는 식으로 읽어서는 읽고 나서 무엇을 읽었는지 모르게 마련이다.

1. 알 수 있는 정보를 제목이나 그림, 도표 따위를 기초로 하여 미리 예측해본다.

2. 글의 내용을 시각화해서 마음 속에 그림을 그려본다. (사고력, 지식, 정보의 이용)

Toby had never dressed so fast before. While he ate, he told his mother and father what he had seen from his window.

위 문장의 "never dressed so fast before"(그토록 빨리 옷을 입은 적이 전에는 없었다.)에서 금방 떠오르는 것이 무엇인가. 토비가 뜻밖의 것을 보고 무엇인가 행동으로 옮기려는 급박한 상황을 그려볼 수 있다.

위 문장을 읽고 토비의 부모가 할 수 있었던 가장 적절한 말을 고르시오.

① They are going to put up a building.

② We want to watch everything. May we, please?

③ You should not have dressed so fast.

④ Have you finished your breakfast?

⑤ We have just finished our breakfast.

위의 지문에 대한 질문에 대한 대답은 꽤 고도의 사고력이 요구된다.

① 번이 정답이다. 왜 그런가? 독자들과 함께 추리를 해본다.

토비는 창밖에 보이는 건축공사를 부모는 이미 알고 있었으므로 토비의 흥분에 찬 말에 ① 번처럼 말할 수 있는 것이 당연하다.

② 번은 "모든 것을 구경하고 싶은데, 해도 좋겠니?"하는 뜻으로 부모가 자식에게 허락을 받는다는 것은 상식에 비추어 맞지 않다.

③ 번의 내용은 부모가 "그렇게 옷을 빨리 입어서는 안된다."하고 말한다는 것인데, 역시 상식이나 체험에 비추어 맞지 않다. 미국의 아이들은 어릴 때부터 방이 따로 있어서 자기가 챙겨입을 능력이 있는 나이에 도달하면 스스로 하기 마련이어서 부모가 자식의 옷입는 장면을 볼 때가 거의 없다.

④ 번은 온가족이 함께 식사하는 미국의 풍습에 비추어 토비가 특

별히 아프다던지 하는 그러한 상황이 아니라면 맞지 않다.

⑤ 번은 토비가 신기한 목격담을 하고 있는 상황을 고려할 때, "우리는 방금 아침 식사를 마쳤다."는 말은 문맥상 맞지 않다.

3. 모호하거나 확실하지 않을 때는 해결할 수 있는 방법을 찾는다. 그 방법은 낱말뜻, 관용구, 문법적 요소 등을 짚어본다는 뜻이다.

4. 글을 읽기 전에 치밀한 계획, 즉 목표를 세우도록 한다.

이것은 무슨 말이냐 하면 글을 읽기 전에 독자가 스스로 자신의 지적 현장(知的現場)을 검토해보라는 말이다. 자신의 지적 수준을 측정하여, 내가 이미 알고 있는 것들, 내가 갖고 싶어하는 것들, 내가 배우려 하는 것들이 어떤 것들인지를 확정지어보라는 뜻.

5. 글 속의 적절한 곳에서 요약할 수 있어야 한다.

요약의 핵심

요약의 핵심은 중심(주요) 사상을 기초로 꼭 필요하다고 확신하는 구체적 정보를 포함해 한 문장으로 써보는 것이다. 요약 기법의 습득은 독해력 향상의 절대적 요소이다. 요약을 잘하려면 글을 읽는 중에 중복되거나 사소한 정보는 삭제할 수 있는 연습을 한다. 중심사상 혹은 요지를 셋 이상의 구체적인 정보와 연결시킨다. 각 단락의 중심이 되는 내용, 그 내용과 밀접한 관계가 있는 구체적 정보를 하나로 묶어서 한 문장으로 작성한다. 더 삭제해서는 안될 핵심요소만 남았다고 판단되면 그 문장들을 하나의 단락으로 구성한다. 그것이 바로 요약이 된다.

이것은 특별히 중요한 것이므로 하나의 예를 들어 요약 과정을 살펴보기로 한다.

The Portuguese were the first Europeans to establish important trade links with China in the 1500's. The British, French, and

Germans soon followed. Europe wanted Chinese silk, tea, porcelain, and ivory, but it had little to offer in return except cotton textiles and opium. Although the Chinese tried to ignore or resist the foreign traders, two factors worked against them. The central government in China was weak, and the Europeans had superior weapons and ships. By the beginning of the twentieth century, the Chinese were unable to stop foreign interests from influencing their country.

이 문장을 요약하는 데 있어 첫째로 할 일은 이 글이 전하고자 하는 요지를 찾는 일이다. 첫째문장 The Portuguese······ in the 1500's. 는 "1500년대에 중국과 주요 통상을 맺은 첫유럽인들은 포르투갈 사람들이었다."는 내용.

둘째 문장 The British,······ followed. 는 "영국인들, 프랑스인들, 독일인들이 곧 포르투갈인들을 뒤따랐다."는 내용이다.

셋째 문장 Europe wanted··· cotton textiles and opium. 는 "유럽이 중국산 비단, 차, 자기, 상아 등을 원했으나 그 대신 유럽이 중국에 제공할 수 있는 것이라고는 면직물과 아편 이외에는 거의 없었다."는 내용이다.

넷째 문장 Although the Chinese··· worked against them.은 "중국인들은 외국통상인들을 묵살하거나 그것에 대항해보려고 시도했으나 두 가지 요인으로 말미암아 뜻대로 안되었다."는 내용이다.

다섯째 문장 "The central government··· weapons and ships. 은 "중국 중앙정부가 약했다는 것(첫째 요인)과 유럽인들은 (중국에 비해) 훨씬 뛰어난 무기와 함선을 소유하고 있었다(둘째 요인)."는 내용이다.

마지막 여섯째 문장 "By the beginning··· from influencing their

country."는 "20세기 초까지는 중국인들은 외국 세력이 그들의 국가에 영향을 미치는 것을 막을 수가 없었다."는 내용이다.

자, 그러면 글쓴이가 이 글에서 내린 결론은 무엇인가?

글쓴이는 여러 구체적인 정보들을 자세히 들면서 "China could not keep foreigners away."(중국은 외국인을 오지 못하도록 하지 못했다)라는 것을 주장하고 있다. 따라서 이 글의 요지는 바로 이 내용이며, 주제문은 여섯째 문장이다.

독자 중에는 이런 이야기를 하려면 요지만 알면 되었지 무슨 까닭으로 이러저런 군더더기를 썼느냐고 글쓴이에게 물을 사람이 있을지 모르겠다. 독자가 생각하는 대로 요지만 써놓으면

"중국인들이 외국의 침입을 막을 능력이 없었다."라는 것은 알겠지만, 왜 외국사람들이 중국을 탐냈으며, 왜 중국은 외국의 침입을 막지 못했는가, 하는 보다 구체적인 정보를 알 길이 없고 글쓴이가 주장하는 요지도 설득력이 없어진다.

자, 그러면 글에 나타난 중심사상을 꼭 필요하다고 생각하는 구체적 정보를 활용하여 한 문장으로 요약할 차례다.

중심사상:
중국인들은 외국인들의 통상 기도에 저항하려 했다.
그러나 중국은 외국 세력을 막을 능력이 없었다.
구체적 정보:
외국 통상의 문이 1500년대에 열렸다.
1900년(20세기)에 이르자 중국은 외국 세력에 속수무책이었다.
요약문에 들어가기 전에:
첫째, 둘째 문장은 모두 외국 통상에 관한 것이므로 the foreign trade라는 표현으로 충분하므로 다른 구체적인 정보는 포함시키지 않

는다.

셋째 문장에 밝혀져 있는 유럽인의 관심품목과 제공물품은 보류해 둔다.

넷째 문장은 중국의 저항 시도로서 충분하다.

다섯째 문장이 밝히고 있는 두 가지 대비 요인은 포함시키지 않아 도 좋다.

여섯째 문장은 주제문이므로 살린다.

이렇게 해서 요약문을 어떻게 써야 할 것인지는 결정되었다. 즉, 요 약문은 주요 정보를 근간으로 1500년대와 1900년대를 포함시켜 쓰도 록 한다.

Although China tried to resist the foreign trade that began as early as the 1500's, by 1900 the Chinese were not able to stop the foreign traders from influencing their country.

물론 독자들에 따라서 다른 요약문을 쓸 수 있다. 다른 표현의 요약 문 작성이 얼마든지 가능하다.

성공적인 요약문을 쓰려면, 첫째 요지와 그 요지를 뒷받침하는 극소 수의 구체적 정보만 추린다. 요약문을 쓰는 사람의 시각이 많이 들어 있어야 한다.

6. 글의 세부사항들을 훑어보고 확인한다.

글의 주제와 요지가 무엇이며, 그 주제와 요지를 뒷받침해주는 정보 를 살펴보라는 말이다.

The Summer Olympic Games are the biggest entertainment spectacles of modern times. Every four years they offer two weeks of non-stop pageantry and competition. (여름 올림픽 경 기는 현대의 가장 장대한 행사이다. 4년마다 올림픽 경기에서는 2주 동안 계속해서 화려한 구경거리와 경기가 열린다.)

동안 계속해서 화려한 구경거리와 경기가 열린다.)

7. 글의 다양한 사건과 다양한 상황진전의 순서를 결정한다.

한 주제를 여러 구체적 정보로 보고, who(누구), what(무엇), where(어디), why(왜) 등으로 분류하여 그것을 독자 스스로의 글에 넣어 작문 연습을 하면 독해는 물론 작문 능력 향상에도 많은 도움이 된다.

생각하는 것을 생각해 보기

8. 스스로 하고 있는 학습과정을 철저히 점검한다.

글을 읽을 때는 읽기 전, 읽는 도중, 읽은 후에 깊이 생각해보는 "생각하는 것을 생각해보기" 훈련은 사고 과정을 점검해보는 효과적인 독해 학습법이다.

이 훈련은 다음과 같은 방법으로 실천하면 크게 도움이 된다.

하나, 나는 독해 과정에 어떤 방법을 시도했는가?

둘, 글을 읽는 동안, 그리고 읽은 후 내가 처음 배운 것은 무엇인가?

셋, 요지찾기에 장애요인은 무엇이었는가? (문장구조, 낱말, 숙어, 관용적 표현, 속담 또는 글 속에 내포하고 있는 주제, 광범위하게 알아야 할 이미 배운 지식과 경험을 동원한다.)

넷, 위의 사항을 참고로 하여 독해 능력을 향상시킬 새로운 방법은 무엇인가?

이 밖에도 픽션, 논픽션, 시 등 장르에 따라 약간씩 다르게 전략을 짜야 할 것들이 있으나 여기서는 가장 보편적인 독해를 이야기하는 선에서 그친다.

미국에서 듣는 외국인들의 영어

다음은 한국인을 포함해서 미국에 와 있는 외국인 학습자들이 영어 사용 중 곧잘 잘못을 저지르는 분야이다. 나는 영어를 제2언어 또는 외국어로(ESL;English as a second language, EFL;English as a foreign language) 학습하는 사람들을 위한 교습법을 따로 공부하고 가르친 경험이 있다. 이때 특히 외국인 학습자들이 잘 틀리는 부분들이 무엇인지 알게 되었다. 한국에서 영어를 가르치거나 배우는 사람들은 이런 점들을 특별히 유의했으면 한다.

관사 쓰는 법이 많이 틀린다

관사 용법은 이 책의 다른 장에서 자세히 기술한 바 있다. 외국인들이 잘 틀리는 관사용법은 말하기, 쓰기에서 많이 틀린다. 특별히 어떤 특정 사항에서만 관사용법이 서투르다고 할 수 없는 형편이므로 굳이 여기에서 따로 말할 필요가 없을 것 같다. 다른 장에서 자세히 밝힌 "a 와 the의 확실한 용법"을 참고해주기 바란다.

동사에서 걸리는 문제들

다음 부분들에 대해서 특히 외국인들이 실수를 잘 저지른다.
주어와 동사의 일치.
동사형태의 잘못 사용.
시제, 법, 태의 문제들.

보조동사와 주동사의 일치

My cousin will **send** us photographs from her wedding.
We could **speak** Korean when we were young.

독자들은 위 문장을 보고 이런 것을 틀리겠느냐, 하고 생각할 사람이 많을 것이다. 그러나 3인칭 단수라 하더라도 앞에 보조동사가 있을 경우엔 원형동사를 써야 함에도 곧잘 s를 붙여서 말하기 일쑤다. 물론 쓰기의 경우엔 별로 틀리지 않지만 말하기에선 자주 무시된다. 예컨대 위 문장에서 send 대신에 곧잘 s를 붙여서 sends로 쓰기 일쑤이고, speak 대신 과거형 spoke로 쓰는 일이 다반사다.

보조동사 다음엔 원형동사가 온다는 것을 잊지 말 일. 또 보조동사 다음에 오는 본동사 앞에 to를 갖다대는 외국인들이 아주 많다. ought to하는 것 말고는 보조동사 다음에는 주동사로 바로 원형동사가 온다.

John *can* **drive** us home if we miss the train.

보조동사 do의 사용

do, does, did＋원형동사.
do는 다음과 같은 세 가지 용법으로 쓰인다.

1. 부사로서 not, never를 거느리고 부정의 뜻을 나타낸다.

Nozomi *does not* want any more dessert.

2. 의문문에서.

Did Jennifer buy the gift for Kate?

3. 긍정문에서 주동사를 강조할 때.

We *do* hope that you will come to the party.

have, has, had 뒤의 과거분사의 사용

have, has, had + 과거분사(완료시제).

과거분사의 형태는 보통 -ed, -d, -en, -n, -t로 끝난다.

Many churches in the city *have* offered shelter to the homeless.
(도시의 많은 교회들이 집없는 사람들에게 거처를 제공했다.)

Sookhee *has* not spoken Korean since she was a child.

보조동사 have, has, had는 때때로 will과 같은 또 다른 보조동사를 취하기도 한다.

By tomorrow, I *will* have driven seven hundred miles. (내일까지 나는 7백마일을 운전하게 된다.)

be + 현재분사(진행형)의 사용

보조동사 be, am, is, are, was, were, been은 -ing형태의 진행형 현재분사를 거느린다.

Richard *is* building his house on a cliff overlooking the ocean.
(리처드는 대양이 바라보이는 절벽 위에 집을 짓고 있다.)

Uncle Toby *was* driving a brand-new blue Corvette.

보조동사 be는 can, could, may, might, must, shall, should, will, would를 취한다.

Joanna will *be* going to Korea soon.

보조동사 been은 have, has, had를 취하기도 한다.

Tony **has** *been* studying Japanese for five years.

여기서 주의할 점은 다음의 동사들은 진행형으로 쓰지 못한다는 것이다. 일반적으로 이들 동사는 어떤 상태를 의미하거나, 마음 속으로 바라는 것을 표현하는 것들이다(물리적인 행위가 아님). 예를 들면,

appear, believe, belong, contain, have, hear, know, like, need, see, seem, taste, think, understand, want 등.

I **want**(am wanting은 안됨) to see Richard Burton's Fences at Broad Stage.

그러나 예외로 think, contain 등은 상황이 결정되었을 때 be+~ing가 가능하다.

My wife and I **are thinking** about going to the Bahamas. (바하마로 갈 생각을 하고 있다.)

be+과거분사(수동태)의 사용

문장이 수동태로 쓰여질 때.

Heather **was given** a special award for excellence in performing arts. (헤더는 뛰어난 행위예술로 특별상을 받았다.)

수동태는 am, is, are, was, being, be, been+(-ed, -d, -en, -n, -t로 끝나는) 과거분사라는 것쯤은 잘 알고 있을 것이다. 그런데도

아주 잘 틀린다.

New Kids On The Block *was* **written** by Seth McEvoy and Laura Smith. (뉴 키즈 언더 블럭은 세스 맥코비와 로라 스미스가 썼다. 같은 이름의 뮤직아티스트도 있다.)

The artists *were* **honored** for their work. (예술가들은 그들의 작품으로 영예를 받았다.)

보조동사가 be, being, been 일 때는 또다른 보조동사를 취해야만 한다.

Governor Thompson will *be* defeated. (톰슨 지사는 패배당할 것이다.)

Being을 쓸 때는 반드시 am, is, are, was, were가 앞에 놓인다.

Jimmy *was* **being** teased. (지미는 놀림을 당하고 있었다.) 교포들 가운데 이런 문장을 구사하는 사람을 본 적은 거의 없는 것 같다. 문장을 쓰라고 하면 열이면 열 사람이 Jimmy was teased. 라고 쓴다. being을 씀으로서 지미가 놀림을 당하고 있는 생생한 상태를 나타내는 표현이 된다. 이것을 무슨 수동진행형이 어떻고 문법적으로 이러쿵 저러쿵 꼬치꼬치 따지지 말 일이다.

Been은 have, has, had가 앞에 놓인다.

I *have* **been** invited to the conference. (나는 회의에 초대받았다.)

주의할 점은 occur, happen, sleep, die, fall과 같은 동사는 수동태로 쓰이지 않는다는 것. 왜냐고? 모두 자동사이니까. 타동사만이 직접 목적어를 갖고 수동태로 쓰여질 수 있다. 내 제자 중 한 사람이 옛날 대학에 다닐 때 교수가 꼭 "What was happened?"라고 말을 해서 틀린 것이 아니냐고 지적했다가 교수로부터 건방진 놈이라는 말을 들었다고 후에 내게 말한 일이 있다.

212

The auto accidence **occurred** last Saturday. (자동차 사고는 지난 일요일에 일어났다.)

조건문의 사용

조건문은 대개 두 가지의 상황이 제시된다. 보통 if, when, unless절과 독립절이 그것이다.

조건문의 종류는 사실(factual), 예상(predictive), 추리(진짜 가정법)(speculative)을 뜻하는 세 가지가 있다.

사실: 사실 관계를 표현한다. 이들 관계는 과학적인 사실을 말하는데 두 절에서 동사는 현재시제로 쓴다.

If water **cools** to 32°, it **freezes**. (물은 화씨 32도에서 언다.)

이 문장은 가정법이 아니다. "화씨 32도에서 물이 언다."는 과학적 사실을 말하고 있다. 조건문은 습관적인 사실로서의 현재, 과거를 나타낼 때 두 절이 같은 시제를 쓴다.

When Toby **bicycles** along the street, his sister **runs** ahead of him.

토비가 지금 자전거를 탄다는 얘기가 아니라 탈 때는…… 한다는 이야기다. 즉, 토비는 거리에서 자전거를 탈 때는 그의 누이가 앞에서 달린다.

Whenever the manager **asked** for help, I **volunteered**. (매니저가 도움을 요청할 때마다 나는 자진해서 나섰다.)

예상: 미래 또는 미래계획, 가능성을 서술하는 데 쓰인다. 이러한 문장에서 if, unless절은 동사 기본형이, 독립절에서는 will, can, may, should, might 를 쓴다.

If you practice every week, your performance will *improve*. (네가 매주 연습을 한다면 네 연기는 좋아질 것이다.) 예상해보는 조건문이다. 가정법이 아니다.

추리(진짜 가정법) : 추리 조건문은 세 가지 목적으로 쓰여진다. 이것이 **진짜 가정법** 문장이다.
1. 현재나 미래에 일어날 것같지 않은 가능성.
2. 과거에 일어난 일이 없는 사건에 대한 이야기.
3. 사실에 반대되는 조건에 대한 의심.

일어날 것 같지 않은 가능성

영어는 현재나 미래에서 일어날 것같지 않은 가능성에 대한 추측으로 if절에 과거시제를 쓴다. 독립절에서의 동사는 would, could, might+원형동사를 쓴다.

If I had the time, I would *travel* to China. (나한테 시간이 있다면 중국여행을 갈 수 있을 텐데.) 시간이 없어 못간다는 이야기다.

If Susan studied harder, she could *master* physics. (수잔이 더 좀 열심이 공부한다면 물리학을 마칠 수 있을 텐데.) 열심히 공부를 안해서 마칠 수 없을 것이라는 이야기다.

현재나 미래에서 일어날 것 같지 않은 가능성에 대한 추측으로 be 동사를 쓸 때는 was를 쓰지 않고 were를 쓴다.

Even if I were invited, I wouldn't go to the party. (내가 초대를 받는다 해도 그 파티에 가지 않을 것이다.)

일어나지 않은 사건에 대한 추측

과거에 일어나지 않았던 사건에 대한 추측과 과거에 실재하지 않았던 존재의 상태를 말하는 if절에서 과거완료를 쓴다. 독립절에서의 동사는 would have, could have, might have+과거분사.

If I had saved $5,000, I would have travelled to Seoul last year. (내가 5천달러를 저축했었더라면 작년에 서울여행을 할 수 있었을 텐데.)

If Grandmother had been alive for your graduation, she would have been very happy. (할머니께서 네가 졸업할 때 살아계셨다면 매우 기뻐하셨을 텐데.)

사실에 반대되는 가정

사실과 반대되거나 실재하지 않는 것에 대한 가정을 할 때 if절에서 were를 쓰고, 독립절에서는 would, could, might+원형동사를 쓴다.

If Grandmother were here today, she would be very happy.

I would make women's issues a priority if I were the president. (내가 대통령이라면 여성문제를 우선 취급할 텐데.)

문법시간에 달달 외다시피한 내용들이어서 틀릴 것 같지 않지만 실제 상황 속에서 익힌 것이 아니어서 외국어학습자들이 잘 틀리곤 한다.

동명사 또는 부정사를 취하는 동사들

어떤 동사들은 동명사와 부정사를 취하기도 하고(이런 동사는 그 수가 많지 않다.), 또 어떤 동사들은 동명사만을 취하고, 어떤 동사들은 부정사만을 취한다. 동명사를 취할 것인가, 부정사를 취할 것인가, 선택권은 동사가 가지고 있다.

동사 + 동명사 또는 부정사

동명사, 부정사를 자유롭게 취하는 동사들도 있다. 어느 쪽을 취하건 뜻에 있어서는 차이가 없다. begin, can't stand, continue, hate, like, love, start 등이 그것들이다. .

I love **playing** baseball.

I love **to play** baseball.

동명사를 취하느냐, 부정사를 취하느냐에 따라 뜻이 달라지는 동사도 있다.

remember, stop, try 등.

Richard *stopped* **speaking** to Steve. (리처드는 스티브와 절교했다.)

Richard *stopped* **to speak** to Steve. (리처드는 멈추고, 스티브와 이야기했다.)

동사 + 동명사

이들 동사는 **동명사만을 취한다.** (부정사를 취하면 안되는데도 외국인 학습자들은 곧잘 부정사를 써서 탈이다.)

admit, appreciate, avoid, deny, discuss, enjoy, escape, finish, imagine, miss, postpone, practice, put off, quit, recall, risk, suggest, tolerate 등.

Tom *enjoys* **skiing.**

동사＋부정사

이들 동사는 **부정사만을 취한다.**

agree, ask, beg, claim, decide, expect, have, hope, manage, mean, need, offer, plan, pretend, promise, refuse, wait, want, wish 등.

Kathy *plans* **to visit** her grandparents tomorrow.

동사＋명사(대명사)＋부정사

능동태 문장에서 어떤 동사들은 명사나 대명사를 동사와 부정사 사이에 취한다.

advise, allow, cause, command, convince, encourage, have, instruct, order, persuade, remind, require, tell, urge 등.

The instructor *encouraged* **Timothy** *to tell* the story of what he had done.

동사＋명사 또는 대명사＋to없는 부정사

어떤 동사들은 명사 또는 대명사를 거느리면서 표시없는 부정사를 취한다. 그런 동사는 많지 않다.

have, let, make 등.

Have your students **follow** the directions. (follow는 to없는 부정사.)

두 낱말로 된 동사의 사용

영어에서 많은 동사들은 전치사 또는 부사와 짝을 이루어 늘 어깨 동무하고 다니는 두 단어 동사들이 있다.

두 단어 동사는 문장만 가지고는 해석이 곤란한 숙어의 뜻을 표현한다. 예로 든 다음 문장을 볼 일이다.

I ran across Uncle Tom on the way to the store. (우연찮게 조우하다.)

Kevin dropped in on his education adviser. (기대하지 않은 방문)

Michael told me to look him up when I got to Seoul. (방문하다.)

어떤 두 단어 동사는 자동사여서 목적어를 취하지 않는다.

Mother got up at 6 this morning.

두 단어 동사가 타동사인 경우 직접목적어를 갖고 동사로부터 떨어진, 혹은 붙은 부사를 갖는다. 이 경우 목적어가 동사와 부사 사이에 놓인다. 원어민들은 이런 형태를 잘 쓴다.

The chairperson called the meeting off. (의장은 회의를 무산시켰다.)

부사를 동사 옆에 바짝 붙여 쓸 수도 있다.

At the last minute, the chairperson called off the meeting.

그러나 직접목적어가 대명사일 때 부사는 동사로부터 떨어진다.

Why was there no meeting? The chairperson called it off. (이 경우 called off으로 붙여 쓰면 안된다.)

두 단어 동사가 바짝 붙어다니는 경우도 있다. 이런 동사는 직접목적어가 동사와 부사 사이에 오면 안된다.

The principal will **look into** the matter. (이 경우 look the matter into로 하면 안된다.)

이상이 내가 본 미국에 와 있는 외국인들이 잘못쓰는 사항들이다. 외국인 학습자는 특히 이런 부분들에 대해서 철저히 익힐 필요가 있다.

쓰기를 잘하려면

영어의 문형을 익혀라

언어의 네 가지 기능 가운데서 가장 어려운 것이 쓰기일 것이다. 영어를 모국어로 하는 미국사람들도 쓰기를 어려워하기는 마찬가지다. 말하기, 듣기, 읽기는 잘해도 쓰기에서는 펜이 잘나가지 않는 사람들이 적지 않다. 여기서 쓰기는 두 갈래로 나누어 설명할 수가 있다. 하나는 공식적인 서류, 편지, 대학에서의 리포트 작성 같은 특별히 글재주가 없어도 기본문형만 익히고 있으면 해낼 수 있는 쓰기. 이것은 대부분의 한국사람들이 쓰기의 목표로 삼는 기능이다. 다른 하나는 수필이나 시, 소설 같은 작문을 하는 것으로 어느 정도 글재주가 있어야 할 수 있는 쓰기가 그것이다. 이것은 전문 글쓰기에 속하는 것으로 문학과 관련된 부분이 될 터이다.

한국말을 모국어로하는 한국사람들 가운데 말도 잘하고, 읽기(독해)도 잘하고, 듣기도 잘하지만 한국어로 쓰기를 하라면 손을 내젓는 사람들이 많다. 어쨌든 쓰기는 대체로 누구나 껄끄러워 한다. 내가 여기서 말할 수 있는 것은 첫번째 쓰기, 즉 영어의 문형을 익혀가지고 하는 쓰기다. 바람직하기로 하면야 헤밍웨이 같은 문장을 구사할 수 있으면 더 좋을 수가 없겠지만 그것은 매우 어려운 일이다. 적어도 문장가가 되려면 그 나라의 문화적 배경이 몸에 배야 하고 수많은 작품들의 독서를 통해서 훈련을 해야 하고, 많이 써보아야 하고, 그리고 무엇보다 어느 정도 문재를 타고 나야 하는 것이 아닌가 생각된다. 사실 외국인이 영어로 소설을 쓰는 일도 더러 있긴 하다. 그러나 그런 경우는 아주 특별한 경우에 속한다. 날더러 말하라면 영어로 글을 쓰는 작가가 되기는 어려운 일이라 하더라도 헤밍웨이, 존 스타인벡 같은 대문장가들의 작품들을 부지런히 읽어 그 사람들의 영어 문장구조를 몸에 익히면 그들이 구사하는 수사며 기법을 어느 정도는 배울 수가 있다고 본다. 좋은 글쓰기를 이야기하려면 한권의 책으로도 모자라겠지만, 나는 영어학자로서 미국 학교에서의 쓰기 교육이 어떤 식으로 행해지는지, 그것을 중심으로 말하려고 한다.

미국 학교에서의 글쓰기 원칙

미국에서는 초등학교 2학년 때부터 글쓰기 훈련이 시작된다. 학년이 올라갈수록 그 정도가 조금씩 높아지면서 글쓰기 훈련은 더욱 심화된다. 글쓰기 훈련은 보다 철저하게 이루어진다. 교사에따라 방법상 약간의 차이는 있겠으나 작문지도의 원칙은 대체로 다음과 같다.

우선 **글쓰기**의 **목적**을 뚜렷이 한다. 미국의 각급 학교에서 글쓰기 교육에서 학생들에게 가장 먼저 주지시키는 것은 첫째로 **자기자신을 표현하기** 위해서 글을 쓰라는 것이다. 두번째 글을 읽을 사람(독자)에게 **정보를 제공하기** 위해서, 세번째는 글을 읽을 **사람을 설득하기** 위해서, 그리고 네번째는 문학적인 **작품을 창작하기** 위해서다. 글을 쓸 때마다 학생들은 글을 쓸 때는 이러한 "글 쓰는 목적"을 늘 염두에 두게 된다.

그러면 어떤 식으로 **글쓰기 과정**의 지도를 하는 것일까. 글쓰기 과정이란 한국학생들이 하는 것과 다를 바가 없다. 한국의 교사들이 지도하는 방식과 다르지 않다는 이야기다. 글쓰기란 만국 공통의 법칙같은 것이 있다.

첫째, **기획**/아이디어를 수집하고, 어디에 중점(focus)을 둘 것인지 생각한다.

둘째, **조직**/수집한 아이디어와 자료들을 어떻게 조직할 것인지 생각한다.

셋째, **대강 써보기**/아이디어를 문장, 구로 대강 써본다.

"어버이 사랑"에 대해서 글을 쓴다고 가정하면, 원고지를 펴놓고 대뜸 첫단어부터 본격적인 글쓰기로 들어가는 것이 아니라 자신이 쓰려고 하는 어버이 사랑에 대한 글을 쓰기 위해서 수집한 아이디어를 막 써보는 것이다. 문장이 안되어도 상관이 없다. 그냥 간단한 구나 절의 형태로 써도 괜찮다. 아이디어만 집중해서 일단 대강 글쓰기의 스케치를 해보는 것이다. 전에 한국에서 교사로 있었을 때의 일이 생각나는데, "어버이 사랑"을 쓰라고 하면, 학생들은 대부분 작문이 이미 자신의 머리 속에 들어 있어서 머리를 조심조심 흔들기만 하면 밖으로 새 나오기라도 하듯 첫줄부터 완성된 글을 쓰려고 덤빈다. 애꿎은 파지만 잔뜩 쌓이고 글은 잘 이어지지 않는다.

넷째, **수정**/신중히 훑어보고 드래프트를 수정, 고쳐 쓰고, 자르고, 재배치하고, 다른 말로 바꾸고, 수집한 자료들을 취사선택하고, 이런 식으로 재조명한다.

다섯째, **편집**/문법적으로 정확한지, 구둣점, 종지부, 철자 등 글의 내용과 상관없이 기술적인 면에서 검토한다. 구둣점 문제는 한국의 국어 시간에 가르치는 줄로 알고 있으나 실제 신문, 잡지에서는 가까스로 쉼표, 물음표, 감탄부호, 따옴표, 마침표 정도가 쓰여지고(이것들도 매체마다 다르게 사용하는 경우가 많은 것 같다.) 다른 부호들은 거의 보이지 않는다. 사용하는 부호들마저도 크게 중요하게 취급되지 않는 것같다. 그러나 영어에서는 아주 중요한 구실을 한다.

여섯째, **교정**/손으로 쓴 원고의 틀린 부분이 없는지 최종 교정을 보는 것.

마지막으로 원고를 읽고 틀린 곳을 찾아 **가필**을 한다.

글쓰기 요점을 다시 정리하면,

1. 토픽을 설정할 것.

영어의 토픽은 한국말로 적당한 번역이 안될 것 같다. 예컨대 스포츠는 주제이고, 야구는 토픽이다.

2 . 목적을 생각할 것.

무엇 때문에 쓰는가, 이것을 분명히 해야 한다.

3. 독자를 생각할 것.

읽어야 할 대상이 누구냐에 따라 정보 수집과정이 달라진다.

4. 글을 쓰기 위한 특별자료를 수집한다.

특별히 관심을 가져야 할 꼭 필요한 것들이 무엇인가, 를 생각한다. 이 과정들 하나하나에 교사가 참여한다.

이상 네 가지로 정리할 수 있다.

영작 잘하려면 한글 글쓰기 잘해야

위에서 미국 학생들의 글쓰기 학습을 간단히 설명했지만, 결국 한국 학생들의 영작은 국어(작문) 실력에서 나온다. 표현이야 영어로 하는 것이지만 구성이나 수집, 쓰기의 전과정은 한글로 쓰는 것과 전혀 다를 바가 없다. 말을 뒤바꾸면 영작을 잘하려면 한글로 쓰는 훈련이 제대로 되어야 하고 이와함께 영어 실력이 첨가되어야 한다는 것이다. 오늘 한국학생들에 대한 국어작문 지도가 어떻게 행해지고 있는지 나는 잘 알지 못한다.

영작의 요령

글을 잘 쓰는 데에는 한글과 영어가 따로 놀지 않는다. 가령 글 잘 쓰는 작가가 되려면 어떻게 해야 하는가에 대한 대답은 미국인이든 한국인이든 대답이 같게 나온다. 그런데 영어 학습자들이 골머리를 앓는 영작은 말하고 듣고 독해가 어느 정도 된 사람일지라도 애를 먹는다. 미국에 유학온 한국 학생들이 쩔쩔매는 부분은 영작이다. 그 뿐만이 아니다. 자기 소개서를 쓸 경우가 많이 있는데 그때마다 끙끙 앓는 한국 학생들이 많다. 실제로 나는 얼마 전까지만 해도 한국교회에 나가서 내게 도움을 청하는 학생들의 글을 고쳐준 일이 적지 않다. 영작을 잘하려면 많이 읽고 많이 써보는 방법밖에 다른 도리가 없다. 그러나 몇가지 기본 원칙같은 것이 있다.

긴 단어보다 짧은 단어를 사용한다.

영어는 어휘가 풍부해서 같은 의미를 가진 여러 가지 단어가 있다. 한국 학생들은 어렵고 긴 단어를 좋아하는 경향이 있다. 예를 들면 show면 족한 것을 indicate를 사용한다든지 하는 경우가 그렇다. 영어는 대부분의 경우 긴 단어보다 짧은 단어를 사용하는 것이 문장에 리듬이 생기고 표현이 생생해진다는 것은 알아둘 필요가 있다. 동명사를 사용해서 멋있게 글쓰는 이야기는 다른 장에서 언급한 바 있다.

친숙한 단어를 사용한다.

대체로 긴 단어는 딱딱하고 생경한 단어이고, 일상에서 많이 쓰는 단어는 짧고 친숙한 단어들이 많다. 눈과 귀에 익숙한 단어가 좋다. 일상에서 쓰는 평이한 단어로 글을 쓰라는 이야기는 많이 들어보았을 것이다. 모르긴 하지만 한국어 작문도 마찬가지라고 생각한다.

추상적이고 모호한 단어보다 구체적인 단어를 사용한다.

한국인은 보통 뭉뚱그려서 저 사람은 좋은 사람, 훌륭한 사람이다, 라고 말하는데, 미국인은 저 사람은 그림을 잘 그린다, 는 식으로 구체적으로 명시해서 표현한다. 두리뭉실한 표현으로 적당히 넘어가는 것이 아니라 미국인은 확실한 표현을 써서 정보를 분명하게 담는다.

꼭 필요한 단어만 사용한다.

가령 human life란 말을 쓰는 사람이 더러 있는데 life라고 말하면 그 말 속에는 이미 human이라는 뜻이 들어있기 때문에 따로 human이 필요없게 된다. 이런 일을 피하려면 조금 의심이 가면 글을 쓰기 전에 사전을 펴놓고 그 단어가 의미하는 범주를 살펴보는 것이 좋다. 기본동사를 사용할 경우에도 이런 일이 필요하다.

가능한 한 능동태를 사용한다.

영어의 기본적인 구문은 주어+동사+목적어 형태가 압도적으로 많다. 즉 행위를 일으키는 것이 있고, 다음에 그 행위가 무엇인가에 영향을 미쳐 마지막에 그 행위를 받아들이는 것이 온다. 이것이 영어의 기본 구문이다. 물론 행위를 받아들이는 것에 중점이 있는 경우는 수동태를 써야겠지만 보통은 능동태를 사용한다. 굳이 멋지게 쓴 수동태를 기피할 필요는 없지만.

구둣점에 대해서

한국사람들은 구둣점을 소홀히 여기는 것같다. 그러나 영어에서는 결코 가볍게 넘어가서는 안된다. 구둣점 때문에 생겨난 많은 일화들이 있다. 구둣점의 사용은 별로 어렵지 않으니까 철저히 지켜서 글쓰기에 적용하기 바란다.

감탄사를 찍을 때는 다른 것들, 코머, 의문부호, 피어리드와 함께 찍어서는 안된다.

"You may not do that again!." ordered my teacher. (틀림)

"You may not do that again!" ordered my teacher. (옳음)

감탄사와 다른 표시는 함께 하지 않는다. 한국소설을 보면 가령 "그랬었다구?!"하는 식으로 의문부호와 감탄사를 같이 쓰는 경우가 가끔 있다. 이런 표기는 영어에서는 피해야 한다.

두 단어, 절, 구만을 연결시킬 때는 코머를 찍지 말라.

Learning a new language demands time, and patience. (틀림)

Learning a new language demands time and patience. (옳음)

다음처럼 두 문장을 연결시킬 때는 코머 다음에 and를 쓴다.

Two inches of snow fell in two **hours, one** inch of ice built up when the snow turned to freezing rain.

Two inches of snow fell in two hours, **and** one inch of ice built up when the snow turned to freezing rain.

부사절이 문장의 처음에 올 때는 항상 쉼표를 찍을 것.

When it comes to eating, you seem to eat more than anyone else. (먹는 것이라면 너는 누구보다 많이 먹는 것같다.)이 구문을 새겨두면 "~이라고 할 것 같으면"에 자주 사용할 수 있다.

Although he is not rich, he seems happy. (부자는 아니지만 행복해 보인다.)

한 구가 온 뒤에 코머를 찍는다.

Between 1988 and 1995,

소개되는 말 뒤에는 항상 코머를 찍는다.

For example,

Nevertheless,

문장의 처음에 감탄사가 올 때는 코머를 찍는다. 감탄부호 다음에 오는 문장의 첫글자는 대문자로 시작한다.

Oh, I did not realize you are sick.

No, you do not have to work.

Yes! You have done a wonderful job.

쓰기에 관한 명언들

글 쓰는 사람의 생각과 현실의 조화는 쓰고 있는 언어의 문법 속에서 발견된다. —Wittgenstein Zettel

문법은 귀로 켜는 피아노다. 문법에 관해 내가 알고 있는 모든 것은 문법자체가 갖고 있는 힘이다. —Joan Didion

오웰이 한때 말한 것처럼 산문은 창유리와 같다. 거기에 그을음이 끼었다면 창이 안보이는 것처럼 좋은 산문은 세상을 바라보는 좋은 비전이다. 만일 글 속에 틀린 것이 있다면 그을음이 묻어 있는 것과 같다. —Isabella Halsted

언어는 몸과 같이 어찌나 친숙하고 복잡하던지, 별로 관심을 안 두고 넘어간다. 하지만 자세히 들여다보면 사람이 감격하는 것은 언어의 힘이다. 문법과 의미가 딱 들어맞는 언어는 사람을 놀라게 한다. —

Richard Ohmann

문법학자들은 꼭 작가들은 아니다. 그러나 작가들은 반드시 문법학자들이다. 글쓰는 사람들이 문법을 알고 있건 모르고 있건 상관없이. —William F. Irmscher

언어에 관한 한 좋은 문장을 쓸 때처럼 만족스러운 것은 없다. —Barbara Tuchman

나는 늘 글을 쓰지 않고는 못배기는 환경 속에 살아왔다. —Barbara Tuchman

최초요, 최고의 글쓰는 목적은 나 자신을 위한 것. 글쓰기는 언제나 나 스스로를 가르치고 나 스스로를 발전시키는 도구였다. —Toni Cade Barbara

나는 그저 내가 할 수 있는 최선을 다했다. 가끔 운이 좋아서 내가 할 수 있는 것보다 더 좋은 글을 썼을 뿐이다. —Ernest Hemingway

당신이 말하고 있는 것은 명사(名詞) 속에 들어 있는 것이 아니고, 그 명사에 당신이 첨가하는 수식어가 결정한다. 명사, 동사, 주절을 의미있게 해주는 것은 수식어에 있다. —John Erskine

글쓰기는 꼭 해야 할 의지로서 이루어진다. 때문에 결심이 서지 않고는 진짜 글쓰기는 가능하지 않다. —James Britton

영어를 미국 사람처럼 하는 길

한국인이 뉴욕주립대학에서 영어를 가르친다고 하면 미국인들도 쉽게 믿으려들지 않는
다. 졸업식장의 교수석에 백인교수들과 함께 앉아 있는 필자.(1996. 5. 19)

문법은 찬 밥, 회화는 더운 밥

외국어의 습득은 온갖 문법적인 사항을 머리에 집어넣어 가진 것만 으로는 안된다. 그동안 한국의 영어교육은 **문법에 관한 공부**를 50년이 넘게 해왔지 영어문법을 **실제상황** 속에서 **활용하는 교육**은 거의 없었 다. 이것이 큰 잘못이다. 문법 위주의 공부만 죽어라 시키고 영어회화 공부는 시키지 않아서 한국영어가 "이 꼴"이라는 반성 아닌 반성은 잘 못된 것이다. 문법이 한국영어를 망친 것이 아니다. 문법이라는 것은 한 언어의 규칙으로 규칙이 없으면 언어가 존재할 수가 없다. 문법이 word order(문장 속에서의 낱말의 순서)를 지배하여 한 언어의 문장 조직의 특징을 갖도록 한다. 모국어 사용자들은 날 때부터 문법의 씨 가 심어지기 시작해서 어느새 자신의 살과 뼈가 되어 평소 문법을 의 식하지 않아도 살아있는 문법이 그의 언어생활을 지탱해준다. 품사들 의 "이름붙이기"가 문법이 아니다.

교실에서 회화지도를 안해서 회화를 못한다고 타박하는 사람들은 명심해서 들어볼 일이다. 엄격히 따져서 회화책이 한권도 없어도 영어 라는 언어가 지니고 있는 문장의 구조, 소리의 특성을 완전에 가까울 정도로 습득하여 내재화하면 회화에 통달할 수가 있다. 천주교 교리문답식으로 짜여진 회화책이 일부 도움이야 된다고 해도 그러한 회화책은 결국 각본에 지나지 않는다. 내가 이미 〈영어의 바다에 **빠뜨려라**〉에서 어떤 교포 세탁소 주인의 이야기를 통해 잠깐 이야기한 바 있지만 각본을 외워가지고 가서 말할 때 상대방이 각본대로 계속 대답을 해주는 것이 아니기 때문에 소용이 없게 된다. 한국의 이름난 한 정치인이 "정치는 생물"이라고 한 이야기를 읽고 참 재미있는 통찰이라고 생각했는데 언어야말로 생물이라고 말하고 싶다.

회화는 상대가 있기 때문에 내가 어떤 말을 했을 때 상대방이 어떤 반응을 보일지 알 수 없는 일이다. 이때 자기 스스로 말을 창조할 수 있어야 대화가 계속 이어질 수 있다. 살아 꿈틀거리는 생물처럼 수시로 다양한 변화를 보이는 회화에 몇 권의 "각본"으로 대응할 수 있다고 생각한다면 언어가 생물이라는 사실을 상기하기 바란다. 서점에 회화책, 비디오 테이프가 산더미처럼 쌓여 있는데 회화가 왜 잘 안되는가. 내가 서울에 갔을 때 나의 매형되는 분이 내게 하소연하듯이 말했다. "좋다는 회화책, 비디오 테이프들을 방 한쪽 벽을 늘어놓을 만큼 잔뜩 사다놓고 보았는데도 회화에 큰 진전이 없어." 나는 그렇게 해서는 백날 해도 별로 소용이 없을 것이라고 말해주었다. 그러한 재래의 낡은 방법으로는 영어정복이 어렵다. 왜 안될까. 내가 그 이유를 설명하겠다. 그것은 한 마디로 읽기를 소홀히 한 탓이다. 읽기란 무엇이냐. 리딩(reading)이다. 읽기를 배제하고 영어정복을 꾀해보겠다는 것은 호울 랭구이지에 대한 정면 도전이다. 총체영어는 읽기, 말하기, 듣기, 쓰기를 총체적으로 가르치는 언어 교육방법이다.

Whole Language를 실천하면 회화훈련은 저절로 된다. 말을 하지 않고는 배길 수 없는 것이 Whole Language 학습방법이다.

언어교육을 회화 위주로 한다는 발상은 크게 잘못된 것이다. 한 언

232

어가 어떤 과정을 거쳐서 인식되는지 살펴볼 필요가 있다. 그런 뜻에서 스위스의 피아제라는 심리학자가 밝힌 아이들의 언어습득과정은 흥미가 있다.

언어의 소유주가 되어라

1단계는 0세에서 2세까지. 이때는 감각밖에 없다. 감각에 의지해서 인식한다. "아프다"는 언어는 안 생겨 있지만 아이는 운다. 아이는 말을 못하기 때문에 밥을 먹고 싶거나 오줌을 누었을 때 낑낑거리거나 울거나 한다. 감각적인 표출을 통해 커뮤니케이션을 한다. 물론 배가 고파 울 때와 몸이 아파 울 때의 소리는 다르다.

2세가 되면 자기 본위의 "나(I)" 개념밖에 없다. 늘 자기에게 필요한 것을 충족시키기 위해서 "I"란 말을 잘 쓴다. 아이는 점차 인지가 발달하면서 "사람들은 거울을 무엇이라고 부를까."와 같은 호기심이 생겨나고 사물을 보고 이것이 무엇인지 궁금하게 생각한다. 그러나 아무도 이것이 무엇이다, 저것이 무엇이다, 가르쳐주는 사람이 없다. 사람들이 하는 말을 듣고 아이도 기억해 두었다가 되풀이 말한다. 1년이면 수천 번 같은 말을 되풀이하는 것을 듣기 때문에 그 낱말들이 머리에 들어가 박힌다. 물체마다 그 물체를 상징하는 표시가 도사려 있다는 것을 어렴풋이 알게 되는 것이다. 그때부터 말이라는 것이 실체의 상징으로 쓰여진다는 것을 느끼게 된다.

4세부터 7세. 이때는 모든 언어는 그 언어 자체가 실제 존재하는 상징의 표현이라는 것을 확실히 알게 된다. 이것을 알면 실재 사물이 눈앞에 없어도 이야기가 가능해진다. 그 이전에는 실재 사물이 눈 앞에 보여야 말했던 것에 비하면 엄청난 진전이다.

아이는 자라나면서 모든 언어는 심볼이라는 것을 깨닫게 되어 democracy같은 추상어의 존재도 알게 된다. 이런 단계까지 올라서면 인간은 언어사용자로서 터전을 자리잡게 된다. 심볼과 형상이 맞물려서 내재화되어 마침내 한 언어의 소유주(owner)가 되는 것이다.

"I love you."로부터 시작

미국아이들이나 한국아이들은 이 단계에서 자기 모국어의 주인이 된다! 나는 때때로 강의를 하다가 학생들에게 묻는다. "학생들은 외국어로 무엇을 배우고 있느냐?" 미국학생들은 프랑스어, 독일어를 공부하는 사람들이 많다. "외국어를 잘 말할 수 있느냐?" 역시 어렵다고 말한다. 언어의 완전한 주인이 되지 못했기 때문이다. 그런데 독자 여러분들은 영어를 잘 할 수 있는 가능성이 충분히 있다고 나는 생각한다. 한번 생각해볼 필요가 있다.

가령 "I'm sorry.", "I love you.", "Thank you."를 모르는 사람은 없을 것이다. 그 뜻을 아는 수준이 아니라 이 말들이 독자들에겐 완전히 내재화되었다고 나는 생각한다. 누구 발등을 밟았을 때 한참 영어를 공부하려고 하는 사람 같으면 한국말보다 "I'm sorry."가 더 먼저 입에서 튀어나오려는 사람도 있을 것이다. "I love you.", "Thank you."는 더 말할 것도 없다. 젊은 남자가 애인에게 "나는 너를 사랑한다."는 말을 할 때 한국말을 먼저 머리에 떠올렸다가 그것을 영어로 번역하여 쓰지는 않을 것이다. 영어인지 한국말인지 의식하지 않고 자연스레 입 밖으로 "I love you."하고 튀어나올 것이다. 바로 이것이다. 독자들은 이 말들의 완전한 주인이 되어 있다. 영어를 잘하려면 이 짧은 몇 마디의 주인으로 그치지 말고 영어의 보다 많은 언어 패턴의 주인이 되면 된다.

옛날에 한국사람들이 집장만할 때 보면 일단 문간방, 작은 방들은 세로 내주고 자기는 큰방 하나를 차지한다. 나중에 돈을 벌면 문간방에 돈을 주고 비우게 하고, 더 돈을 모아 작은 방까지 차지하여 마침내 완전한 집주인이 된다. 큰방 주인 따로 있고 작은 방 주인 따로 있어가지고는 진정한 집주인이라고 할 수 없듯이 영어의 어느 한 가지, 낱말의 주인, 토막 회화의 주인이 되어서는 영어의 주인이 될 수 없다.

작년 여름 내가 한국을 방문했을 때 어떤 사람이 베스트셀러라는 영어책 한 권을 내게 보여주었다. 낱말에 무슨 접두사가 붙으면 뜻이 어떻게 되고, 무엇이 어미에 붙으면 형용사가 되고…… 아무리 페이지를 넘겨도 그런 내용뿐이었다. 그래서 어쨌다는 건가?(So what?)

미국에서는 가령 impossible이라는 단어를 학생들에게 가르칠 때, 따로 떼어가지고 가르치는 일이 없다.

"It is possible. 이라는 뜻을 알지?"

"압니다."

"It is not possible. 이라는 뜻은?"

"불가능하다는 뜻입니다."

"같은 뜻으로 im을 앞에 붙여 It is impossible이라고도 한단다. 알았지?"

이런 식으로 가르친다. 단어의 접두어가 어떻고…… 그래가지고는 별 도움이 안된다. 그 많은 단어들을 그런 식으로 공부해서 도대체 그것을 어디에 써먹을 것인가.

문법 네 놈 때문에 망했다?

미국에서 한국 신문을 본 일이 있는데 이런 큰 제목이 눈에 들어왔다.

"문법 위주의 교육에서 회화 위주로"

내용인즉슨 지금까지 학교에서의 영어교육을 문법 위주로 해온 탓에 영어 한 마디 제대로 못하게 됐으니 말하기 위주로 교육과정을 바꾼다는 것이었다. 나는 순간 한국에서 문법이 범죄자 취급을 받는 것 같은 느낌이 들었다. 문법이 알면 억울해서 통곡할 일이다. 회화 위주로 하면 한국영어의 문제점이 해결될까. 지독스런 착각이 아닐 수 없다. 이 진단은 명백히 잘못되어 있다.

한국영어의 문제점은 무엇인가 하면 내가 볼 때 우선 영어의 문제점에 대한 진단이 틀려 있는 것으로 보인다. 진단이 틀려 있으니 제대로 고칠 수가 없고 고치려 해도 치료할 사람이 드물다.

문제의 진단이 잘되어 있다 하더라도 어차피 그 치료는 일선의 교사가 담당한다. 그러면 교사가 치료할 수 있는가. 모르면 몰라도 대부분의 교사들은 비디오 테이프를 틀어주는 역할밖에 할 수 없는 것이 실정이다. 그렇게 된 것은 교사의 책임이 아니라는 것을 나는 다른 장에서 밝힌 바 있다.

미국의 초등학교에서 가장 큰 문제거리 중의 하나는 흑인 학생들이 중도에 중퇴(drop out)하는 현상이다. 학업에 취미가 없고 성적이 안 나오니까 학교를 그만두는 흑인 아이들이 늘고 있는 것이다. 흑인 아이들의 회화실력은 누구에게도 떨어지지 않는다. 문제는 읽기(reading)에서 뒤처진다는 것. 읽기가 시원치 않으니까 학교에 가기가 싫어지고 마침내는 그만두는 학생들이 생겨나는 것이다.

읽기는 따지고 보면 회화보다 더 중요하다. 막말로 말은 전혀 할 줄 몰라도 읽기가 통하면 뒤처지지 않고 살아갈 수가 있다. 리딩(독해)은 저자와 독자와의 교감의 장이다. 평생 해야 할 통로이다. 읽기가 약한 사람은 사회생활에서 다른 사람을 따라가기가 힘들어진다. 어디 읽기만인가. 읽기는 바로 쓰기와 연결된다.

미국에 유학온 한 한국 학생이 미국대학을 졸업하고 대학원에 가게 되었다. 대학원에 갈 때는 몇개의 대학에 편지를 쓴다.

"귀 대학원 프로그램에 입학하고 싶으니 관련자료를 보내주십시오."

하는 내용의 고작 다섯줄이 넘을까 말까 하는 공적인 편지인데 이것을 제대로 쓰지 못해 쩔쩔매는 것을 본 일이 있다. 대학에서의 전공 과목을 비롯 다른 과목의 성적도 좋은 학생이었는데 편지 하나를 깔끔하게 쓰는 데는 자신이 없는 것이다. 이런 비참한 경우는 그 학생만의 경우는 아니다.

"교수님, 저는 한국에 돌아가면 회화보다도 작문이 더 중요하다는 것을 후배들에게 깨우쳐 주겠습니다." 그가 나한테 고백한 피눈물나는 말이다. 사실 그는 매우 우수한 학생이었다. 한국에서 회화, 회화 하니까 판에 박힌 "회화" 전설에 혹해 회화를 죽어라 열심히 해가지고 유학을 왔다. 대학에 가서 두세 달이 지나니 회화에는 별 어려움을 느끼지 못했다. 회화에서 한국 학생이 틀린 표현, 우스운 표현을 해도 미국 사람들은 탓하지 않고 넘어가 준다. 그러나 글은 관사 하나만 잘못 써도 큰 일이 난다. 솔직히 말해서 미국유학을 온 많은 한국 대학생들의 영작 실력은 미국 초등학교 수준이 넘을까말까다. 유학을 오려는 한국 학생들에게 대학에 들어가면 "쓰기"라고 하는 조스의 입처럼 무서운 함정이 기다리고 있음을 알려주고 싶다. 회화보다 더 큰 문제가 있다는 이야기다. 한국의 영어교육은 지금까지 **문법에 관한 교육**은 있었지만 **문법을 활용하는 교육**은 거의 없었다. 문법에는 죄가 없다.

영어의 정복은 총체적인 영어공부, 호울 랭구이지를 통해서 이루는 것이 가장 효과가 있고 가장 빠른 방법이라는 것을 나는 다시 한번 강조하고 싶다.

아이에게 영어를 가르치고 싶다고요?

언어라는 것은 현실을 창조하는 도구다. 우리는 언어 그 자체를 습득하기 위해서 배우는 것이 아니라 언어 자체 외의 그 무엇인가를 위해서, 다른 사람과 하는 일을 성취하기 위해서 언어를 습득한다.
——제롬 부루너

아이들에게 영어를 가르치고 싶어하는 사람들은 다음에 소개하는 자료들이 썩 흥미있는 정보가 될 것으로 생각된다. 한국에도 한국어에 관한 이런 식의 연구가 많이 되었을 것으로 생각하지만 내가 가지고 있는 자료는 미국쪽에서 나온 것이고, 영어에 관한 것이므로 영어에 관심있는 사람들에게 참고자료가 될 것으로 생각한다. 여기에 소개된 자료는 음성언어의 학습과 관련한 연구자료들이다.

연령별로 구사하는 낱말 수

연령별로 아이들이 과연 몇단어를 구사할 수 있는가. 1988년에 발표된 연구결과를 보면 14개월된 아이는 평균 3개의 단어를 구사(생산)한다.

연령	평균치로 본 낱말수
10~14개월	1~3단어
2세	300
3세	900~2,500
4세	2,500~8,000
5세	8,000~15,000
10세	15,000~25,000
18세	25,000 이상
대학졸업자	50,000 이상

＊ 넬슨, 1990

이 표를 보면 알겠지만 태어난 지 14개월 된 아이가 3개 정도의 말을 자기의 언어로 생산해내는데, 2세가 되면 껑충 뛰어서 300단어를 구사하게 된다. 초등학교에 들어가기 직전의 5세때는 무려 평균 8,000에서 15,000단어를 생산할 수 있게 된다. 하루에 평균 5~7단어를 배우고 있는 셈이다.

한 문장에 동원하는 연령별 낱말수

위에서 우리는 연령별로 몇개의 낱말을 자기것으로 갖고 있는지를 학자의 연구 결과를 통해서 알게 되었다. 다음은 그러면 말할 때는 한 문장에 평균 몇개의 낱말을 사용하는가. 연령별로 조사된 한 문장에 사용하는 단어수에 따르면 26개월된 아이가 평균 2개의 단어를 쓰고 있다.

연령	한 문장 속의 낱말수
12~26개월	1~2
27~30개월	2~2.5
31~34개월	2.5~3
35~40개월	3.5~3.8
41~46개월	3.8~4.5

* 브라운, 1988

언어의 기능들을 동시에 배운다

아이들이 듣고 말할 때마다 낱말, 문장구조, 의미를 동시에 습득해 간다는 것을 알려주는 연구결과가 나와 있다. 요약하면 이렇다.

a. 언어의 가장 효과적인 습득은 주어진 상황에 관해서 이야기거리가 많을 때 가장 잘 이루어진다.

b. 의미, 문장구조, 그리고 문화 사회의 여건에 따른 대화의 변신을 동시에 배운다.

c. 언어는 언어 자체만의 빈 껍데기로 되는 것이 아니라 언어에 담긴 지적인 내용이 있을 때 발전이 동시에 이루어진다.

아이가 말을 배울 때

미국의 한 아이가 언어를 배우는 과정을 연구한 학자의 흥미있는 자료를 소개한다.

아이가 엄마에게

공원을 슬슬 걷고 있다: (아이는 갓난 아이. 각본이 아님)

Baby:Mommy boot.

Mother:Yes dear, there's snow on the ground and it's cold outside and everyone has boots on.

Baby(보다 큰 소리로):Mommy boot.

Mother(아이의 말에 대한 해석을 바꾸어서):Oh, do you want me to take your boot off? Is there something in your boot?

아이와 엄마의 대화는 정확한 대화가 이루어질 때까지 계속된다.

＊ 웰즈, 1986

위의 대화는 학자가 자연스런 상태에서 어떻게 갓난아이와 엄마 사이에 대화가 이루어지는지를 채집한 것이다. 아이는 두 낱말을 사용하여 부츠를 말하고 있고, 그때마다 엄마는 마치 어른에게 말하듯이 완전한 문장을 구사하여 대화를 하고 있다.

엄마와 아이

(아이는 아직 말을 못하는 걸음마 아이. 각본이 아님)

첫장면

Mother:Here. See the toy?

Baby:(장난감을 움켜쥔다)

Mother:See the toy? Here.

Baby:(플라스틱 고리를 마루바닥에 굴린다. 킥킥 웃고 손뼉을 친다.)

Mother: (웃는다.)I'll get them. Here. (아이의 무릎 위에 고리

를 놓는다. 나머지는 손이 닿을 수 있는 거리에 놓는다.)

　　Baby : (고리들을 가지고 일종의 게임을 하려고 한다. 힘들어 한다.)

　　Mother : Good girl. This is a good toy. Here. (손이 닿지 않을 곳으로 굴러간 고리 세개를 아이에게 건네준다.)

　　Baby : (작은 고리를 가지고 게임을 하려고 한다. 마룻바닥에 플라스틱 고리를 굴린다. 킥킥 웃는다.)

　　두번째 장면

　　Mother : Here. See the toy?

　　Baby : (장난감을 움켜쥔다.)

　　Mother : See the toy.

　　Baby : (마룻바닥에 플라스틱 고리를 굴린다. 킥킥 웃는다.)

　　Mother : I'll get them. Here. (아이의 무릎 위에 고리를 놓는다. 나머지는 손이 닿을 수 있는 거리에 놓는다.)

　　Baby : (고리 하나에 손을 뻗는다.)

　　Mother : Here. This one goes first. (아이에게 큰 고리를 건네준다.)

　　Baby : (고리로 게임을 하려고 한다.)

　　Mother : No. This one goes first. Here.

　　Baby : (마룻바닥에 플라스틱 고리를 굴린다. 킥킥 웃는다.)

　　Mother : (웃는다.) No. I'll get them. Here. This one goes first.

　　＊ 스티스, 베르트랜드, 1995

　　아이와 엄마의 이런 두 장면이 있은 후에 학자들이 엄마에게 물었다. "가르치기 위한 목적으로 그렇게 계속 되풀이한 것입니까?" 엄마는 가르치기 위해서가 아니라 아이와 의사 소통을 하기 위해서라고 대답했다.

이처럼 말이란 가르치는 것이 아니라 의사 소통을 완결시키는 과정에서 자연스럽게 아이의 언어 습득장치에 심어지는 것이다. 이런 과정에서 아이는 아, 이럴 땐 이렇게 말하는구나, 저절로 습득하게 된다.

엄마가 할 수 있는 역할

(마크는 23개월된 아이, 헬렌은 아홉살. 각본이 아님)

아이의 언어 발전에 보다 더 고도한 환경을 제시해준 상태에서 엄마와 상접 작용을 하는 걸음마아이의 엄마와 아이의 대화 장면을 채집한 것.

(마크는 거울 속에 비친 자신과 엄마의 모습을 보고 있다.)

Mark : Mummy. Mummy.

Mother : What?

Mark : There······ there Mark.

Mother : Is that Mark?

Mark : Mummy.

Mother : Mm.

Mark : Mummy.

Mother : Yes. That's Mummy.

Mark : Mummy. Mummy.

Mother : Mm.

Mark : There Mummy. Mummy. There······ Mark there.

Mother : Look at Helen. She's going to sleep. (긴 휴지) (마크는 정원의 새들을 볼 수 있다.)

Mark : Birds Mummy.

Mother : Mm.

Mark : Jubs. (마크는 새를 Jubs라고 하고 있다.)

Mother : What are they doing?

Mark : Jubs bread.

Mother : Oh look. They're eating the berries, aren't they?

Mother : That's their food. They have berries for dinner.

Mark : Oh.

＊ 웰즈, 1981

위의 대화를 살펴보면,

마크 쪽에서 보면 마크가 대화를 주도하고 있다. 새로운 토픽으로 바꾸고, 엄마에게 응답하고 있다.

더 어릴 적에는 다양하지 못했는데, 이미 숙달된 경지를 보여주고 있다. 화자와 청자의 상호작용을 배우고 있다. 회화의 원리를 깨달았다. 또한 정보를 제공하고 있다. 어른들끼리 하는 대화 수준의 대화 형태를 적용해서 말하는 증거가 나타나고 있다. 낱말을 하나 이상 사용하고, 문장으로서 낱말의 순서가 등장하고 있다.

부모의 역할을 보면,

마크엄마의 표현은 단순하다. 바로 현장에서 일어나는 주제에 한해서 응답하고 있다. 마크가 인도하는 주제에 관심을 표명하고 있다. 질문을 하면서 아들의 인도에 따라가고 있다. 마크가 한 말을 반복해서 엄마가 말하기도 하고, 마크가 말하는 주제를 더 넓히고 새 정보를 첨가하기도 한다. 마크가 엄마의 새 토픽("Look at Helen.")을 무시하고, 다른 곳을 보자 엄마는 새 토픽을 중단한다.

마크가 25개월일 때

(마크는 어떤 사람이 정원에서 일하는 것을 보고 있다.)

Mark : Where man gone? Where man gone?

Mother : I don't know. I expect he's gone inside because it's snowing.

Mark : Where man gone?

Mother : In the house.

Mark : Uh.

Mother : Into his house.

Mark : No. No. Gone to shop. Mummy.

(가게는 마크네 집에서 가까이 있다.)

Mother : Gone where?

Mark : Gone shop.

Mother : To the shop?

Mark : Yeh.

Mother : What's he going buy?

Mark : Er—biscuits. (cookies)

Mother : Biscuits, mm.

Mark : Uh?

Mother : Mm. What else?

Mark : Er—meat.

Mother : Mm.

Mark : Meat. Er—sweeties. Buy a big bag sweets.

Mother : Buy sweets?

Mark : Yeh. M—er—man—buy. The man buy sweets.

∗ 웰즈, 1981

마크의 언어

어른들의 대화 기준에서 볼 때 마크는 많은 발전을 보이고 있다. 문장이 더 길어지고 주어, 동사, 목적어의 정확한 순서가 나오기 시작한다. 더욱 현저한 발전은 마크가 소위 토픽을 선정한다는 것. 아주 어릴 때는 현장과 관련한 주제에 대해서 이야기했으나 이제는 현장에 없는 상점 이야기가 나오고 있다. 안보이는 장면을 추상적인 언어로 표현한다는 것은 그 언어들이 완전히 자기것이 되고 있음을 의미한다.

엄마가 한 행동

엄마가 자기 아들의 토픽을 제대로 파악하고 정원에서 일한 남자가 없어진 이유를 알고 그 남자가 마크 말대로 쇼핑하러 갔다면 무얼 살까, 하는 장면이 나오는데 그러한 순간 언어 사용의 의미가 크게 확장되었다.

종합평가

엄마—아들 상호간의 의미를 협상했다. 서로 협조적인 노력으로 이 대화가 완성된 것이다.

이들 장면에서 배우게 되는 것은, 학교에서 외국인 학습자들에게 영어를 가르칠 때 바로 이러한 어린아이가 엄마와 말을 하는 방식을 적용하자는 것이다.

언어의 기능

다음은 어린이의 언어 세계를 집중적으로 연구한 것인데 오늘날까지 미국에서 가장 많이 교육 현장에 적용되고 있는 것이다. 아이들 언어 세계의 기능을 7가지로 분류하여 연구한 것이다.

언어는 항상 의미가 담겨 있는 상황 속에 존재한다. 그것은 간단한 구조와 내용이 아니다.

기능	예	의미
도구	I want. I need.	아이는 자기의 필요와 욕망을 충족시키기 위해 언어를 필요로 한다.
조정	Do as I tell you.	아이는 다른 사람의 행동을 컨트롤해 보려고 할 때 언어를 필요로 한다.
국제	You and me.	자기와 다른 사람과의 사교적인 관계를 수립해 보고자 하는 강한 욕구를 표시한다.
개인	Here I come.	아이는 자기자신의 개인적인 감정과 의견을 표시하고 싶을 때 언어를 필요로 한다.
상상력	Let's pretend.	환상을 표시하거나 상상력이 풍부한 낱말을 창조한다.
정보찾기	Tell me why.	아이는 정보를 찾는다.
정보제공	I've got something to tell you.	아이는 정보를 제공한다.

이것들이 아이들이 가장 격렬하게 사용하는 언어 기능이다. 이상의 연구 결과를 참조해서 영어 공부를 지도한다면 도움이 될 것으로 생각한다.

미국 아이들이 가장 많이 쓰는 200개의 낱말

미국의 학자들이 조사한 아주 흥미있는 자료를 소개한다. 미국의 초중고등학교 학생들을 상대로 조사한 "아이들이 가장 많이 쓰는 200개의 낱말"은 한국의 학생들을 상대로 영어를 가르칠 때도 참고 자료가 됨직하다. 사용 빈도가 가장 높은 이들 낱말들은 다른 측면에서 보면 오늘 미국 아이들의 생활과 의식의 일단을 짐작해볼 수 있는 자료가 될 수 있을 것이다.

미국 아이들이 자주 쓰는 낱말들 (L. Gunderson, 1984)

1. the	then	other	talk	say	again
2. to	get	has	their	wanted	an
3. and	what	into	around	way	call
4. you	there	nice	ever	back	end
5. he	about	too	everything	can't	happy
6. is	all	play	inside	doesn't	helps
7. good	hope	looked	family	knew	
8. a	this	much	most	keep	little
9. me	see	some	over	kind	next
10. it	bad	take	since	lot	pick
11. in	out	father	try	name	problem
12. my	will	something	walking	only	same
13. she	boy	us	come	them	seen
14. was	just	got	didn't	together	still
15. for	saw	could	found	did	sure
16. of	up	how	house	doing	walk
17. that	they	even	well	eat	won't
18. your	or	help	work	goes	year
19. his	had	no	after	last	big
20. so	want	now	each	need	class
21. with	go	life	give	our	close
22. have	please	might	problems	she's	coming
23. when	think	care	said	should	door
24. very	always	he's	told	two	down

25. but	school	it's	also	use	funny
26. can	who	more	birthday	walked	gets
27. her	from	by	first	which	gives
28. we	love	fun	look	another	left
29. like	fine	home	sick	before	let
30. on	tell	make	teacher	brother	living
31. because	would	sometimes	that's	food	made
32. not	day	came	years	its	makes
33. do	at	does	am	looks	night
34. if	why	were	any	lots	somebody
35. don't	man	I'm	anything	many	wish
36. him	as	been	away	may	write
37. are	things	money	long	off	wrong
38. know	went	open	looking	sister	
39. be	took	put	mom	than	
40. mother	going	really	never	thing	
41. one	opened	right	old	yourself	

1. 위에 밝힌 낱말들은 미국의 초중고등학교(2, 5, 8, 11학년) 학생들이 쓴 작문을 분석한 것이다.

2. 호울 랭구이지 학습에서 학생들은 독해 교과서와 낱말 리스트에서 사용 빈도가 높은 낱말들을 배운다.

3. 위 자료가 중요한 것은, 여기에 소개한 낱말들은 영어를 제2외국어로 배우는 학생들을 포함해서 처해 있는 환경이 각기 다른 미국 학생들이 즐겨 읽는 독해 시리즈에 자주 나오는 낱말들을 작문에 쓰고

있기 때문이다.

　4. 위의 낱말들은 미국 학교에서 사용해오고 있는 독해교과서 (basal readers)에서 상당한 비중을 차지하는 낱말들이다. 이들 낱말은 미국학생들이 배우는 필수 어휘들이다.

잠자리에서 영어동화를 읽어주어라

저녁에 읽어주는 영어동화

내가 지난 번에 펴낸 〈영어의 바다에 빠뜨려라〉에서 호울 랭구이지를 이야기하는 중에 영어교육은 나이가 어릴수록 좋다고 썼더니, 선생님 말씀은 영어를 모국어로 하는 아이들한테나 해당되는 이야기가 아니냐며 고개를 갸우뚱해하는 사람들이 있었다. 아직도 많은 사람들이 "고개를 갸우뚱해하는" 쪽에 서 있다는 것을 나는 알고 있다. 영어공부를 12년 넘게 공부해도 영어로 말 한마디 할 줄 모른다며 타박을 받다보니 그에 대한 반성의 하나로 한국의 영어교육이 온통 듣기 말하기 위주로 기울어지고 있는 듯한 인상이다. 그러나 영어교육은 그렇게 해서는 효과가 크지 못하다는 것이 총체 영어(Whole Language)의 기본 철학이자 논리이다.

미국에서도 40, 50년 전에는 그런 식의 이론이 지배해서 유치원에서 영어교육을 시키는 데 문자가 거의 없는 커다란 그림책을 가지고 가르쳤다. 그때의 이론은 이런 것이었다. 어린이는 일정 나이가 지나야 문자(文字)를 발견하고 알아볼 수 있게 된다는 것이었다. 즉 유치원에서는 즐거운 놀이만 시켜라. 유치원에 다닐만한 5, 6세의 어린이들은 "기다리는 기간(waiting period)"이므로 이때 문자교육을 시켜서는 안된다. 일정 기간이 지났을 때 비로소 문자를 보여주고, 익히도록 하는 읽기(reading)를 가르쳐야 한다. 이 이론에 따라 유치원에서는 아이들에게 모래장난, 그림카드놀이, 즐거운 노래를 가르치는 식으로 신나게 노는 학습을 시켰다. 그래서 유치원이라는 말도 독일어로 Kindergarten 즉 아이들이 뛰어노는 정원이라고 했다.

지금은 어떤가. 그것은 호랑이 담배 피우던 시절의 낡은 이론이다. 오늘날 미국에서는 누구도 그런 식으로 유치원 아이들을 교육시키지 않는다. 유치원에 다니는 아이들은 언어습득에 필요한 기다리는 기간이 아니라 오히려 자양을 충분히 공급해주어야 하는 성장기간으로 간주한다. 언어의 습득에서 인간이 지적으로 다른 사람과 언어매체로 의사소통하기 위한 준비가 필요한 기간이라는 것이다. 그러나 인간은 날 때부터 언어습득이 시작된다는 것은 이제 하나의 상식이 되어 있다.

미국에는 유치원 이전의 연령에 해당하는 3, 4세의 아이들을 위한 nursery school(유아원) 과정이 있는데 이 연령층의 자녀들에게 아이가 알든말든 "신데렐라 이야기" 같은 그림과 문자가 들어있는 책을 읽어준다. 이러한 책읽기의 효용성은 이론적인 뒷받침을 받고 있는데 두살된 아이한테도 그런 교육이 가능하다고 나와 있다. 나한테 손녀가 여럿 있는데 그 중 두살 반된 손녀가 있는 아들네 집에 들르면 손녀는 으레 내게 다가와 책을 읽어달라며 커다란 그림책을 가지고 온다. 그림책은 활자도 크고 그림도 크다. 두살반된 손녀는 문자는 전혀 모른다. 그런데도 신기한 것은 어떤 페이지가 끝나는 대목 예컨대 "신데렐라는 유리구두가 벗겨진 줄도 모르고 집으로 달려갔다."까지 읽으면 손녀는 용케도 이야기의 진행을 알아보고 고사리같은 손으로 다음 책장으로 넘긴다. 문자는 전혀 알아보지 못하는데도 말이다.

앞서 말한 대로 아이가 알든 말든 엄마는 재미있는 동화책을 펴놓고 문자 하나 하나를 손가락으로 지적하면서 아이에게 되풀이 읽어준다. 이런 책읽기를 되풀이해주면 아이는 문자를 연결시켜 알아보지는 못하지만 스토리는 머리에 기억하게 된다. 엄마는 아이를 무릎에 앉혀 놓고 손으로 활자를 짚어가며 왼쪽에서 오른쪽으로 가는 방향 (direction)을 따라 스토리 리딩(story reading)을 한다. 이렇게 하면 아이의 머리 속에 그림과 문자가 들어가 박혀 이야기의 첫부분 중간부분 끝부분이 어디인 줄 안다. 아이에 따라서는 이야기의 시작, 전개, 결말을 이해하게 된다.

미국의 엄마들은 bedtime story(아이가 잠들기 전에 잠자리에서 읽어주는 이야기)를 수없이 쌓아놓고 아이에게 읽어준다. 엄마가 읽어주는 이야기를 듣다가 스르르 잠이 들면 엄마는 이불을 덮어주고 아이의 이마에 뽀뽀를 해주고 나간다. 엄마는 자기도 모르는 사이에 언어교육의 "첫교사" 역할을 맡게 되는 셈이다. 이렇게 해서 여섯살 무렵이 되면 아이의 머리 속에는 적어도 6천~8천 단어가 저장된다(9천~1만이 넘는 아이도 있다). 6살이 넘으면 민주주의(democracy) 같은 추상적이고 전문적인 술어를 제외하고 사회 생활에 아무런 지장없이 통하게 된다. 낱말만 알게 되는 것이 아니라 사회 생활에 쓰여지는 문장구조, 관계대명사, 접속사를 아주 멋지게 사용할 수 있게 된다. 한국에서는 대학생도 쩔쩔매기 마련인 수준을 여섯살박이가 거뜬히 해내는 것이다.

아이들에게 영어의 수틀을

어린이가 모국어 습득 과정에서 겪는 환경을 가능한 한 그대로 활

육에 적용시키는 것이 호울 랭구이지(Whole

　　　과목과는 달리 언어 자체는 이미 아이들이 습득 방
　　　언어는 아이들에게 엄격히 따지면 가르쳐주는 것이
아니라 ㅂ　경과 자양분을 제공하는 것으로 이루어진다. 이 역할을
학교가 맡게 되는 것이다.

　"모든 것을 교사가 가르쳐야 한다."는 생각은 수학에는 통할 수 있
을지 모르지만 언어의 경우는 그렇지 않다. 다시 되풀이하면 언어교육
은 아이에게 적절한 환경을 조성해주고 풍부한 언어 입력만 해주면 되
는 것이다.

　학교에서의 언어교육은 흔히 자수(刺繡)에 비유된다. 즉 수를 놓을
기반(foundation)은 학교에 나오기 이전에 가지고 있는 아이들의 언
어재산이고, 학교에서 교사들이 가르쳐주는 것은 이 수틀(embroidery
frame)에 꽃무늬, 새무늬, 나무무늬 등을 한땀씩 뜨는 솜씨다. 풍부한
언어의 밑바탕 재산(수틀)을 아이들이 학교에 나올 때 가지고 오면 학
교는 여기에 다양한 기술(솜씨)을 가르쳐주는 역할을 맡는다는 이야
기다. 때문에 학교에서 영어를 가르칠 때 아이들에게 발음을 가르쳐주
는 일이란 거의 없다. 그것은 아이들이 이미 가지고 있는 수틀이기 때
문이다. 구강에 문제가 있다든지 하는 아주 특수한 경우에만 speech
correctionist(구두언어 교정사)가 발음교정을 해준다. 그밖에 보통의
아이들에게 발음교정이란 있을 수 없다. 그러나 한국인의 경우는 다르
다. 영어를 모국어로 사용하는 경우는 이미 어릴 적에 "수틀"을 준비할
수가 있어서 문제가 없지만 이제 한국의 아이들은 초등학교 3학년에
서 영어를 배우게 되는 것이니만큼 수틀의 마련을 위한 배려가 필요하
다.

　이것은 다른 이야기지만 며칠 전 미네소타에 사는 어떤 한국인 교

포항테서 전화가 걸려왔다.

〈영어의 바다에 빠뜨려라〉를 읽고 전화를 걸었다는 것이다. (〈영어의 바다에 빠뜨려라〉는 미국에서도 교포들을 상대로 팔리고 있다.)

말인즉슨 그는 미국에 온 지 20년이 다 돼가는 항공사 직원인데 아직도 영어에 대한 두려움이 가시질 않고 있다며 치유할 방법을 물어왔다. 일상회화에는 아무런 지장이 없으나, 직장의 회의에 들어가거나 미국 손님이 항공사 규칙같은 것을 물어오면 그것을 설명하는 데 애로를 느낀다는 것이다. 나는 그 사람에게 다음과 같이 대답해주었다.

1. 책을 많이 읽으시오. 많은 독서를 통한 영어의 광범위한 용법을 익히게 될 것입니다.

2. 회화는, 매일 미국인을 상대로 하고 있으니 걱정마시오. 다만 당신이 말하는 것이 뜻은 무리없이 통하지만 표현은 미국인과 다른 부분이 많을 것이니 그 다른 표현 가운데 좋은 표현을 수첩에 적으시오. 좋은 표현을 적어놓을 기회를 순간 잡지 못했으면 그 미국인을 따라가서라도 다시 말해 달라고 하시오.

3. 그렇게 익힌 것을 의식적으로 사용할만한 곳을 찾아 써먹으시오. 그것을 사용할만한 상황이 안나오면 그런 상황을 애써 만들어서라도 자꾸 사용해보시오.

5. 이렇게 하면 머리 속의 영어조직 속에 집어넣게 되어 완전히 당신 것이 될 것이오.

미네소타의 그 사람은 반색을 하고 그렇게 하겠다며 전화를 끊었다. 이런 식으로 극성스럽게 하지 않으면 외국어인 영어가 자기것이 될 수가 없다.

그런데 3, 4세 된 아이들은 어떻게 해서 문자를 기억하게 되는 것일까. 이 부문에 대한 대답은 아직도 신비에 둘러싸여 있다. 대체로 인간의 학습 자체는 아직 완전히 규명되어 있지 않은 불가사의한 영역으로 남아 있다.

인간의 언어교육은 날 때부터 시작된다

아빠가 아이에게 "애야, 오늘 아빠 생일인데 아빠에게 해피 버스데이라고 써주지 않으련?"하고 부탁하면 아직 글을 깨우치지 못한 아이는 색연필로 쓱쓱 써서 아빠에게 내민다. "야, 아주 잘 썼구나. 너한테서 생일축하 글을 받으니 아빠는 매우 기쁘구나." 아빠는 아이의 글쓰기를 보고 싶어 일부러 그렇게 시키는 것이다. 아이가 쓴 해피 버스데이는 비틀바틀 구불구불 철자법도 틀리고 엉망이다. 그러나 앙증맞고 귀엽게 쓰여 있다. 아이가 쓴 이 글자는 종전에는 "낙서"로 간주되었지만 미국에서는 지금은 성인들의 정통적인 문자쓰기에 도달할 때까지 자기들의 문자쓰기 방법으로 "발명한 철자"(invented spelling)로서 존중되고 있다. 그것은 낙서가 아니라는 것이다. 옛날엔 그 따위는 낙서로 취급되어서 아이가 안볼 때 쓰레기통에 버리고 말았다. 그러나 지금 이 "발명한 철자"는 교수들이 쓰는 영어교과서 속에 당당히 들어가 있다. 2, 3세때 쓴 이 "발명품"에 의미가 있다고 본 것은 2, 3일 후에 아니, 몇주 후에도 해피 버스데이를 써달라고 하면 처음에 썼던 것과 거의 같은 모양의 글자를 써준다. 그것은 아이의 발명품이지 결코 낙서가 아니라는 증거다! 아이만이 가진 언어의 발명품. 이 놀라운 아이들의 언어세계를 받아들여서 "연필을 쥘 힘이 아이의 손가락에 있으면 그 시점에서 문자교육이 시작된다."는 이론이 설득력을 갖게 되었다.

한국영어의 고질적인 문제점 중 가장 큰 것

첫째, 지금까지의 영어교육 방법을 그대로 둔 채 회화위주로 나가게 되면 되는 줄로 아는 것.

둘째, 지적인 바탕이 깔려 있는 아이들에게 리딩(reading) 없이 음성 언어 교육만 시키려는 것.

셋째, 이론적인 뒷받침이 없이 연령별로 영어단어수를 제한하는 것. (엣날엔 미국에서도 연령별로 단어수를 제한했으나 인간의 언어 수용 능력은 문자를 포함해 얼마든지 가능하다는 신이론들이 뒷받침되어 입학 전에 특별히 제한을 두지 않고 가르침.)

특히 세번째 문제의 경우 단어수에 거의 제한을 두지 않다 보니 미국 초등학교 3학년 수준이면 어른들이 읽는 책을 읽을 수 있을 정도로 어휘가 풍부해진다. 지난 4월 중순 서울의 모 신문사 기자가 나를 취재하러 왔다가 함께 중국집에 가서 식사를 한 일이 있다. 그때 중국집의 자녀들로 보이는 딸과 사내아이가 빈 식탁에서 책을 읽고 있었다. 기자가 가서 그 아이들에게 말을 걸었다.

"몇살이냐?"

"무슨 책을 읽고 있느냐?"

딸은 올해 여덟살, 사내아이는 여섯살. 그런데 딸이 읽고 있는 책은 성인소설로 넘어가기 직전에 읽음직한 두툼한 소설을 읽고 있었고, 사내아이가 읽고 있는 책은 기억이 나는데 Christmas Story 시리즈 중의 얇은 동화책 한 권을 읽고 있었다.

"저 여자아이가 보는 책은 한국 같으면 고3 정도가 읽어도 이해하기 어려운 소설입니다."

기자가 책을 잠시 건네받아 훑어보고는 놀라워하며 내게 말했다.

미국의 초등학교에서는 딱딱하고 재미없는 정통적인 영어교과서를 채택하지 않고 아이들이 좋아하는 문학작품을 사용하는 경우가 많다. 이에 자극을 받은 교과서 출판사들은 교과서를 크게 개편해 재미있는

MANDYS JOURNAL

Nov. 10

Today I ate at home with mom. We are starting a Singing muarl. Ours is <u>My country tis of thee</u>. Tiffs group is <u>I love the mountains</u>. Well that's all I can think of to Say. goodbye!

Nov. 11

Today I am starting my first copy of the muarl. it is also Vetren's Day. Today we had a frost too! My part on the muarl is <u>Land Where my fathers died</u>. good bye for today.

Nov. 12

Today we had dear time for 30 min. I really liked it too! Mrs. Myers put our feather's we made on a paper turkey. goodbye,

Nov. 16

Today Sparkles the clown ∧came to the class. She painted Kari & Daniel's face. She showed us some other kinds of faces. I have to many things to say but I'll Stop right now. good bye!

미국 초등학교 3학년 아이의 글(일기).

이야기를 넣는 등 자구책을 쓰고 있으나 역시 인기를 끌지 못하고 있다. 재미있는 아동문학 작품을 가지고 공부하더라도 얼마든지 문법, 철자법, 문장구조 등을 익힐 수 있다.

호울 랭구이지는 바로 이런 말하기, 듣기, 읽기, 쓰기를 총체적으로 교육시키는 교육철학이다.

"50분 정도의 수업시간에 어떻게 총체영어 교육을 다 할 수 있습니까?"

나는 한국에서 이런 질문을 더러 받았는데 그것은 얼마든지 가능하다.

만일 두살이나 세살쯤된 아이에게 그림과 문자를 보여주며 저녁 잠자리의 머리맡에서 쉬운 영어동화책을 날마다 읽어준다고 가정해보자. 그 아이는 일년만 그렇게 하면 몰라보게 영어의 발걸음을 떼게 될 것이다. 어떤 사람은 그것은 미국에서나 가능한 일이지 모국어가 다른 한국의 환경 아래서는 실현 가능한 일이 아니지 않습니까, 하고 시큰둥해 한다. 그렇지 않다. 인간은 어릴 적부터 두세 가지의 언어를 동시에 모국어 수준으로 깨칠 수 있다는 것이 연구 결과로 나와 있으며 이미 캐나다에서는 행하고 있다. 어릴 적부터 영어를 배운다고 해서 반쯤 미국인 되는 것이 아니다. 외국어는 어릴 적부터 가르쳐라. 이것은 내 주장이 아니라 세계의 학자와 주요 나라가 엄청난 돈과 시간을 들여 알아낸 결과이다. 어떻게 가르칠 것인가는 생각해볼 일이다. 한달에 수십만원에서 백만원이 넘는 엄청난 돈을 들여가는 방법으로 부모가 허리를 휘어가며 별 효과도 없는 방법으로 자식에게 영어를 가르칠 것인가. 보다 효과적인 방법으로 경제적 부담도 별로 지지 않고 가르칠 것인가.

미국의 독서 클럽들

미국에는 미국의 유치원, 초등학교 학생들을 상대로 독서 자료를 제공해주는 북클럽들이 많이 있다. 읽기자료를 원하는 한국의 학부모들은 다음에 소개하는 북클럽에 우편주문을 하면 필요한 영어읽기 자료들을 당장에 구해볼 수 있을 것이다. 연령별로 중점을 두는 경향이 있다.

The Best Book Club Ever(✱ 2〜7세)
61 Jericho Turnpike
Jericho, NY 11753
U. S. A.

Carnival Book Club(✱ 유치원〜초등2년)
P.O. Box 6035
Columbia, MO 65205-6035
U. S. A.

Grow-With-Me Book Club(✱ 2〜7세)
Garden City, NY 11503
U. S. A.

I Can Read Book Club(✱ 4〜8세)
1250 Fairwood Avenue
Columbus, OH 43216
U. S. A.

Junior Library Guild(* 유아원~ 초등6년)
100 Pine Avenue, Dept. CNA
Holmes, PA 19043
U. S. A.

Parents' Magazine's Read Aloud(* 4~8세)
and Easy Reading Program
Box 161
Bergenfield, NJ 07621
U. S. A.

Weekly Reader Children's Book Club(* 5~7세)
1250 Fairview Avenue
Columbus, OH 43216
U. S. A.

미국 초등학교로의 초대

거리에 배꽃이 만발한 파쓰댐에는 드문 일이기는 하지만 5월에도 눈이 내린다. 배꽃이 만발한 가로수 밑에 흰 눈이 쌓여 있다.(1996. 5. 8)

미국 초등학생과 한국 대학생

미국의 학제는 한국과는 많이 다르다. 초등학교에 들어가면 그 길로 12학년까지 올라간다. 대개 6학년까지를 초등학교라 하고 7학년~9학년을 중학교, 10학년~12학년을 고등학교라고 부른다. 주에 따라 조금 다른 체제를 갖는 곳도 있다. 미국에서는 대체로 다음과 같이 분류한다.

초등학교

1학년~3학년:Primary grade

4학년~6학년:Intermediate grade

7학년~9학년:Junior high school

10학년~12학년:senior high school

그러나 미국의 상당히 많은 지역에서 8학년까지를 초등학교로 간주하는 학구도 있다. 그런가 하면 초등학교 5학년~6학년을 Middle School이라고 간판을 다는 곳도 있다. 그래서 한국과 직접 대비하기는 어려운 측면이 있다.

대학에 갈 때는 9학년~12학년까지의 성적증명서를 보내기 때문에

8학년은 직접적인 대학준비 과정에서는 제외되는 것이 보통이다.

　내가 한국을 방문했을 때 많은 사람들이 미국학생들은 어떤 영어교과서를 가지고 그들의 국어를 배우는지 몹시 궁금해 하고 있었다. 단순한 호기심의 차원을 떠나서 학년별로 어느 정도의 수준인지, 그것을 보고 자신의 영어 실력을 가늠해 보고 싶어하는 것 같았다.

　미국에서는 8학년이면 뉴욕 타임즈 사설(社說)을 읽고 이해할 수 있다고들 이야기한다. 그리고 6학년이면 지방 신문의 사설을 읽을 수 있다고 평가한다. 이런 측면에서 보더라도 교과서만 가지고 하는 비교에는 어려움이 많다. 게다가 미국아이들은 영어가 모국어가 아닌가.

　그러나 읽기 차원에서 한번 교과서를 구경(?)하는 것도 영어 공부를 하는 데 참고가 될 법도 하다. 되도록이면 학년별로 다 소개했으면 싶지만 너무 많은 지면을 차지하게 되므로 초등학교 1학년~12학년 중에서 2, 4, 6학년 영어교과서만을 소개한다. 독자들은 현재의 자신의 실력으로 문법적 사항이나 독해가 어느 선까지 만족스럽게 이루어지는지 비교해보기 바란다. 7~12학년치는 일부러 뺐다. 그 수준은 영문 소설을 자유롭게 읽을 정도이므로 한국의 대학 수준이거나 그 수준을 넘어선다고 생각되었기 때문이다.

미국의 초등학교 2학년 영어교과서에서

Clock and More Clocks

One day Mr. Higgins found a clock in the attic. It looked <u>fine</u> standing there.

"How do I know if it is telling the right time?" he thought. So he went out and <u>bought</u> another clock. He <u>placed</u> it in the

266

bedroom.

"Three o'clock," said Mr. Higgins. "I'll see if the other clock is right." He ran to the attic, but the clock said one minute past three.

"How do I know which one is right?" he thought. So he went out and bought another clock. He placed it in the kitchen.

"Ten minutes to four. I'll check the others," said Mr. Higgins.

He ran up to the attic. The attic clock said nine minutes to four. He ran down to the bedroom. The bedroom clock said six minutes to four.

"I still don't know which one is right," he thought. So he went out and bought another clock.

He placed it in the hall.

"Twenty minutes past four," he said, and he ran up to the attic. The attic clock said twenty-three minutes past four.

He ran down to the kitchen. The kitchen clock said twenty-five minutes past four.

He ran up to the bedroom. The bedroom clock said twenty-six minutes past four.

"This is no good at all," thought Mr. Higgins. And he went to the Clockmaker.

"My hall clock says twenty minutes past four. My attic clock says twenty-three minutes past four. My kitchen clock says twenty-five minutes past four. My bedroom clock says twenty-six minutes past four. And I don't know which one is right!" said Mr. Higgins. So the Clockmaker went to the house to look at the clocks.

The hall clock said five o'clock.

There's nothing wrong with this clock," said the Clockmaker. "Look!" And he took out his watch. The clock and the watch told the same time.

The kitchen clock said one minute past five. "There!" shouted Mr. Higgins.

"Your watch said five o'clock."

"But it is one minute past now!" said the Clockmaker. "Look!" And he took out his watch. The clock and the watch told the same time.

The bedroom clock said two minutes past five. " This clock is right, too!" said the Clockmaker.

"Look!" His watch said two minutes past five.

The attic clock said three minutes past five. " And there's nothing wrong with this clock," said the Clockmaker.

"Look!" And he took out his watch.

"What a wonderful watch!" said Mr. Higgins. And then he went out and bought one. And since he bought his watch, all his clocks have been right.

미국초등학교 4학년 영어교과서에서

Three Wishes

Everybody knows there's such a thing as luck. Like when a good man be the first person to come in your house on the New Year Day, you have a good year, but I know somethin' better than that! Find a penny on the New Year Day with your birthday on it, and you can make three wishes on it and the wishes will come true! It happened to me.

First wish was when I found the penny. Me and Victorius Richardson was goin' for a walk, wearin' our new boots we got for Christmas and our new hat and scarf sets, when I saw somethin' all shiny in the snow.

Victor say,"What is that, Lena?"

"Look like some money." I say, and I picked it up. It was a penny with my birthday on it.1966.

Victor say, "Look like you in for some luck now, Lena. That's a lucky penny for you. What you gonna wish?"

"Well, one thing I do wish is it wasn't so cold." I say just halfway jokin'. And the sun come out. Just then.

Well, that got me thinkin'. Me and Victor started back to my house both of us thinkin' 'bout the penny and what if there really is such a thing and what to wish in case. Mama was right in the living room when we got to the house.

"How was the walk, Nobie?"

"Fine thank you, Mama." I say.

"Fine thank you, ma'am." Victor say as we went back to the kitchen.

My name is Zenobia after somebody in the bible. My name is Zenobia and everybody calls me Nobie. Everybody but Victor. He calls me Lena after Lena Horne and when I get grown,

I'm goin' to Hollywood and sing in the movies and Victorius is gonna go with me 'cause he is my best friend. That's his real name.

Back in the kitchen it was nice and warm 'cause the stove was lit and Mama had opened the oven door. Me and Victor sat at the table talkin' soft so nobody would hear.

"You get two more wishes, Lena."

"You really think there's somethin' to it?"

"What you mean, didn't you see how the sun come ridin' out soon as you said about it bein' too cold?"

"You really think so?"

"Man, don't you believe nothin'?"

"I just don't believe everything like you do, that's all!"

"Well, you just simple!"

"Who you callin' simple?"

"Simple you, that's who, simple Zenobia!"

I jumped up from the table, "Man, I wish you would get out of here!" and Victor jumped up and ran out of the room and grabbed his coat and ran out of the house. Just then.

Well, I'm tellin' you! I just sat back down at the table and shook my head. I had just about wasted another wish! I didn't have but one more left!

Mama came into the kitchen lookin' for me. "Zenobia, what was the matter with Victorius?" She call me Zenobia when she kind of mad.

"We was just playin', Mama."

"Well, why did he run out of here like that?"

"I don't know, Mama. That's how Victor is."

"Well, I hope you wasn't bein' unfriendly to him, Zenobia, 'cause I know how you are too."

"Yes, ma'am. Mama, what would you wish for if you could have anything you wanted in the whole wide world?"

Mama sat down at the table and started playin' with the saltshaker. "What you mean, Nobie?"

"I mean, if you could have yourself one wish, what would it be for?"

Mama put the salt back on a straight line with the pepper and got the look on her face like when she tellin' me the old wise stuff.

"Good friends, Nobie. That's what we need in this world. Good friends. "Then she went back to playin' with the table.

Well, I didn't think she was gonna say that! Usually when I hear the grown people talkin' 'bout different things, they want, they be talkin' 'bout money or a good car or somethin' like that. Mama always do come up with a surprise!

I got up and got my coat and went to sit out on the step. I started thinkin' 'bout old Victor and all the stuff me and him used to do. Goin' to the movies and practicin' my singin' and playin' touch ball and stick ball and one time we found a rock with a whole lotta shiny stuff in it look just like a diamond. One time me and him painted a picture of the whole school.

He was really a good friend to me. Never told one of my secrets. Hard to find friends like that.

"Wish I still had a good friend," I whispered to myself, holdin' the penny real tight and feelin' all sorry for myself.

And who do you think come bustin' down the street grinin' at me? Just then!

Yeah, there's such a thing as luck. Lot of people think they know different kinds of luck, but this thing 'bout the penny is really real. I know 'cause just like I say, it happened to me.

미국의 초등학교 6학년 영어교과서에서

Trail Boss

The frontier was a rugged and harsh place. Emma Jane had to take her family's herd of longhorn cattle across the frontier from Texas to Illinois. Others before her had failed. At fourteen years of age, could she face the challenges?

Emma Jane was guiding the herd up the western edge of Missouri. One night as she studied a rough map in the firelight, her brother, Martin, came and crouched beside her.

"Where are we, Emmy?"

Emma Jane pointed with a blunt-nailed finger. "We're heading right up here, so we can cross the Grand River near Clinton. There's a bridge there, and I aim to use it if we can."

She and Martin stared uneasily at one another, remembering the warning a Texas cowboy had given them earlier.

Missouri farmers were setting up roadblocks at bridges and refusing to let Texas cattle cross. "They claim our longhorns carry a disease that infects their cattle and wipes out whole herds. 'Texas fever' they call it," he informed them.

It didn't make sense, thought Emma Jane, and set her jaw stubbornly. "Why blame our cattle? They're not sick," she muttered to Martin. However, not Martin, nor anyone else knew the answer then. Not until later was it discovered that the real culprit was a tiny tick that clung to the longhorns which were immune to its bite.

Every day brought them closer to Clinton. If there were to be a problem, this is where it would come.

Then one afternoon, above the medley of the cattle sounds, Emma Jane's ears caught the galloping rhythm of a horse. As the sound drew closer, she flicked a glance over her shoulder and tightened her jaw. "Guess I know trouble when I see it coming," she muttered to her horse, Star.

The galloping rider hauled up beside her and a curt voice demanded, "Where do you kids think you're taking those cattle?"

Emma Jane's grey eyes swept over the man in a steady but polite gaze before she answered. His hostile dark eyes glared under beetling grey brows. The girl kept her voice calm and mild. "We're trailing them to market, Mister."

The dark eyes snapped. "Not across my land you're not. I don't aim to have my cattle wiped out by Texas fever."

Emma Jane looked at her longhorns plodding along and then

turned back to the man. "We don't aim to go near your cattle, Mister— and anyway, these steers aren't wild. They've been off the range almost two years now."

The man sucked in his breath. "Now see here, girl. We Missouri farmers have our rights. You'd better turn this herd around and head right back where you came from."

Emma Jane cocked a calm and steady eye at the horseman beside her. "This is just a little herd, Mister. I can't see how they're going to do you any more harm than I could—unless you stampede them."

The man stared at her, and his voice carried a note of grudging admiration. "Well, if you aren't a cool young one. I suppose your pa's up ahead in the wagon. I'll settle this with him."

Emma Jane's voice kept the same low pitch. "Pa's dead. I'm trail boss of this outfit, Mister."

The beetling brows knitted and the dark eyes stared. "Well! A trail boss in pigtails!" He rasped his beard with thick-ribbed nails while he studied the girl. "How far have you come like this?"

Emma Jane pushed her feet more firmly into the stirrups. "Waco, Texas."

The man exploded in a boom: "Waco, Texas!"

Star bucked and reared, but Emma Jane was ready for him and held tight. "Steady, boy!"

The man watched her bring the horse under control and all the grimness disappeared from his leathery face. "That horse has too much ginger for a youngster—" His voice trailed into silence.

Emma Jane continued as if there had been no interruption. "Pa died in February. We left when the grass turned green. Ma drives the wagon with the little ones, while Marty and I herd the cattle."

The man squinted at her from under his hat brim. "But why did you bring the cattle along?"

"We're going back to Illinois to sell the cattle in Chicago and buy a farm."

The dark eyes blinked under the gray brows, and the man twanged softly, "Going to Chicago, she said— as if it were just over the next hill."

Emma Jane flashed him a grin. "That's right. All we have to do is keep on walking, and one day that's where Chicago will be —over the next hill."

He rasped his beard again, and the gray brows knit furiously. "Excepting there's the little matter of a few rivers and ·····look here, I'll let you by my place, but you'll never get past Grand River Bridge this side of Clinton.There's a committee guarding that bridge against all longhorn cattle. Three herds numbering around two thousand were turned back in June—nobody wants Texas fever. How do *you* expect to get past?"

Emma Jane's jaw took the stubborn set her family knew so well. "I'll figure that out when we get there —just as I've been doing all the way from Texas."

"You're a spunky one, I'll say that." The iron-gray head nodded, and the man muttered, "As you say, it's just a pintsized herd, and they've been off the range almost two years…" He pointed ahead. "That tree up yonder marks the edge of my land. Good luck — you'll need it." He touched the brim of his hat, wheeled his horse, and rode away.

Emma Jane's mind was twisting, turning, probing the problems that lay ahead." I wonder what Pa would have done?" she asked Star. She wrinkled her forehead." I reckon he'd have outmaneuvered them somehow."

Suddenly Emma Jane's eyes lighted. "That's what I'll do. That's just what I'll do. I'll outmaneuver them."

From the top of the wooded bluff, Emma Jane could see the valley spread below. There was the brown road they must travel, threading its way to the river bank where Grand River Bridge crossed the silver stream. As her eyes fastened on the bridge, several toylike figures sauntered into view. Close up, the figures would turn into raw-boned men of muscle and flint.

Several miles beyond was the village of Clinton. As best she could figure, it must be two hundred and fifty miles from Clinton to Alton—a whole month of travel through a countryside hostile to longhorns. For a moment she wavered.

Then once again she seemed to hear Pa's voice whispering, "You can do it, Emma Jane." Pa, worn with illness, from some

276

inner depth had mustered a spark of determination and courage that he had passed on to her, and she must not fail him. "You can do it, Emma Jane."

Her eyes went back to the bridge. She must cross the bridge before she could start that two hundred and fifty miles. She dug her heels into Star's sides and rode back to where she had left Ma and the others.

Emma Jane slid from Star's back. "There are men at the bridge."

Ma nodded. "I reckon it's pretty hard to hide even a little herd of cattle."

"That means you and young ones will have to go ahead with the wagon, Ma."

The worry creases between Ma's eyebrows deepened.

"What are you aiming to do, Emma Jane?"

"You get as far as you can on the other side of Clinton today," Emma Jane replied. "Marty and I will stay here till after dark. When the moon comes up, we'll push out and cross the bridge."

Ma looked doubtful. "I don't know, Emmy. I hate to get separated this way."

"It's the only way. The farmers turned back nearly two thousand cattle in June, and I don't reckon they're going to be any friendlier to us. All we can do is outmaneuver them; they won't be expecting us to go through at night."

Ma dabbed at her face with a limp red bandana. "But can you drive them at night?"

"It'll be moonlight. Besides, my eyes are getting so they see like an owl's. Don't worry— we'll catch up with you. We may even pass you tonight."

Ma pushed the bandana into a shirt pocket. "You always make everything sound so reasonable."

"It's going to be fine, Ma."

A silvery moon was climbing into a starry sky when Emma Jane stooped to wake Martin. "Wake up, Marty, it's time we hit the trail."

For a moment the boy fought the call, then he was shaking himself awake. "I'm ready any time you are, Emmy."

The trees on the ridge stood black against the moonlight. A little breeze ruffled their leaves and eddied down into the hollow, making the brown grasses rustle quietly. Emma Jane and Martin directed the restless grazing of the cattle in a gentle, persistent flow toward the trail. Emma Jane guided Star close to the front of the herd where the chief longhorn, Colonel, led the way. Her calm, even voice urged him on.

Colonel swung his mighty, curving ivory horns in a wide arc and lunged forward with a happy below. The herd pressed forward in the moonlight— a huge black shadow swaying with rhythmic undulations in a steady surge toward the river.

"Emmy," whispered Martin, as he met Emma Jane at the drag, "at this rate we'll be across in no time." His voice was trembling with excitement.

Emma Jane was straining eyes and ears against the night.

"Keep them in a tight line at the bridge," she reminded. "You start across with the front ranks. I'll post at the bridge until the last one is on."

Anxiously, Emma Jane searched for any sign of a guard, but she saw no one. "Now if Colonel just doesn't balk at the bridge," she whispered to herself. "That's it, fellow, come on."

Without a break in his stride, Colonel was on the bridge. The cattle pressed close behind Colonel. Two and three abreast they came, following their leader. The noise of the hollow thud of the hoofbeats on the wooden timbers in the quiet of the night was appalling. As the last of the herd gained the bridge, the noise seemed to crash and roll like thunder in Emma Jane's nervous ears.

Then the sound for which she had been tensed split the air. A voice rang out, "Say! What's going on? Halt, I say!"

Colonel, who had already reached the far end of the bridge, plunged forward like a greenhorn under attack for the first time. As one, the dark forms on the bridge lunged after him. There was a thunderous noise on the wooden planks. The whole bridge seemed to sway. Emma Jane heard Martin yelling, "Get on there!"

Then the thunder of the bridge was no more than a hallow echo drowned in the thudding of more than three hundred hooves pounding the trail.

Emma Jane saw Martin on his side of the herd. Should she try to swing the herd to the right or the left? There had been no time to get her bearings before he stampede began. She could only fly along with it and hope to keep her little herd intact.

Then her ears picked up a new beat of hooves. Turning around in the saddle, she saw that at least one rider was pursuing them. He was not yelling, only relentlessly riding and gaining. Oh, what was the use? She didn't even know where they were going!

The galloping hooves beat closer. "Turn them left," a hoarse voice shouted. "Keep them out of the canebrakes along the river bottom."

It was almost as if the stranger were encouraging their swift pace. For a fact, *he was helping them*, Emma Jane realized in amazement.

Gradually the cattle slowed of their own accord. They had run themselves out, no longer remembering what had caused their mad flight. The strange horse and rider were only a few paces behind her.

"The trail is over yonder. Keep them moving. You still have a way to go till you're out of this country." There was something vaguely familiar about that nasal twang.

"You're helping us. Why?" Emma Jane twisted around in the saddle and for the first time got a really good look at the stranger. The moonlight picked up the grint of silver in the iron-gray hair.

The tension drained out of her. "Oh, it's you, Mister! What about the others back at the bridge?"

"There was only one other fellow. I thought I had the whole group talked into going home, but this fellow was just too stubborn." There was a dry chuckle. "It's a funny thing, though. While I was getting my horse, his own horse managed to break away. I reckon he hasn't caught it yet."

"But why are you helping us?"

"I reckon I couldn't get you out of my mind," replied the man. "I took out after you, saw where you'd turned your stock off the trail, and saw your ma and the youngsters drive by. When you didn't come before sundown, I figured maybe you'd try it at night. That was pretty smart and pretty spunky."

Emma Jane looked across the peaceably plodding longhorns and back at the man. "Thanks, Mister. Thanks a heap."

He pointed a finger down the trail. "See that old sycamore up yonder? That's a spot where you can rest your herd. I'll search out your ma and let her know where to find you. Beyond here you won't have much trouble."

The man raised his wide-brimmed hat. "The farmers of this county have their rights, but any pigtailed trail boss that's got as much spunk as you've got has some rights, too." He clamped the dusty hat on his head, wheeled his horse, and galloped back down the trail.

호울 랭구이지 영어 학습

졸업식은 보통 대학 캠퍼스 노천에서 거행되는데, 교수 입장, 대학원생, 학부생들 순서로 입장한다. 우등생들은 앞 순서로 들어서고, 옷차림에도 표시가 되어 있다.(1996. 5. 19)

한국의 영어교사들에게

한국의 영어가 달라지려면 영어교사가 달라져야 한다고 나는 누누이 강조한 바 있다. 오늘 한국의 영어가 안고 있는 여러가지 문제점은 영어를 가르치는 초중고 교사들의 몫이다. 일선에서 영어를 어떻게 가르치느냐가 지난 50년 동안 해온 구습을 탈피하고 영어학습의 선진화를 재촉할 수 있는 유일한 길이 될 것이라고 나는 생각한다. 지금 나는 한국영어가 제대로 안되고 있는 책임이 전적으로 교사들에게 있다는 뜻으로 말하고 있는 것이 아니다. 만일 내가 그렇게 말한다면 한국에서 고교 교사를 했던 나로서 한국의 실정을 무시하고 하는 말이 될 것이다. 나는 감히 교사들보다는 대학이 책임져야 한다고 말한다. 영어교사들을 만들어내는 대학은 지난 50년 동안 영어 학습에 관해 달라진 것이 거의 없다는 것이 나의 판단이다. 갑옷같은 이론, 번역식 학습, 일방적인 전달…… 지적하자면 결국 실제 상황이 없는 대학의 영어교육이 오늘의 영어교사들을 만들어낸 것이다.

대학이 장차 일선에 나가 영어교사가 될 예비교사들을 한번이라도 영어의 바다 속에 빠뜨린 일이 있는가. 그들을 영어의 바다에서 헤엄

치게 한 일이 있는가. 하루 빨리 대학이 달라져야 한국영어가 달라진
다는 것이 영어학자로서의 나의 소신이다.

그렇다고 해서 그 책임을 하나부터 열까지 온통 대학에만 있다고
치부할 수는 없을 것이다. 99퍼센트는 대학에 있다고 해도 나머지 1퍼
센트는 교사 자신들에게서 찾아보아야 할 것이다. 그런 뜻에서 나는
한국의 영어교사들에게 영어학습 지도를 위한 몇 가지 제언을 하고자
한다.

영어학습의 지도 원리를 잊지 말라

1. 언어의 습득은 의미가 기초가 되어야 한다. 의미구축에 도움을
줄 수 있도록 교사가 가장 명심해야 할 일은 산 사람과 산 사람과의
상접, 의미건축을 위한 활동을 할 수 있도록 하는 일이다. 이것이 없으
면 교과서가 아무리 좋아도 소용없다. 이것이 없으면 오직 듣기만 하
는, 죽은 사람과 대화하는 것같은 비디오도 다 소용없다.

2. 풍부한 상황, 상접적이고, 심리적으로 절대적인 지지를 보장해주
는 영어 탐색의 학습 환경을 이해할 것. 그렇지 않고는 언어습득의 발
전을 기대할 수 없다.

3. 학생들이 학교의 안과 밖에서 언어 활동의 사교적인 의미, 목적
충족을 도와줄 뿐만 아니라 아카데믹한 학과의 내용이 담겨져 있는 그
런 언어능력을 발전시키는 데 도움이 되도록 애를 써야 한다. 영어시
간에 영어교사는 판에 박힌 학습 지도 방법을 바꾸어 수학을 가르쳐본
다든지 하는 식의 보다 아카데믹한 학습 지도가 필요하다. 한국에서도
서툴지만 영어로 수학을 가르칠 수 있다고 본다.

4. 학생들은 영어시간에 늘 겁을 먹기 마련이다. 교사는 학생들에게
모험심을 조장해주는 기회를 제공해야 한다. 다른 언어를 습득하려면

실수를 저지르면서 습득해갈 수밖에 없다. 실수에 겁을 먹지 않도록 학생들을 이끌어야 한다.

5. 학생들이 한 언어의 사용자로서 긍적적이고, 자신있는 모습을 건설해갈 수 있도록 도와주어야 한다. 항상 의미가 밑바탕이 되는 언어 사용의 기회를 상접적으로 제공해야 한다. 이렇게 하지 않으면 영어교육은 한계에 부딪친다. 길가에서 영어 원어민을 만나 몇 마디 얘기하고 식당에서 음식 주문하는 정도가 영어 공부의 목표가 아닐진대 좀더 고도한 국제무대에 나가 뛸 수 있도록 하려면 아카데믹한 내용이 꼭 따라야 한다.

기회 제공은 이렇게 하라

언어를 자연스럽게, 진짜 목적을 갖고 사용할 수 있는 기회를 제공한다. 무조건 외기 위해서 연습시키는 학습은 실패하기 쉽다. 진짜로 변소에 가고 싶어 할 때 "변소에 가고 싶다."는 영어를 가르쳐라.

항상 새로운 언어 입력을 할 때 아주 강도있고 풍부한 상황 속에서 완전히 이해할 수 있도록 언어 입력을 해주어야 한다. 학생들에게 물 주전자를 가지고 나와서 물을 마시고 싶다는 말을 가르쳐라.

학생들이 불안감 없이 안심하는 환경 속에서 영어를 시도, 실험, 가정해보는 기회를 제공하라. 마치 과학자가 실험실에서 수없이 실험을 하듯이.

가능하면 영어를 모국어로 하는 짝꿍을 만들어주어 언어의 네 가지 기능의 진짜 상황이 생겨나도록 환경을 만들어 주어라. 여기서 토픽도 나오고 주제도 나오게끔 하라.

광범위한 기능을 포함, 사회성, 아카데믹을 발휘할 수 있는 기회를 제공해주라. 영어를 가르친다고 해서 수업시간마다 영어와 직접적인 관련있는 단어, 숙어, 구, 절, 문법, 번역만 도와주지 말고, 수학, 역사, 음악, 과학 과목 같은 것도 서툴지만 영어로 가르쳐보라는 얘기다.

성공적으로 지도할 수 있는 방법

언어습득자가 그때그때 완전히 이해할 것.

학습자 자신이 재미있게 여기고, 학습자와 상관이 있을 것.

문법적인 순서를 밟지 말 것. 전치사, 부사…… 식으로 따로 떼어서 가르치지 말 것. 상황 속에 나오는 대로 문법을 지도해야 한다. 다시 말하지만 "언어 사용법"을 책임맡고 있는 것이 문법이지 "품사"의 이름이나 문법적 술어를 운운하는 것이 문법이 아니다.

언어 사용의 다양한 내용을 제공할 것.

학습자가 심리적으로 안심하도록 교사가 보장할 것.

회화가 장기적으로 지속될 수 있도록 상황을 설정해 줄 것.

영어를 공부하는 학습자들에게

한국의 영어 학습자들의 상당수는 학생들이다. 학생들이 영어를 배우는 것은 옛날부터 대학입시를 위해서이다. 지금도 이 목적은 바뀌지 않고 있다. 그것이 좋은가, 어떤가를 말하고 싶지 않다. 누가 날더러 학생들의 대학입시 참고서를 써주기를 바랐다. 나는 참고서는 쓸 수가 없고 영어 교육을 맡고 있는 학자로서 영어학습서는 써보겠다고 했다. 영어학습서는 영어 자체의 습득을 목표로 삼고 공부하는 사람들을 대상으로 한 경우이므로 단기적인 시험에 합격하기 위한 참고서와는 다르다는 것이 내 생각이다. 물론 영어 학습이 이루어지면 대학입시니, 뭐니하는 시험 따위는 다 저절로 해결이 된다. 단어나 숙어, 문법적인 사항을 달달 외가지고는 영어 정복이 안된다. 물론 외국어이므로 기본적인 사항의 암기는 불가피한 것이지만 현재와 같이 따로따로 떼어서 외워가지고는 산의 입구에는 가겠지만 산의 정상에는 갈 수가 없다.

학습자들에게 내가 해주고 싶은 이야기는 지금까지 칠판을 바라보며 듣던 이야기와는 다를 수가 있다. 그러나 이렇게 하지 않고는 "학창시절에 영어를 배운 일이 있었지."하고 끝나버린다. 진짜로 영어를 배우고 싶다면 내가 이 책에서 말한 것들을 실천하도록 노력해볼 일이다. 다음은 실제 상황을 만들어서 학습하라는 내 평소의 주장에 따라서 학습자들에게 간단히 영어 학습의 충고를 정리한 것이다.

말하기의 충고

첫째, 영어를 쓰는 사람들 사이에 있을 때 대화의 상황을 짐작해보고(틀리더라도 좋으니까), 그 상황이 연속적인 내용이라고 가정하고 덤벼 볼 것. 상황 자체가 틀려서는 대화를 짐작을 할 수도 없으니까 상황은 알아야겠다.

둘째, 처음부터 장황한 표현을 따담으려 애쓰지 말고, 살아 있는 인간의 짧막한 표현이라도 익혀 교류를 통해 즉시 써먹어라.

셋째, 자주 학습한 "언어의 틀"(sentence pattern)을 따담으라.

넷째, 학습자 자신이 배운 "언어의 틀"을 많이 써먹도록 재생산하라. 자기가 따담은 표현들을 어쨌든 자주 써먹을 수 있도록 애쓰라는 이야기다.

다섯째, 문법적인 세련에 지나치게 관심을 기울이는 대신 의미 전달에 최대한의 노력을 해라.

유학을 오려면

　유학을 오는 학생들이 맨먼저 부딪치는 곤란은 듣기장애이다. 말은 하도 겁을 먹고 한국에서 연습을 많이 해온 탓에 자신에게 필요한 말은 꽤 할 줄 안다. 발음은 다소 어색해도 미국사람들이 틀린 말을 탓하지 않고 잘 들어준다. 그러나 유학생은 미국사람들이 하는 말을 알아듣는 데는 적지 않은 어려움을 겪는다. 듣기가 잘 안되기 때문에 모임이 있으면 가서 무슨 말을 하는지도 잘 모르고 그 시간을 보내다가 온다. 무척 고통스러운 시기를 한동안 보낸다.

　내가 유학생들의 듣기, 말하기를 유심히 관찰한 바에 따르면 처음엔 말하기보다 듣기에 곤란을 겪다가 시간이 지날수록 그 양상이 달라진다. 날마다 만나는 미국사람들 사이에서 1년이 지나고 2년이 지나는 동안 듣기는 좋아지고 오히려 말하기에 어려움을 겪는다. 잠잘 때만 빼놓고 나가기만 하면 미국사람들과 섞여 지내는 탓에 듣기는 숙달이 되어가지만 말하기는 별 진전이 없다. 말하기는 습득을 위한 끊임없는 자기 훈련이 필요한데 여러가지 이유로 그렇게 하지 못하기 때문이다. 그 좋은 예가 많은 재미교포들의 경우이다. 10년, 20년이 지났어도 말을 제대로 못한다. 장사에 필요한 생존영어(survival English) 외에는 말이 막히는 사람들이 많다. 이유는 간단하다. 말하기 공부를 하지 않기 때문이다. 고급 회화는 엄두도 못낸다.

〈영어의 바다에 빠뜨려라〉를 읽고 미국에 사는 어떤 항공사 직원이 내게 전화를 걸어왔다는 이야기는 다른 장에서 한 바 있다. 그 사람은 미국에서 대학을 나온 후 항공사에 근무하고 있는데 고급영어를 하는데 어려움을 겪는다며 호소를 해왔다. 무슨 말이냐 하면 교양을 갖춘 미국사람들이 하는 논리적인 대화를 자유스럽게 하고 싶다는 이야기다. 그것에 대한 충고는 다른 장에서 소개한 바 있다.

한국에 사는 중국 화교들의 경우에서 보듯이 오래 살고 있는 화교들은 한국말을 알아듣기는 귀신처럼 잘하는데 말하기는 잘 못하는 경우가 많다. 미국에 온 한국 유학생들은 이 경우보다는 낫다고 하겠지만 어쨌든 듣기보다 말하기가 늦되는 일이 흔하다. 미국만 오면 말하기가 저절로 될 것이라고 생각하면 큰 오해다. 끊임없는 상접작용에 의해서 자기훈련을 하지 않으면 말하기가 늘지 않는다. 피나는 노력이 필요하다. 유학을 온다고 해서 이 문제가 저절로 해결되는 것이 아니라는 이야기다.

나이따라 영어습득 기간 다르다

여기서 잠시 미국 유학에 대한 이야기를 하기 전에 연령별로 영어 습득의 난이도가 다르다는 사실을 학자들의 연구 결과를 빌려 말해두고 싶다. 독자들이 알고 싶어하는 대목일 것이다.

언제 유학을 오는지에 대해서 참고가 될는지도 모른다. 학자들이 연구한 바에 따르면 사람은 4세 이전에 두 언어를 가르치면 두 가지 언어 다 동시 2중언어 습득자로 모국어 수준으로 익힐 수가 있다. 한국어와 영어 두 언어를 자유자재로 구사할 수 있게 된다는 이야기다. 미국에서는 한살, 두살 되는 젖먹이 아이에게도 문자가 들어 있는 그림책을 보여준다. 아이가 글을 알든 모르든 엄마가 손가락으로 글자를 가리키며 거의 매일 잠자리에서 읽어준다. 아이는 문자 인식을 못하지만 문자를 그림과 함께 자기 나름대로의 지적(知的) 이해를 머리 속에 넣어둔다. 내 손녀 이야기는 다른 장에서 이야기한 바 있지만 이야기가 다음 페이지로 넘어가는 대목에서 용케도 손녀가 책장을 넘긴다. 신기한 일이다.

미국아이들이 태어날 때부터 한국아이들보다 더 우수해서가 아니다. 미국도 예전에는 유치원에서 유아들에게 문자 교육을 시켜서는 안된다고 하여 그림책만을 보여주거나 놀이만 시키며 문자 교육은 경원시했었다. 그러나 지금은 종전의 이론이 무너지고 사람은 세상에 태어나자마자 교육을 시킬 수 있다는 보다 진전된 새로운 교육이론이 널리지지를 받고 있다.

이처럼 크게 달라진 것은 1965년 제롬 부루너(Jerome Bruner)교수가 "나이하고 상관없이 그 아이의 능력, 환경에 최적한 교육자료를 제공하면 얼마든지 교육적 성과를 기대할 수 있다."고 하는 놀랄만한 연구 결과를 논문으로 발표한 것이 계기가 되었다. 물론 당시엔 대부분의 학자들이 그의 신이론을 외면했으나 수년 전부터 부루너가 주장하는 이론에 미국의 교육계가 적극 호응하여 새로운 개념이 교육현장에서 현실화된 것이다. reading(문자 언어습득)교육에서 waiting peried(대기기간)가 이제는 설 자리가 없는 처지가 되어버린 것도 부루너의 공헌이다. 미국은 어떤 교육방법이 달라질 때는 이처럼 전문가의 새로운 이론이 나오고 그것이 심포지움 등 검증과정을 거쳐 곧바로 현실 속에 반영된다. 요즘 미국에서 출판되는 아동교육용 도서에는 부루너 교수의 말이 어록처럼 인쇄되어 있는 것을 볼 수 있다.

4세 이전에 두 가지 언어를

교육학 이론을 들먹일 자리가 아니므로 간단히 넘어가는데, 적어도 다음과 같은 내용은 알고 있는 것이 좋겠다.

사람은 보통 생후 3~4년 무렵에 모국어와 제2언어를 동시에 가르치면 두 가지 언어를 다 모국어 수준으로 할 수 있게 된다. (학부형들이 참고할 이야기다.)

5세때까지는 계속해서 하나의 언어만 듣고 자란 아이가 미국으로 오면 약 2년이 지나면 미국아이들과 똑같은 언어 생활을 시작할 수가 있다.

10세때까지 미국에 올 경우에는 처음 한동안 고생하지만 늦어도 3~4년이 지나면 모국어 수준의 영어를 구사할 수 있고, 이 아이가 15, 6세가 될 때쯤이면 영어발음에서 한국말 액센트가 말끔히 가시고 미국 태생처럼 할 수 있는 경우가 많다.

10세가 넘어서 미국에 온다면 한국말 액센트가 조금 남아 있을 경우가 있다. 이 사실은 언어습득자에 따라 여러가지로 다르다는 것을 명심해야 한다. "영어의 바다"에 빠지는 정도에 따라 각자 습득속도가 다르다는 것이다. 물론 어떤 아이는 모국어 수준으로 완벽히 구사할 수 있다.

15세는 심리학적으로 "어른으로 넘어가는 기간"이어서, 심리적으로 불안하고 언어습득이 꽤 힘들어지는 연령이다. 자기자신의 철저한 노력이 기울여지면 모국어 수준으로 갈 수도 있다. 그러나 대체로 후에 한국말 액센트가 남아 있는 경우가 더 많다. 미국의 전 국무장관 헨리 키신저는 독일에서 15세때 미국으로 이민왔는데, "Good evening" 같은 간단한 인삿말마저도 독일식 액센트로 발음해서 리처드 리틀 (Richard Little) 같은 텔레비전 코미디언들의 흉내 대상이 되곤 했다.

키신저는 발음만 그렇지 쓰기는 명필로 유명하다.

20세가 넘어서 미국에 오면 발음 교정에는 피나는 노력이 필요하다. 모국어 수준이 불가능하다고 할 수는 없지만 엄청난 노력이 필요하다.

대학 유학 1년에 1만달러 들어

미국 대학의 유학에 관해서는 한국에도 여러가지 안내 책자가 나와 있는 것을 본 일이 있다. 다만 나는 내가 봉직하고 있는 이곳 뉴욕주립대학의 경우를 들어 간단히 언급하고자 한다. 내가 맡고 있는 영어교육과는 사범대학 안에 있는데, 미국 국적을 가진 학생들을 상대로 영어교사를 양성하고 있다. 외국 학생들도 영어교육과의 교육과정을 이수하고 졸업은 할 수 있으나 교사자격증은 주어지지 않는다. 미국의 각급학교의 교사를 양성하기 위한 학과이므로 어쩔 수 없다. 진주의 어느 영어교사가 1년 정도 이곳 대학에 와서 영어교육을 받고 싶다는 뜻을 표했는데 그런 경우는 가능하다.

학부과정은 문리대와 사범대, 음악대학이 있다.

대학에 따라 약간씩 다르기는 하지만 대체로 사범대학의 경우 1996년도 기준으로 1년 수업료가 3,650달러인데, 체육비 등을 포함해서 4,090달러가 든다. 기숙사비는 1,900달러, 이밖에 교재대 500달러, 보험료 400달러가 든다. 합계 대략 7,000달러 수준. 개인적인 용돈을 포함하면 적어도 1년에 1만 달러 정도가 든다고 보아야 할 것이다.

만일 기숙사에 들어가지 않고 아파트를 얻어 지낸다면 한달 집세가 대략 300~350달러 수준, 여기에 전기료 20달러, 그밖에 집에 들어가는 비용 20달러, 식비는 대략 월 300달러 정도로 보면 된다. 두 사람이 아파트를 함께 쓸 경우는 집에 들어가는 비용은 반으로 준다.

유학에 있어서 경비도 물론 고려해볼 주요 요건이겠지만 어쩌면 그

싯보다 공부를 지독하게 할 각오가 되어 있느냐가 더 큰 필요 조건이라고 할 수 있다. 이곳 미국 대학의 공부 분위기는 한 마디로 지독스럽다. 내가 있는 뉴욕주립대학의 경우 교수나 학생들은 연구와 공부로 "녹는다." 골프는 생각도 못하고 강의가 없는 날이나 시간에도 교수 연구실은 늘 불이 켜져 있다. 거의 쉴 틈이 없다. 가까스로 금요일 오후 주말이나 되어야 한숨을 돌리고 휴식을 취할 따름이다.

교수는 학생들의 평가를 받기 때문에 늘 새로운 교육방법과, 신이론을 연구하지 않으면 안된다. 가령 나의 경우 영어교육과 4학년 학생들을 맡고 있는데, 해마다 다른 내용, 다른 교육방법으로 가르친다. 게다가 학회의 여러 심포지움에 가서 발표할 논문준비까지 생각하면 그야말로 하루 24시간으로도 모자란다. 올해 가르쳤던 강의 노트를 다음 해 강의노트로 사용하는 경우는 없다. 새로운 교육이론이 가미되어 더욱 풍성한 내용이 된다. 해마다 학생들은 새로운 이론을 공부하고, 새로운 내용의 강의를 듣는다. 이렇게 하지 않으면(조금 섬뜩한 표현을 하면) 교수나 학생 어느 쪽도 살아남지 못한다. 좀체로 한가한 시간이 없다.

유학을 오려는 사람은 영어에 겁을 먹을 것이 아니라 지독스럽게 해야만 따라갈 수 있는 공부에 겁을 먹어야 할는지도 모른다.

한국서도 호울 랭구이지로 영어정복 가능

나는 영어교수이니까 이 책에서 말하고 싶은 일차적인 관심은 역시 학생들의 영어공부 문제이다. 영어 때문에 너무나 많은 고통을 겪고 있는 한국의 학생들에게 어떻게 하면 보다 적절한 방법으로 영어정복을 도와줄 수 있을까, 이것이 최근 〈영어의 바다에 빠뜨려라〉를 펴낸 이후 내가 신경을 쓰고 있는 대목이다. 영어를 마스터하기 위해서라면 꼭 미국으로 유학올 필요까지는 없다는 것이 내 생각이다. 한국에서도 얼마든지 영어를 정복할 수 있는 길이 있다. 한국의 영어교육 환경을 크게 바꾸려면 먼저 해방 이후 지난 50년 동안 아무런 반성이나 개혁 없이 지속되어온 케케묵은 영어교사 양성 환경을 바꾸어야 한다.

이 문제를 생각할 때마다 나는 가슴이 답답해진다. 마치 광야에서 나 혼자 외롭게 외치는 느낌이다. 지금 미국에는 "코리언 드림 (Korean dream)"이라는 말에 혹해 있는 사람들도 있다. 아주 소수이 기는 하지만 한국에 가기만 하면 신세를 펼 것으로 생각하는 젊은이들 이 그들이다. 미국뿐만 아니라 이웃 캐나다에서도 그런 모양이다. 한국 에 가서 영어를 가르치면 돈도 벌고 융숭한 대접도 받고 즐겁게 지낼 수가 있다는 것이다.

작년에 내가 한국에 갔을 때 관악산에 올라갔다가 등산길에서 만난 젊은 캐나다인 부부가 생각난다. 그들은 두 사람 다 서울에서 영어강 사로 일하고 있는데, 6개월째 되었다고 했다. 전공은 남자는 사회학, 여자는 심리학. 서울에서의 생활에 대만족이라고 엄지손가락을 쳐들었 다.

발음을 배우더라도 원어민(原語民)이 낫지 않겠느냐는 생각에서 많 은 학생, 직장인들이 외국인 강사를 찾는 것같다. 그런데 한번 생각해 볼 일이다. 미국에 관광을 갔다가 한국말을 가르쳐달라는 부탁을 받고 미국에 주저 앉은 한국인이 있다고 하면 어떻게 될까. 한국어교육 전 공자도 아닌 사람이 잘 가르칠 수 있을까.

물론 생생한 현지 발음을 들어볼 수 있는 기회가 된다는 점에서 도 움이 되는 점이 적지 않겠지만 읽기, 쓰기, 말하기, 듣기를 제대로 배우 려면 제대로 된 교사에게서 배우는 것이 바람직하다. 나는 한국 영어 교육 실태를 살펴보고 영어혁명을 위해서 한국의 영어교육계가 해야 할 일이 적지 않다는 것을 느꼈다.

나는 이곳 뉴욕주립대학 영어교육과를 나온 나의 제자 중 영어교사 자격증을 가진 우수한 교사들을 한국으로 보내는 일을 시작했다. 지금까지 4명을 보냈는데 아직까지 한 사람도 중도에 돌아온 사람이 없는 것을 보면 그들의 한국생활이 썩 괜찮은 모양이다. 그들을 내가 한국에 보낸 것은 한국의 영어학도들에게 호올 랭구이지를 알려주고 싶어서이다. 종전의 영어교육 방법과는 전혀 다른 호올 랭구이지 철학에 의한 영어교육이 널리 행해진다면 한국영어는 새로운 전망을 열어갈 수 있다고 나는 확신한다.

　유학 이야기를 하다가 무슨 딴 이야기냐고 할 사람이 있을지 모르겠다. 내가 이런 이야기를 하는 것은 한국에서도 제대로 된 교육환경을 조성하고 교육방법을 혁신한다면 굳이 어학연수를 위해서 미국유학을 올 필요가 없다는 얘기를 하고 싶어서다. 물론 미국에 와서 다른 학문을 전공하고 싶은 경우는 또 다른 문제다.

홀 랭구이지로 배워라

호울 랭구이지란 무엇인가. 많은 독자들이 몹시 궁금하다며 관심을 표시해왔다. 〈영어의 바다에 빠뜨려라〉에서 몇 마디 소개한 정도만 가지고는 성에 안 찬다는 표시다. 호울 랭구이지 교수법은 총체 언어교육 프로그램에 들어가는 내용이어서 일차적으로는 가르치는 입장에 있는 영어교사들에게 절실히 필요한 것이다. 일반 독자를 상대로 변죽만 건드리고 지나온 것은 그 때문이다. 그러나 많은 독자들의 요청에 따라서 여기에 약간이나마 "맛"을 볼 수 있도록 소개하려고 한다.

신이 준 선물

신은 만물을 창조하고 나서 맨 나중에 인간을 만들었다고 한다. 성경에 나오는 이야기다. 신은 억조창생, 모든 것을 만들었는데 동물이며 식물한테는 일평생 살아나갈 컴퓨터 소프트웨어같은 것을 입력해놓고 인간에게는 소프트웨어를 넣어주지 않았다. 사자나 영양, 매나 꿩, 연어나 상어, 민들레나 해바라기 들은 이 세상에 태어나기 전부터 입력

되어 있는 프로그램에 따라 살아간다. 그들이 살아가는 기술을 따로 배울 필요가 없다. 송아지는 어미소 배에서 나오자마자 네 발로 걸어 다닌다. 새끼 거북은 알에서 깨어나자마자 한번도 구경하지 못한 바다로 기어간다. 매는 하늘을 떠돌며 병아리를 채갈 줄 안다. 민들레는 씨앗에 솜털날개를 달아 멀리 자손을 퍼뜨린다. 이 모든 기술은 배워서 익힌 것이 아니라 선천적으로 입력되어 있는 정보에따라 하는 행동이다. 그러나 인간은 태어나면서부터 하나하나 배워나가지 않으면 안되는 존재다. 한 계단 한 계단 생존을 위한 기술을 배워서 익힌다. 미리 무슨 생존의 기술 프로그램같은 것이 입력되어 있지 않다.

인간에겐 세상을 살아나갈 소프트웨어가 입력이 안되어 있지만 대신 무엇이든 배울 수 있는 능력(capacity)이 주어져 있다. 특히 언어를 배울 수 있는 능력은 인간에게만 주어진 신비로운 것이다. 한 인간은 사회 속에 던져놓으면 누구나 그 사회의 언어를 습득하게 된다. 특별히 이렇게 배우고 저렇게 가르치지 않아도 잘 하게 된다. 한국인으로 태어난 사람이 따로 가르침을 받고 한국말을 하게 된 사람은 없다.

인간이 복잡한 언어를 어떻게 익히는지에 대해서는 아직도 완전히 규명되어 있지 않다. 참스키같은 언어학의 대학자는 인간의 언어습득 과정에는 언어습득장치(Language Acquisition Device[LAD])가 있다고 주장했다. 언어 습득장치가 어떻게 생겼느냐, 참스키는 그것을 블랙 박스라고 명명했다. 무어라 규명할 수 없는 그런 장치를 인간이 가지고 있다는 것. 비행기의 블랙박스는 나중에 사고가 났을 때 살펴보면 최후의 30분인가는 비행기 내의 움직임이 기록되어 후에 알 수 있다지만 참스키가 말한 언어습득의 블랙박스는 오직 신만이 알 수 있는 우리가 아직 모르는 장치라는 것이다.

참스키는 러시안 2세로서 부모가 러시아에서 미국으로 건너왔다. 그는 일찍이 언어학에 대한 주목할만한 논문을 발표해서 인간의 언어

습득에 대한 신경지를 열었다. 그의 가장 큰 공로는, 인간은 언어를 습득할 때 각자의 인지적인 능력을 발휘한다는 것, 인간은 언어를 표현할 때 각자 다른 표현의 변화를 꾀한다는 사실을 밝힌 것이었다. 그의 이론은 언어학계에 새로운 세계를 열었다.

그러나 대학자 참스키는 요즘 TV에 나와 뜻밖에도 경제 이야기를 한다. 자신의 언어학에서 더 이상의 이론적인 진전을 보지 못하고 있는 것일까? 아무리 이렇게 비틀고 저렇게 비틀고 해서 설명을 해도 인간의 언어습득 과정은 미답의 컴컴한 블랙박스로 남아 있는 것이다.

어쨌든 많은 언어학자들의 피나는 연구로 인간의 언어 습득에 대한 효과적인 지도, 교육 방법은 큰 진전을 보았다. 1960년대에 주창되기 시작한 호울 랭구이지는 바로 이러한 새로운 언어학 이론을 바탕으로 생겨난 영어 교육철학으로 주목받기 시작, 70년대부터 오늘 미국의 모든 대학의 영어교육과에서 호울 랭구이지를 가르치고 있으며 일선 학교 현장에 급속도로 퍼져가고 있다.

호울 랭구이지의 개념

1. 호울 랭구이지는 인간의 가치를 존중하는 **휴머니즘**을 주창한다.

전통적인 학습 방법은 주어진 학문의 기본적인 것에 중점을 두고 그것을 아느냐 모르느냐를 따지지만 호울 랭구이지는 어디까지나 인본주의에 바탕을 두고 있다. 학습내용의 습득 정도를 놓고 전통적인 교육 방법은 낙제같은 제도를 두지만 호울 랭구이지는 인간의 가치 창조를 철학으로 하는 만큼 학습 정도를 놓고 낙제 따위의 제도를 두지 않는다.

2. 아이들은 **자기 힘으로 학습하는 방법**을 알고 있다.

전통적인 교육방법은 교사가 학습하는 방법을 가르쳐야 한다고 주장하는 데 비해 호울 랭구이지는 아이들은 이미 언어를 학습하는 방법을 알고 있다는 사실로부터 출발한다. 아이들의 어릴 적 모국어습득의 과정을 따른 이론이다. 교사는 그래서 아이들의 학습을 가르친다기보다는 도와주는 사람이라고 할 수 있다.

3. 과정을 중요시한다.

결과를 중시하는 것이 전통적인 교육 방법이라면 호울 랭구이지는 가르치고 배우는 데서 생겨나는 하나하나의 과정에 교사와 학습자 모두가 참여하는 것을 중시한다.

4. 언어교육은 읽기, 쓰기 말하기, 듣기를 나누지 않는다.

호울 랭구이지는 언어의 네 가지 기능을 분리해서 가르치지 않고 유기적인 통합방법으로 가르친다. 그러나 전통적인 학습 방법은 각각 분리해서 가르친다.

호울 랭구이지로 영어를 배우는 방법

1. 전체에서 부분으로 가는 가르치기.

부분에서 전체로 옮겨가는 전통적인 교습을 지양하고, 호울 랭구이지는 전체에서 부분으로 학습하고 강조한다.

2. 구체적인 것에서 추상적인 것으로.

언제든지 먼저 추상적인 사항에서 구체적인 사항으로 옮겨가는 전통적인 교육 방법과는 달리 구체적인 것에서 추상적인 것으로 옮겨간다.

3. 전체는 부분의 합산보다 크다는 이론을 따른다.

부분부분이 지식과 행동주의에 유도되는 재래의 방법을 지양하고 총체적인 것에 의해서 유도된다. 부분을 합치면 전체가 된다는 것이 전통적 생각이지만 호울 랭구이지는 전체는 부분의 합보다 더 크다고 생각한다.

4. 언어학습은 개인적인 관련과 경험에 바탕을 둔다.

전통 언어학습은 낱낱의, 층층의 기법에 기초를 두지만 호울 랭구이지는 자기 스스로에게 관련되는 것과 체험에 기초를 두고 언어학습이 이루어진다.

5. 학습자들은 자기 스스로의 목적을 위해서 공부한다.

전통적인 학습 목적은 그 과정에서 다른 사람들을 만족시키기 위해서 공부한다. 다른 사람들이란 교사 또는 부모 등등이다.

6. 내부적인 힘에 의해서 학습동기가 유발된다.

외부적인 힘이 학습 동기를 강요하는 것이 전통적인 학습 방법이다.

7. 학습태도를 부추기기 위해서 외부적인 보상을 주지 않는다.

"공부 잘하면 무엇을 해주겠다."는 식은 전통적인 교육방법이 행하는 발상이다. 흥미가 극도에 달하면 외부적인 보상이 필요없이 스스로 하지 않고는 배기지 못한다.

8. 완전히 상황 속에 묻혀서 배운다.

제시해주는 다른 사람에 대한 모범을 상접(interaction)을 통해 조정하며 배운다.

호울 랭구이지 학습의 교실 환경

1. 학교에서의 학습은 집처럼 편안하다.

전통적인 개념은 교실의 학습환경은 집과 다르다.

2. 교실은 학생들과 교사의 "작품"으로 가득하다.

재래의 교실에 장식된 것은 제일 잘된 우수 학생의 것들만을 전시해놓는다.

3. 주제나 화제에 중심을 맞춘다.

기술을 획득하는 데에 맞춰지는 것이 전통적인 학습 방향이다.

4. 반에서 그룹을 지을 때는 융통성을 갖고 흥미를 좇아 구성한다.
성적순대로 편성하는 것은 재래의 학습 방법이다.

5. 경쟁보다는 협동을 중시하는 철저한 민주주의 과정을 밟는다.
경쟁과 고립을 조장하는 과정이 전통적인 학습 태도다. 우열을 조장
하고 1등 숭배의 경쟁에 모두가 라이벌 입장이 되고 만다.

호울 랭구이지 교사의 행동

1. 학생들이 배우게끔 촉진하는 역할을 한다.
전통적인 교사는 모든 것을 직접 가르친다.

2. 교사는 함부로 딱지를 붙이거나 아이들을 분류하지 않는다.
금메달, 은메달, 동메달 식으로 딱지를 붙이는 것은 전통적인 교사
들이 좋아하는 방법이다.

3. 교수방법이 질서가 없는 것처럼 보인다.
조직적이고, 형식적인 것, 조용한 분위기에 바탕을 두는 것은 재래
식 교수방법이다. 시끄러운 "공장" 속에서 각자가 하는 일들의 결실로
나타나는 제조품들을 생각하라.

4. 교사는 아이들에게 선택권을 준다.
아이들이 좋아하는 텍스트를 고르도록 한다. 교사가 선택권을 갖고
학습하는 것은 전통적인 학습 방법이다. 여기서 텍스트란 학교 교과서
를 의미하지 않는다.

5. 교사는 아이들로 하여금 어떤 위험을 무릅쓰고 모험할 수 있는
용기를 북돋운다.
전통적인 학습 방법은 항상 맞고 옳은 것만을 강조하기 때문에 아
이들은 틀리면 어떨까, 겁이 나서 잘 하려들지 않는다.

6. 언어의 의미를 중시한다.

재래의 학습은 언어의 격리된 부분을 강조한다.

7. 언어학습을 지도할 때마다 완전한 한 문장이 최소 단위가 된다.

따로 떨어진 낱말 등 지엽적인 기법을 중시하는 것은 전통적인 학습 방법이다.

8. 항상 전체 문장과 전체 상황 아래서 아이들이 알고 있는 것에 대해 파닉스를 가르친다. 이것이 바로 파닉스를 위한 파닉스와는 다르다. 파닉스만을 따로 떼어 가르치는 것은 전통적인 교사들이 좋아한다.

9. 교사들은 언어 학습을 할 때마다 항상 이야기 전체, 시의 전체를 놓고 이야기한다.

전통적인 학습은 낱말의 문자, 소리같은 지엽적인 것을 떼내어 가르친다.

10. 교사들이 먼저 가르치지 않고 아이들의 머리에서 지적 자산이 튀어나오도록 자극을 준다.

전통적인 학습방법은 교사가 결정해서 말한다.

11. 추상적인 것을 피하고 꼭 예를 제시한다.

말로 설명하고 지나가 버리는 것은 재래식 교수 방법. 때문에 아이들은 곧잘 모르는 채로 지나가 버린다.

12. 교사는 학습자의 모습을 하고 학생과 함께 몸소 읽기, 쓰기를 한다. 즉, model의 역할을 한다.

교사가 학생들에게만 쓰기와 읽기를 시키는 것은 재래식 방법이다.

호울 랭구이지 학습에서 아이들의 행동

1. 학생들 스스로 학습 플랜을 짠다.

전통적인 방법에서는 선생님이 플랜을 짜준다.

2. 아이들은 스스로 쓰기의 주제, 토픽을 선정한다.

재래의 학습은 교사가 내주는 주제를 결정한다.

3. 아이들은 읽기, 쓰기를 할 때 서로 협력한다.

"누가 잘하는가 보자."는 식으로 서로의 경쟁심을 자극하는 것은 전통적인 방법이다.

4. 아이들은 그들 자신의 말을 발전시키고, 가꾸기 위해서 말을 배운다.

재래식 학습에서는 말을 남들에게 듣기 좋게 하기 위해서 언어를 배운다.

5. 토론을 좋아한다.

전통적인 학습의 교실에서는 학생들이 조용하게 수신자로서만 책상에 앉아 있다.

호울 랭구이지 학습의 평가

평가는 융통성이 있으며 특별한 격식을 차리지 않는다. 자유로운 작문, 학습과정에 대한 교사의 관찰 등 다양하다.

전통적인 방법은 일년에 2, 3차례 중간고사, 기말고사 식으로 격식을 차려서 평가한다.

교실에서의 호울 랭구이지 학습

그러면 호울 랭구이지는 실제 교실 현장에서 어떻게 이루어지는가. 다시 한번 그 정의를 정리해본다. 호울 랭구이지는 첫째 학습자 중심, 둘째 언어 수업에서의 생생한 자료 활용, 셋째 가능한 한 교실 바깥 세상에서 실천되고 있는 의사 소통에 흠뻑 젖도록 해주는 것이다.

이 세상에 존재하는 모든 종류의 언어 자료들—픽션, 전설, 민담, 각종 정보를 담은 자료 들을 가지고 언어 학습을 한다.

호울 랭구이지는 학생들이 자기의 언어로서 무엇인가를 말하려 할 때 진짜 청취자, 보는 사람을 상대로 언어를 사용하는 코뮤니케이션을 지도한다.

호울 랭구이지 방법은 영어를 외국어로 학습하는 현장에서도 적극적으로 활용될 수 있다.

학습 과정에서 학습 동기가 생기도록 하는 데 이보다 좋은 방법은 없다.

호울 랭구이지 학습의 특징은 좋은 아동문학—논픽션, 픽션, 시 들을 텍스트로 사용하는 점이다. 진짜 책들, 잡지, 캐털로그, 백과사전, 브로슈어 들을 가지고 한다. 실제 사회 현장에서 쓰여지는 책들을 통째로 사용하는 것이 특색이다.

호울 랭구이지는 어떤 형태로 나타나는가

호울 랭구이지 교사는, 언어라는 것은 자연스럽게 발전해가는 인간의 활동이라고 생각한다.

언어는 코뮤니케이션을 위해서 존재하는 것. 교실은 "실제 인간생활"의 언어 상황을 제공한다. 언어 자체가 환경의 일부이므로 주제별로 떼어놓지 않고 한데 모아 다룰 수 있도록 한다.

호울 랭구이지는 언어뿐만 아니라 모든 과목에 적용할 수 있다.

먼저 총체적으로 학습하도록 한 다음 세분화시켜 나간다. 교사는 주어진 자료에 속박받지 않고 자료로부터 자유로워야 한다. 자료를 통제할 수 있는 능력이 있어야 한다.

교사는 항상 개별 학생들의 필요를 중심으로 거기에 맞는 지도를 해야 한다. 학생들은 개인별, 혹은 소그룹, 대그룹의 구성을 결정한다. 협동 학습을 권장한다.

교사들의 신념은 나이와 상관없이 학생들은 비판적이고 창조적인 능력이 있다고 믿고 들어간다. 학생들을 평가할 때 학생과 협의해가면서 학습 발전을 평가한다. 교사들은 모범적인 학습자다, 학생들 눈에 그렇게 비쳐야 한다. 이러한 방법만이 학생들을 "평생 학습자"로 키울 수가 있다.

학생들은 호울 랭구이지를 어떻게 받아들이는가

호울 랭구이지 철학의 기본 전제는, 학생들 자신은 저마다 그 어떤 사람과도 다른 독특한 하나의 개인으로서 자신이 정상적인 기준이 된다는 점이다. 남과의 비교를 거절하는 자아존중의 철학이다.

학습은 학생들의 흥미가 앞서야 한다. 학생들은 자기들의 학습 목표를 결정하고 어떻게 달성할 것인가를 결정할 수 있는 능력을 기른다. 학생들은 자기들의 아이디어를 앞세우면서 학습하므로 자기 스스로가 학습의 주인이 된다. 학습내용은 완전히 자기것으로 만든다. 이를 통해 자기평가를 자기가 하는 책임감까지도 양성시킬 수 있다. 학생들이 사용하는 언어는 항상 목적이 있다. 교실은 항상 자극적인 상황이 창조된다. 교사는 학생들의 학습을 도와주는 어른이다. 개개인은 공동언어를 사용할지언정 문화, 언어적인 배경에 대해서는 일률적으로 따지지 않고 존중받는다.

호울 랭구이지의 실천 자료

교실에 있는 모든 장치물들은 학습 환경을 위해 움직인다. 모든 자료는 학습 도구로서 사용할 수 있는 잠재성이 있는 것들만 있어야 한다. 교과서는 학습을 위한 하나의 도구로서 취급된다. 교실에는 고도한 질을 가진 문건이 자료로서 구비되어 있어야 한다. 상품으로 출판된 자료보다 자체적으로 만든 문건의 자료가 더 유익하게 활용된다. 모든 자료들은 학생들이 매일 접촉할 수 있어야 한다.

학습 내용은 언어 자체에 대한 학습 토론을 제외하고는 그 내용이 광범위해야 한다. 역사, 미술, 음악도 실천 자료가 될 수 있다

호울 랭구이지 이론이 실천으로 옮겨질 때

호울 랭구이지는 다음의 내용들을 실천하려고 노력한다.

모든 학생들을 한 집단으로 보지 않고, 각자가 가지고 있는 학습 패턴의 개성에 대해 세심한 관심을 기울여서 학생들이 적극적으로 참여할 수 있도록 한다.

항상 학생 자신들이 겪는 현실 생활과 직결해서 가르친다. 학생들과 동떨어진 것을 피한다.

항상 학생들에게 모험을 해서라도 자기 학습 목표를 달성할 수 있는 용기를 북돋워준다.

언어 학습은 언어는 사회 생활을 하기 위해서 존재하는 것이므로 사회 환경과 비슷한 환경을 조성한다.

호울 랭구이지는 언어 자체에 국한시키지 않고 진짜 언어 생활, 모든 학과 학습의 사고 능력을 위한 도구로 사용할 수 있다.

학생들이 듣기, 말하기, 읽기, 쓰기, 그리고 어떤 사물에 대한 관찰, 발표하기의 모든 과정에서 지식을 닦고 편찬하도록 도와주어야 한다.

언제나 학습자가 습득하고 있는지의 여부를 기준으로 학습 지도를 한다. 모르고 있는데 일방적인 주입을 해서는 안된다.

학교에서 배우는 내용이 자기 생활에 관련되도록 도움을 준다.
구두언어이든 문자언어이든 실천 과정에서 일어날 수 있도록 한다.

호울 랭구이지는 이렇게 시작된다

한국말로 번역이 제대로 안되는 이 호울 랭구이지(Whole Language) 교수법에서 중요한 사람은 교사다. 교사가 어떤 생각을 갖고 어떤 방식으로 총체 영어교육을 실천하느냐는 전적으로 교사에 달려 있다. 영어교과서마다 딸려나오는 교사지침서대로 가르치는 종전의 교육 방식과는 크게 다르다는 사실을 유념할 필요가 있다.

총체 영어교육은 검인정교과서같은 "교과서"가 없다. 있다면 학생들이 "야, 이 책 재미있겠구나."하고 흥미를 느낄 수 있는 "진짜 책"이 바로 교과서다. 그것이 소설책이든 동화책이든 상관없다. 교보문고나 을지서적의 외서 코너에 가서 학생들이 재미있어 할만한, 수준에 맞는 그림책이든 동화책이든 소설책이든 구한다. 픽션뿐만 아니라 잡지, 신문 등 논픽션들도 자료로 활용한다.

교과서 대용으로 사용할 교재를 구한 후에는 교사가 먼저 그 책을 톺아보고 어떻게 수업을 이끌어갈지 전략을 짜야 한다. 교사가 어떤 질문을 던지느냐에 따라 학생들은 창조적으로 사고할 수 있는 기회를 가질 수도 있고, 그렇지 못할 수도 있다. 교사는 학생들이 갖고 있는 기존의 지식이나 체험, 그리고 상상력을 발휘하여 생각할 수 있게끔 재미있는 질문을 단계별로 구성해야 한다.

자, 수업시간이다. 책을 펴들고 학생들에게 책을 읽어준다. 그리고 나서 학생들을 4, 5명, 많게는 6, 7명씩 소그룹으로 나누어서 금방 읽은 내용에 관해 이야기하도록 한다. 교사가 읽은 내용과 관련해서 학생들 각자의 머리에 떠오르는(알고 있는) 것에 대해 자기들끼리 이야기를 나누고 그것을 공유한다.

이 과정이 끝나면 각자 조용히 책을 읽게 한다. 학생들이 책을 읽고 나면 이번에는 교사의 지도 아래 책을 읽는다. 어떤 부분은 가려놓고 그 부분을 학생들로 하여금 내용을 추측하게 해본다든지(가령 몇 페이지 끝대목에서 이 다음 페이지에 전개될 이야기를 학생이라면 어떻게 쓰겠느냐 하는 식으로) 하는 과정이 여기에 포함된다.

그후 교사는 이 책에 나온 여러가지 재미있는 표현, 문법적으로 중요한 사항을 깨우쳐준다. 이 단계에서 문법이나 어휘들을 가르칠 수 있는데 종전의 교과서를 가르칠 때처럼 무작정 딱딱한 문법을 강제로 들이미는 것이 아니므로 학생들은 상당한 흥미를 갖고 문법사항들을 쉽게 받아들이게 마련이다. 문법학습의 진짜 목적과 진짜 이유가 있기 때문이다. 문법시간을 따로 둔다는 것은 총체영어 교수법에서는 말도 안되는 방식이다. 교사가 좀더 이 방식에 익숙해지면 학생들은 흥미있는 이야기와 함께 문법 설명이나 어휘 등에 대해 지루함을 느끼지 않고 쉽게 이해하게 된다.

이 과정을 끝내고 나면 학생들에게 한 가지 테마를 주고 작문을 써 보게 한다. 교재로 택한 동화에 나타난 주제나 특정 부분에 관해 써보게 한다든지 그와 유사한 자신의 체험을 써보게 하면 학생들은 대부분 신이 나서 글쓰기에 열중하게 된다. 학생들이 짧은 글쓰기를 마치고 나면 그것을 그룹 안에서 서로 돌려가며 읽도록 한다. 이 과정에서 학생들은 다른 아이들이 어떤 생각을 했는지 이야기를 나누며, 남의 글을 읽으면서 마치 남의 일기장이라도 볼 때처럼 호기심을 가지고 새로운 아이디어나 정보를 얻기도 하므로 매우 흥미있어 한다.

위에서 내가 말한 교수법을 듣고 이 긴 과정을 어떻게 50분 안에 수십명의 학생들을 데리고 할 수 있겠는가 하는 생각에 고개를 흔들지 모른다. 이론은 좋으나 한국적 환경이 허용하지 않는다고 슬그머니 꽁

무니를 빼려 할지 모른다. 걸핏하면 "한국적 환경"을 들먹이며 할 수 없다고 하는 사람들을 더러 보았다. 한국적 환경이 어떻다는 말인가. GNP가 1만불이 넘는 당당한 선진 국가로서의 "자격"을 구비한 것이 아닌가. 중요한 것은 교사의 열의와 능력이다. 이 교수법의 과정은 교사의 재량에 따라 얼마든지 창의적으로 조정될 수 있다. 시간이 부족할 때는 영작을 숙제로 내주거나 특정 주제에 대해서도 미리 준비를 할 수 있도록 숙제를 내줄 수도 있다.

　다음은 호울 랭구이지 방법으로 학습한 후에 쓴 초등학교 2학년 학생의 쓰기 예문이다.

A Tree that Worked Wonders
-by Jesse A. Henoch

One spring morning a girl named Moonlight was walking through the forest.

And while she was walking she saw a tree. It didn't look like any other tree in the forest. It just had something different. So she ran to get her mother Sun Dancer. And when she got home she told her mother the whole story. And then she told Moonlight about something that happened to her by the very same tree. This is where the story really starts.

A long time ago, a very long time ago, I was walking through that same forest and something similar to what happened to her daughter happened to her. As I was saying I was walking through that same part of the forest and I saw a hurt squirrel. I ran to see what was wrong. Apparently he'd been shot. I had to move fast or he would die. I bandaged him up as best as I could and I picked him up and I put him in a pouch where he would be safe. On the way I got tired. I sat down beneath a tree. Just then something happened. A bright light came from the tree. It did something because the squirrel was better and running. That made me happy. And I think it was a miracle.

　총체영어 교수법을 교실 안에서 실천하려면 교사들은 되도록이면 기존의 영어 교수방법 중 "도움"이 된다고 믿어지는 부분들만을 활용하라. 아기의 목욕이 끝난 후 목욕물과 함께 아이까지 버려서는 안되기 때문이다. 종전의 전통적인 방법들이 모두 쓰레기는 아닌 것이다.

　먼저, 교사는 학생들에게 어떻게 공부하는가를 가르치려 하지 말고 학생들은 언어만큼은 이미 공부하는 방식을 체득하고 있다는 생각을 가지고 임해야 한다. 다음으로 학생들이 결과적으로 무엇을 배우고 익혔는가에 관심을 둘 것이 아니라 학생들이 공부하는 과정에서 얼마나 흥미를 가지고 능동적으로 참여할 수 있겠는가에 관심을 기울여야 한다. 결과보다는 과정이 중요하다는 이야기다.

　그리고 교사 자신도 모르는 사이에 문법이나 작문, 듣기, 회화를 나누어서 가르치려고 했던 종전의 낡은 방식을 내던져버리고, 읽기(독해), 말하기(회화), 듣기(청취), 쓰기(작문)를 한 수업시간에 조금씩이라도 통합해서 가르치도록 의식적으로 노력해야 한다. 그래야 언어라는 것이 분야별로 나누어지는 것이 아니라 통합체임을 학생들이 자연스럽게 받아들이게 된다. 지금까지 한국의 영어교육은 네 가지 기능을 따로따로 가르쳐서 나중에 학생이 머리 속에서 종합해 이해하도록 한다는 교수법이었다. 그렇게 하면 결국 문법은 잘하는데(사실 문법을 잘한다는 것도 헛소리다.) 회화는 못한다느니 하는 타박을 듣지 않을 수 없게 된다.

학생들이 어떤 과정을 거치면서 하나의 언어를 습득하게 될까라는 문제에 대해서도 교사들은 몇 가지 사항을 유념해야 한다.

학생들은 작은 부분부분을 익혀가면서 언어 전체를 습득해가는 것이 아니라 언어의 총체적인 측면을 통해서 작은 부분까지 자연스럽게 이해하는 것이다. 학생들이 잘 알지도 못하고 본 적도 들은 적도 없는 추상적인 내용을 가지고 죽어라 공부하는 것은 언어습득에 하등 도움이 되지 않는다. 예컨대 민주주의, 철학, 환경처럼 학생들이 한눈에 이해할 수 없는 추상적인 주제나 용어를 가지고 아무리 설명해도 초등학교, 중학교 학생들의 경우라면 그것을 자신의 것으로 소화시키지 못하기 때문에 언어교육에 거의 소용이 되지 못한다. "도시락"이나 "소풍", "사과"처럼 아주 구체적이고 학생들의 생활과 밀접한 주제를 꺼내야 학생들의 상상력을 촉발시킬 수 있다. 중요한 것은 체험, 관련성, 그리고 구체성이다. 이같은 조건을 만족시킬 주제를 고르는 데 교사는 세심한 신경을 써야 한다.

한 가지 여기에 꼭 밝혀둘 것은 학생들은 자기만족을 위해 나름대로 목표를 가지고 영어를 배운다는 점이다. 다른 사람을 만족시키기 위해 하는 공부는 의미가 없다. 상을 받으려고 하는 공부도 그때뿐이다. 그러나 재미있는 이야기를 읽고 싶다든지 해외 펜팔을 사귀고 싶다든지 아니면 무엇인가 새로운 것을 배우고 싶다든지 하는 내적인 동기에 의해 학생들은 스스로 알아서 공부하게 마련이다. 호울 랭구이지는 강요나 억지에 의한 공부와는 다른 것이다.

마지막으로 다른 사람의 흉내를 내는 것만으로는 언어를 자기것으로 만들 수 없다. 비록 한 시간의 영어수업이라 할지라도 그 수업시간에는 완전히 영어에만 몰두하도록 학생들을 몰입상태로 만들어야 한

다. 영어로 이야기를 들려주고, 영어로 질문을 하고, 영어로 글을 쓰게
하고, 책을 읽게 하고…… 처음에는 교사도 학생들도 조금은 어색할
것이다. 그러나 시간이 지나면 교사도 학생들도 영어시간에는 으레 모
든 것이 영어로 통한다고 하는 것이 몸에 배일 것이다. 이것이 바로 내
가 누누이 강조해온 〈영어의 바다에 빠뜨려라〉라는 것이다. 어떤가, 교
사는 바쁠 수밖에 없다.

영어의 섬을 만들어라

한국의 학생들은 아직도 학교는 집과 다른 곳이라는 생각을 하고
있다. 학교에 가면 어쩐지 집과는 달리 얌전하게 굴어야 하고 잘못하
면 벌을 받지 않을까 하는 생각에 위축되고…… 대체로 이런 분위기
다. 학교는 대체로 병영(兵營) 같은 느낌을 준다. 목이 칼칼해서 콜라
를 한 깡통 빼먹으러 나가려 해도 교문 수위아저씨의 허락 없이는 어
림없는 상황이다. 머리가 조금 길었다고, 명찰을 안달고 나왔다고 해서
생활지도 교사로부터 매찜질을 당하기 일쑤다. 어처구니없는 일이다.
교사들은 학생들이 학교에서 아주 편안한 분위기에서 행동하고 말할
수 있도록 분위기를 바꾸어주어야 한다.

어른이라도 사람이 많은 분위기 속에서는 말을 함부로 하기 힘들어
하게 마련이다. 학생들이야 더 말할 것이 없다. 그런 심적 상황 속에서
영어로 말을 하라니 마음이 매우 불편할 것이다. 교사가 엄격한 얼굴
을 하고 영어로 말을 해보라 하면 학생의 입이 쉽게 떨어질 리가 없다.
학생들이 집에서 느끼는 편안함을 교실에서 누리게 하면 누가 잡아가
기라도 하는가. 교사는 그러한 배려를 하는 데 신경을 써야 한다.

수업시간에 활용하는 자료도 약간은 편안한 느낌을 주는 것을 골라
야 한다. 교사가 완벽하게 만들어 놓은 궤도를 앞에 걸어두고 수업을

하거나 학생들이 완벽하게 써온 것을 읽도록 하는 등의 환경은 사실 총체영어 교수법에는 어울리지 않는다. 각자가 만들어온 그림이든지 무엇이든 재미있게 생각하고 이야기할 수 있는 자료면 충분하다.

수업을 할 때는 "오늘 수업시간에는 관계대명사의 용법을 배우도록 한다."라든지, "가정법에 대해서 설명하겠다."는 식으로 언어를 사용하는 방식을 배운다는 데 초점을 두지 말고 "초콜릿", "자동차" 등 그날 배울 주제와 화제에 중점을 두도록 하는 것이 좋다. 그 속에서 진짜 문법학습을 지도할 수 있는 것이다. 수업을 시작하면서 부정사나 동명사의 용법 운운하면서 시작한다고 생각해보라. 아마 학급의 반수 이상이 수업을 시작하기도 전에 지루함을 느끼고 어서 시간 가기만을 기다리게 될 것이다.

학생들을 소그룹으로 나누어 지도할 때도 우열을 가려 팀을 구성한다든지 앉은 자리대로 팀을 만들지 말고 각자의 관심사에 따라 자리를 바꾸어 앉도록 한다. 중요한 것은 그때그때 필요에 따라 얼마든지 움직일 수 있다고 하는 수업 진행의 융통성과 유연성이다. 이렇게 하면 학년이 마칠 때까지 붙박이 장롱처럼 배정된 자리에서만 공부하던 학생들에게 자유로움을 선사해줄 수 있을 것이다.

또 한가지 학생들로 하여금 다른 학생들과 경쟁을 하고 있다는 생각을 심어주지 말라는 것이다. 결과보다 과정이 중요하듯 누가 더 잘하는가가 중요한 것이 아니라 서로 얼마나 도와가며 공부하느냐 하는 것이 더 중요하다. 경쟁을 시키느라 학생들을 고립시키지 말고 항상 다른 학생들과 어울려 공부할 수 있는 분위기를 만들어주도록 한다.

가능하면 교실은 온통 영어낙서와 알림, 그림, 사진 등 보기에 재미있는 자료들로 꾸며서 일단 영어 수업 시간이 시작되면 그 교실은 영어의 섬(language island)이 되도록 한다.

교사는 도와주는 사람

영어 시간에 교사란 무엇인가. 작년에 가르쳤던 강의 노트를 보고 그대로 강의하는 사람이 아니다. 교사는 무엇이든 지도하겠다는 생각을 버리는 것이 좋다. 교사는 그저 학생들의 공부를 도와주는 역할을 맡을 뿐이다. 일종의 수업촉진 역할이라고 할까. 교사는 그 지점에 있는 사람이다. 더더구나 교사는 학생들의 등급을 매기기 위해 존재하는 사람은 아니다. 수업을 할 때도 학생들의 반응과는 무관하게 짜여진 각본에 따라 자신의 지도방식을 밀어붙이듯 하는 일방적인 방식은 의미가 없다. 편안한 태도로 새로운 것(그렇다, 새로운 무엇!)을 발견해 나가듯 형식을 탈피한 지도법을 연구해서 진행해야 한다.

교사는 늘 학생들에게 무엇인가 스스로 선택을 할 수 있게 해주어야 하고, 학생들이 새로운 시도를 해보고 과감하게 실수를 무릅쓰고 영어로 말을 할 수 있도록 용기를 북돋워주어야 한다. 교사는 항상 언어의 의미를 강조하고 문장 중심으로 지도해야 한다. 너무 작은 부분을 나누어서 기술적인 부분을 강조하는 식으로 수업을 이끌어나가면 도움이 되지 않는다.

교과서에 얽매이지 않고 이야기 책이나 옛날 이야기, 시 등을 과감하게 등장시켜 학생들이 무엇이든 생각나는 대로 자유자재로 이야기할 수 있는 기회를 제공하는 것도 교사의 몫이다. 무엇을 가르칠 때는 항상 예를 들어 설명하는 것이 좋고 읽기와 쓰기에는 교사도 반드시 동참하는 것이 whole language 교육의 중요한 한 측면이다.

whole language 영어 수업 시간에 반드시 지켜야 할 일곱가지 원칙이 있다. 첫째는 몰입, 둘째는 교사의 시범과 예를 들기, 셋째는 전체로서의 언어(듣기, 말하기, 읽기, 글쓰기)를 가르칠 것, 넷째는 진짜 학습자료를 활용할 것, 다섯째는 목적을 가지고 배울 것, 여섯째는 실수를 두려워하지 말고 과학자가 실험을 하듯 언어실험을 할 수 있도록 모험심을 길러줄 것, 끝으로 일곱째는 성공 가능성을 믿을 것 등이다.

이것 외에 개별적인 지도 방식은 부차적인 것이다. 이러한 조건만 들어맞게 한다면 그 수업의 반은 성공한 것이라고 보아도 좋다.

호울 랭구이지 워크숍에의 초대

—— 영어 교사들을 위한 글

호울 랭구이지는 한두 학기 공부로도 부족하고, 책으로 쓴다고 해도 여러 권에 담아야 할 정도로 다양한 내용을 포함하고 있다. 95년 여름 나는 한국의 주요 도시를 돌며 현직 중고등학교 영어교사들을 상대로 호울 랭구이지 워크숍을 연 바 있다. 그러나 아무리 집중적으로 연수를 했다고 해도 하루, 이틀의 강의만으로는 부족한 점이 너무 많다.

여기에 교사 입장에서 호울 랭구이지 수업 진행의 예를 간단히 들어본다. 일선에서 영어를 지도하는 사람들에겐 호울 랭구이지 방식으로 영어를 지도한다는 것이 무엇인지 좀더 알 수 있을 것이다.

호울 랭구이지 워크숍 1—독해 전의 준비

1. 이야기나 텍스트를 읽기 전에 어떤 핵심적인 개념에 학생들이 주의를 기울이게 할 것인가를 결정한다.

2. 학생들의 관심을 주제에 집중시킬 수 있을만한 자극이 될 수 있는 단어, 그림, 사진 등을 선정한다. 필요한 자료도 준비한다.

3. 자극이 될 수 있는 질문을 준비한다. "우정이라고 하면 어떤 생각이 드는가?"라든지 "이 그림을 보면 어떤 생각이 떠오르는가?" 하는 식이다.

4. 학생들이 질문에 반응을 보이면 그 반응들을 칠판에 적어둔다.

5. 학생들이 반응을 보이면 칠판 위에 써놓은 것 중 특정 반응을 골라서, 그 학생에게 질문을 한다. 즉, 교사가 그 질문을 했을 때 무엇이 너에게 이런 생각을 하게 했느냐 하는 질문을 할 수 있다.

6. 원래의 질문을 확대시킨다. "우리가 논의한 것을 바탕으로 할 때 새로운 아이디어가 있느냐?" 등을 물을 수 있다.

7. 이 이야기는 무엇에 관한 것이며, 이 이야기 안에서 무엇을 알 수 있을 것인가 등을 물어 학생들이 내용을 충분히 이해하도록 지도한다.

호울 랭구이지 워크숍 2—읽기, 생각하기

1. 읽을 이야기나 텍스트를 선정한다.

2. 어디서 중단할지를 결정한다. 일단 소제목 다음에서 중단한다. 그 다음에는 한두 문단을 읽은 뒤 중단한다. 가장 재미있고 흥미로운 부분에서 한두 번 더 쉰다. 한 이야기 안에서 네 번이나 다섯 번 이상 쉬지 않도록 한다.

3. 읽다가 쉰 지점에서 할 질문을 준비한다. 사실에 관한 질문은 너무 많이 하지 않도록 한다. 그 대신 보다 광범위하고 자유롭게 대답할 수 있는 질문을 한다. 예를 들어 이런 제목 다음에는 어떤 이야기가 나올 거라고 생각하느냐, 또는 이 이야기가 무엇에 관한 것일 거라고 생각하느냐, 지금 무엇을 생각하고 있느냐 등을 물을 수 있다. 그러나 이 질문들을 한 후에는 왜 그런 말을 했는지를 물어보아서 그 사고과정이나 논리를 밝혀주어야 한다.

4. 아이들을 위해 가리개를 준비해두었다가 잠깐 쉬는 부분에서는 가리개를 이용하여 다음에 전개될 내용을 가리게 한다. 그리고 가린 부분에 대해 "네가 필자라면 전개될 부분을 어떻게 쓰겠느냐?"라고 묻는 등 여러가지 생각을 물어볼 수 있다.

호울 랭구이지 워크숍 3—언어경험으로 가는 길

1단계: 학습자가 스스로의 경험을 제공하도록 한다. 의미있는 체험은 작문을 위한 자극이 된다.

2단계: 체험에 대해 논하라. 교사와 학생은 쓰기에 들어가기 전에 체험에 관한 많은 토론을 하라.

3단계: 학습자가 구술한 것을 교사가 기록하라.

4단계: 학습자와 교사가 함께 텍스트를 읽어라. 텍스트를 읽은 후에는 교사가 그것을 큰 소리로 읽으면서 각각의 단어를 지적한다.

5단계: 텍스트를 확대한다. 한번 읽어주고, 읽고, 다시 읽고 난 후에는 학생들이 그 체험을 여러 갈래로 연계시킬 수 있다. 다음과 같은 것들이 가능할 것이다.

* 자신이 쓴 것에 그림을 곁들인다.
* 저자의 입장에서 급우들에게 그 텍스트를 읽어준다.
* 이 텍스트를 집에 가지고 가서 가족들과 함께 읽어본다.
* 이 텍스트를 학생들의 작문철에 추가한다.
* 학생들이 어떻게 읽는지 알고 싶은 단어들을 텍스트 안에서 골라 word bank 속에 저장한다.

호울 랭구이지 워크숍 4—의미체계 특징 분석

1. 개념이 담긴 요소는 수직으로 배열하고, 특징에 관한 부분은 수평으로 나열한 바둑판 무늬의 표를 만든다.

2. 이 표를 학급 아이들에게 나누어주고 학생들로 하여금 각 특징에 부합하는 단어들을 스스로 고르게 한다. 그 특징이 일치하는 낱말에 대해서는 플러스 표시를, 그렇지 않은 쪽에는 마이너스 표시를 하게 한다.

3. 학생들이 표를 완성하면 짝을 짓거나 작은 그룹으로 나누어 반응

을 서로 비교해보게 한다. 나중에는 작은 그룹별로 토론을 하게 하고 다른 특징들에 대해서 분석을 계속하게 한다.

4. 학생들이 이 표에 대한 토론을 하다가 의견 차이나 갈등을 일으킬 수 있다. 그러한 차이는 일어나게 마련이므로 그것을 다룰 수 있는 준비를 미리 해 둔다.

5. 의미체계의 특징을 분석하는 것은 아이들이 읽을 문학작품의 주요 등장인물들에 대한 이해를 돕는데 유용하다. 이때의 분석은 아이들이 책의 처음 두 장을 읽고 나서 느끼는 등장 인물들에 대한 감정에 초점을 맞춰서 해야 한다.

6. 의미체계에 대한 분석은 다른 과목에서도 유용하다.

호울 랭구이지 워크숍 5—듣기 이해 지도

1. 청자(聽者)는 상대방의 말을 듣고 그 이미지를 단기 기억장치에 저장한다.

2. 그런 다음에 그 이미지들을 내용으로 조직하고 그 내용과 기능, 목적들을 받아들인다.

3. 그 다음 단계로 이 내용들은 하나의 일관된 메시지로 그룹이 지어진다. 이 과정에서 그 말은 원래의 형태가 아니라 재구성된 의미로 장기기억 장치에 저장된다.

4. 이 메시지의 의미를 저장하고 나서 청자는 그 말을 한 사람이 전달하고자 하는 의도를 파악하고 또 그 상황과 대화의 참여자들에 대한 지식을, 그리고 그 대화의 목적 등을 끌어내려고 한다.

호울 랭구이지 워크숍 6—대화 상대의 말을 듣고 이해하기 지도

1. 단기기억 장치에 서로 다른 길이의 언어 덩어리를 저장한다.

2. 들으려고 하는 말의 서로 다른 소리들을 구분한다.

3. 인터네이션은 물론 강세와 리듬의 패턴까지 인식한다.

4. 단어의 축약된 형태를 인식한다.

5. 단어의 범위를 구분한다.

6. 전형적인 단어의 배열 패턴을 인식한다.

7. 어휘를 이해한다.

8. 주제와 아이디어를 알 수 있는 핵심단어를 포착한다.

9. 문맥으로부터 의미를 추측한다.

10. 문법적으로 분류되는 단어군(群)을 이해한다.

11. 기본적인 문장구조의 패턴을 이해한다.

12. 주어, 동사, 목적어, 전치사 등과 같은 단어의 구성요소를 이해한다.

14. 상황과 목적에 대한 추리를 하고 (의미를) 재구성한다.

15. 사전 추리를 하고 결과를 예측하며 대화의 부분들을 연계시킨 추리를 하기 위해 이미 알고 있는 지식을 활용한다.

16. 주요 아이디어, 보조 아이디어, 기존 정보와 새로운 정보, 일반화 그리고 예와 같은 것들의 이용관계를 알아본다.

17. 듣고 이해하는데 필요한 전략을 다른 종류의 듣기 목적을 위해 적용해본다.

호울 랭구이지 워크숍 7—가르치기 전략
1단계: 텍스트를 소개한다.
1. 학생들이 자신의 지식이나 체험과 그들이 읽게 될 텍스트를 연결시킬 수 있도록 텍스트를 소개한다.
2. 텍스트를 소개하는 두 가지 방법
① 텍스트를 앞으로 공부하게 될 주제와 연결시킨다.
② 제목에 관해 이야기한다.

③ 텍스트를, 같은 저자가 지은 다른 책이나 학생들이 읽은 다른 것과 연결시킨다.

④ 제목, 화제, 주제, 특징과 관련해서 생각나는 단어들을 나열해본다.

⑤ 주제에 관해 자유롭게 써본다.

⑥ 제목이나 표지 그림 또는 첫문장을 기초로 예측을 해본다.

2단계: 텍스트를 읽는다.

*지도를 받으며 읽기

1. 학생들은 교사의 지도에 따라 조용히 책을 읽는다.

2. 교사들은 작은 그룹으로 나누어 읽기를 지도하거나 한 학급의 아이들이 모두 함께 읽게 한다.

*소리내어 읽기

1. 학생들은 교사가 텍스트를 읽는 것을 듣는다. 또는 듣기센터에서 교과서를 읽는 것을 들을 수도 있다.

*함께 읽기

1. 교사가 텍스트를 읽거나 학급에서 함께 읽을 때 학생들은 교과서를 보며 따라간다.

2. 텍스트가 여러 개 있거나 차트로 만들어져 있으면(책을 확대한 것 등) 함께 읽기가 가능하다.

*혼자 읽기

1. 학생들은 각자 책을 읽는다.

2. 학생과 교사는 읽을 것을 정하고 나서 일정 시간 동안 방해를 받지 않은 상태에서 조용히 읽는다.

3. 혼자서 읽기는 초급학년 교실에서는 약 5분 내지 10분 정도 그리고 고학년의 경우에는 20분까지 시킨다.

4. 이 활동을 통해서 학생들에게 따로 떼어서 생각하던 기술들을 재미있고 독립적인 책읽기에 접목시켜 적용시킬 수 있는 기회를 줄 수 있다.

5. 혼자읽기를 위한 지침

① 학생들은 읽을 자료를 선정하여 조용히 읽는다.

② 교사도 읽는데 이 과정에서 방해를 받지 않게 한다.

③ 타이머를 사용한다.

④ 이때 학생들은 책내용을 쓰지 않고 그들이 읽은 것을 기록하는 등 "숙제"를 받지 않는다.

⑤ 타이머가 울리면 학생들은 자신이 읽은 내용에 대해 간단하게 이야기를 나눈다.

*혼자읽기의 강점

1. 이 방식은 학생들이 읽기 기술을 연마할 수 있게 해주고 자신들이 읽을거리를 선정하는 책임감을 갖도록 개발해주며 그 안에 실린 정보를 알게 해주고 독해에 대한 긍정적인 메시지를 갖게 해준다.

2. 연구자들 중에는 이 방식이 학생들의 책읽는 기술을 증진시킨다고 믿는 이들도 있지만 반면 그렇지 않다고 주장하는 이들도 있다. 그럼에도 불구하고 매일 혼자 책읽기를 실시할 경우 학생들이 독서의 즐거움을 깨닫게 되리라는 데는 이견이 없다.

*어떤 방식으로 독서를 하든 질문을 하고 토론을 하는 과정은 필요하다. 책을 다 읽은 후에 할 수도 있다.

3단계: 텍스트 연구

1. 학생들은 책을 읽는 도중이나 읽고 난 직후에 불확실하더라도 시험적인 코멘트를 해본다. 또는 그 이야기에 관해 말해본다.

2. 학생들은 배우는 과정에 적극적으로 참여할 수 있다. 그리고 그

들이 개인적으로 생각해본 것들을 교육 과정 안에 포함되도록 조정을 할 수 있다.

3. 학생들이 자신들의 체험과 이야기 속의 사건과 연결시키게 되면 이미지를 만들어낼 수 있고, 다음에 어떤 일이 일어날지 기대할 수 있으며, 그 반응에 대해 생각하고 이야기를 평가할 수 있게 된다.

4. 교사들은 어휘에도 초점을 맞추어 이야기 속에 등장하는 단어의 리스트로부터 떠오르는 것을 물어볼 수 있으며 단어들을 여러 범주로 나누어볼 수도 있다.

5. 그런 다음에 학생들은 그 이야기에 대한 반응을 기록하고 이야기 속의 문장에 대한 반응을 자유롭게 써본다.

4단계: 텍스트에 대한 반응

1. 반응을 좀더 확대시키기 위해서 책을 읽는 동안 시험적으로 반응을 생각해본다.

2. 이때 반응은 여러가지 형태를 띨 수 있다.

a. 이야기를 다시 말한 것을 써보기.

b. 자신들이 읽은 이야기를 다른 형태로 쓰여진 글이나 또는 다른 "전설"들과 비교해보기.

c. 이야기를 극화하기.

d. 이야기를 그림으로 그려 붙이기.

e. 인형이나 플란넬 보드를 만들어서 이야기를 다시 들려준다.

f. 피리부는 사나이 이야기를 연구해본다.

g. 왜 쥐가 해로운가를 알아보기 위해 보건 관리를 인터뷰한다.

h. 이야기에 나오는 사건으로 입체 모형을 만든다.

i. 피리부는 사나이를 다른 옛날 이야기의 등장 인물과 비교해본다.

책 뒤에

나는 아내와 떨어져 살고 있다. 아내는 이곳 대학에서 비행기로 한 시간 정도 되는 뉴저지주의 시골집에 살고 있고 나는 대학 주변에 아파트를 얻어 취사를 하며 지내고 있다. 아파트에서 아침을 해결하고 점심, 저녁은 대학 식당에서 먹는 식으로 지내고 있다. 1주일에 한번씩 아내를 만나 밀린 가족 이야기를 하고는 다시 월요일부터는 대학이다. 이 대학에서의 강의와 연구생활이 그지없이 만족스럽다. 다시 태어난 다고 해도 나는 이 생활을 하고 싶다. 사람에게 자기가 좋아하는 일에 만족을 느끼며 살아가는 것 이상으로 더 좋은 살아가는 방법이 있는지 나는 알지 못한다.

야스퍼스는 이 세상에서 가장 아름다운 곳은 대학이라고 했지만 연구하고 강의하는 이 생활이 나로서는 더 바랄 것없는 생활로 여겨진 다.

젊었을 때 나는 한때 문학에 뜻이 있어서 시인 정지용, 서정주의 시를 즐겨 읽었고(최근 나는 옛날 문학청년 시절의 생각이 나서 이곳 뉴욕주립대학 학보에 영어로 쓴 시 한편을 기고했다.), 소설들도 좋아했

었더랬는데, 지금은 가물가물하다. 여기서 밝힐 것은 아니지만 내가 아득한 시절에 고교에서 영어를 가르치던 때의 나의 제자들 중에는 이름만 대도 알만한 시인, 소설가 들로 일가를 이루어 한국에서 활발히 활동하고 있는 이들도 있다. 그때 나는 그 똑똑한 제자들과 문학 이야기를 자주 했었다. 그러나 미국으로 건너온 이후 나는 고국 한국과 30년이 넘도록 거의 이렇다 할 관계없이 지내왔다. 한글도 읽지 못하고, 한국말도 별로 써보지 못하고, 한국사람도 오랫동안 못 만나고 지냈다. 내가 미국에 와서 10년 가까이는 미국땅에 한국사람들이 별로 없어 나는 거리에서 어떤 사람이 신고 가는 고무신이 반가워 한참을 그 고무신만 보고 따라간 일도 있었다. 지금도 나는 내가 처음 미국 유학올 때 가져왔던 30여 년 전의 검정고무신 한 켤레를 가보인 양 가지고 있다.

그렇게 지내온 내가 갑자기 한국나들이가 잦아졌다. 내가 하고 있는 영어연구와 미국에서의 영어교육 경험이 한국영어에 필요하다는 청이 들어와 갑자기 한국말을 쓰는 일이 많아진 것이다. 이런 뜻밖의 사태는 나로서는 전혀 생각해보거나 기대했던 일이 아니었다.

지난 3년 동안 여름방학을 틈타 1년에 한 차례씩 한국에 갈 기회가 생겼고, 그때마다 중고등학교 영어교사들을 상대로 호울 랭구이지 연수를 실시하는가 하면, 한국 영어교육의 혁명을 권하기 위해서 교육부 장관을 만나 영어교육의 개혁을 건의하기도 하는 등 한국의 영어교육에 많은 관심을 갖게 되었다.

이런 일들을 통해서 마침내 나는 나를 낳아준 한국에 미국에서 30여 년간 쌓아온 영어교사, 교수의 경험을 전할 기회를 갖게 되었다. 나로서는 보람있고, 기쁜 일이 아닐 수 없다. 미국에는 우리 한국출신 대학교수들이 근 2천명 정도가 활약하고 있다고 한다. 모두들 자기 분야에서 열심히 일하는 자랑스런 한국인들이다. 어쩌다 나는 미국대학생들에게 영어를 가르치는 한 사람의 교수가 되어 일생을 보내고 있다.

미국 대학생들에게 영어가르치는 법을 가르치는 나의 모습이 한국사 람들 눈에는 좀 특이하게 비친 모양이다. 하긴 미국사람들도 무슨 이 야기 끝에 내가 대학 영어교육과 교수라면 쉽게 믿으려 들지 않는다. 한국에서 펴낸 나의 책 〈영어의 바다에 빠뜨려라〉를 읽고 수많은 한국 사람들이 내게 영어학습에 대해 질문이나 상담요청을 해오고 있는 것 도 이런 배경 때문이 아닌가 싶기도 하다.

영어에 대해 내가 알고 있는 모든 것을 전할 계획을 착착 진행중에 있다. 지금 본격적인 영어학습서 집필이 두 권 거의 끝나 있는 상태이 므로 늦어도 올해 안에는 선을 보이게 될 것이다. 앞으로 내 힘이 닿는 한 부지런히 써서 한국영어 혁명에 미력하나마 힘을 보태려고 한다.

여기서 한국의 영어학도들에게 당부하고 싶은 것은 국어를 등한시 하고 영어를 하기가 어렵다는 사실이다. 가령 글쓰기를 예로 들면 한 글로 글쓰기를 잘못하는 사람이 영어로 글쓰기를 잘할 수 있겠는지를 한번 생각해볼 일이다. 한국에서 집을 지을 줄 모르는 사람은 미국에 와서도 집을 잘 지을 수가 없는 법이다. 글쓰기에는 말하자면 만국 공 통의 법칙이 있는 법이다. 틈틈이 한국의 문학작품, 시, 소설 들도 읽고 글쓰기의 소양을 기를 필요가 있다. 미국의 각급학교는 학생들에게 글 쓰기에서 시작하여 글쓰기로 끝날 정도로 글쓰기 훈련을 철저하게 시 키고 있다. 대학에서는 1주일에 두번 정도는 리포트를 내야 한다. 미국 에 유학오는 대부분의 학생들이 글쓰기에서 쩔쩔매고 있는 것을 보면 그 학생의 영어실력을 탓하기에 앞서 한국의 국어교육이 제대로 이루 어지고 있는지 궁금한 생각이 들기도 한다. 사실은 내가 주창하는 호 울 랭구이지는 영어교육뿐만 아니라 한국의 국어교육에도 시급히 필 요한 교육철학이라고 할 수 있다.

영어를 잘하기 위해서는 다양한 교양독서와 실제상황의 체험이 함 께 있어야 도움이 된다는 것을 잊지 말기 바란다. 영어를 배우려는 목적이 결국은 인류가 남긴 온갖 책과의 대화를 더욱 폭넓게 하는 데 있다고 할진대 추리력, 사고력, 창조력을 위한 평소의 면려가 무시되어선 안된다는 점을 지적하고 싶다.

영어를 잘한다고 뻐길 일도 아니고, 못한다고 주눅들 일도 아니다. 다만 영어가 필요한 사람이 영어공부를 열심히 하는 데 있어서 어떻게 하면 보다 효과적으로 할 수 있겠는지를 나같은 학자한테 마음을 열고 들어본다는 점에서 이 책은 소용이 있다. 나는 외국인, 그러니까 한국 사람이 얼마든지 영어를 정복할 수 있다고 주장하는 사람이다. 그래서 교과서도 고쳐야겠지만 우선 가르치는 일선의 교육환경, 교사가 크게 달라져야 한다고 주장한다. 그 방안으로 호울 랭구이지를 주창하는 것이다. 내가 아무리 소리쳐 외쳐본들 "한국의 현실로는 어렵다." 어쩌고 하면 못하는 것이고, 한번 내가 말한 대로 해보고 싶다면 적극 돕고 싶은 것이 나의 심정이다.

영어를 전공하는 사람조차도 관사를 제대로 못쓰는 한국 영어교육의 후진성을 탈피하려면 하루 빨리 영어교육에 혁명이 일어나야 한다. 환경을 탓하고 미룰 수만은 없다. 지금 당장 할 수 있다. 무엇 때문에 겁을 먹고 못하는가. 외국어란 겁을 먹고는 쉬 배울 수가 없다.

내 주장은 간단하다. 영어를 제대로 배우고 싶다면 영어 원어민들이 모국어를 익히는 방법을 도입하라는 것이다. 한국실정으로는 어렵다는 둥 그런 소리 하지 말고 해보라는 것이다. 미국의 저명한 학자들이 연구한 영어학습과 관련한 유익한 내용도 참고하기 바란다.

"지난 50년 동안 해보았는데 잘 안되었다."는 것이 한국 영어교육의 결론이 아닌가. 그러면 새로운 방법을 학습현장에 도입하라. 당신도 영어를 잘 할 수 있다. 이 말은 내가 듣기 좋으라고 그냥 해보는 소리가 아니다.